BOGOWIE
ALABAMY

G·J

Tytuły programu wydawniczego G+J KSIĄŻKI 2011 roku:

styczeń	**Mroczny Zakątek**	Gillian Flynn
luty	**Randkowanie wg Jane Austen**	Lauren Henderson
	Klub Miłośniczek Czekolady	Carole Matthews
	Dieta Miłośniczek Czekolady	Carole Matthews
	Faceci są jak ptaki	Lauren Frances
marzec	**Polowanie na sobowtóra**	Linda Howard
	Dość już łez	Linda Howard
kwiecień	**Rajska pokusa**	Heather Graham
	Mówisz: pomidor, a ja na to: zamknij się!	Annabelle Gurwitch, Jeff Kahn
maj	**Oszukać przeznaczenie**	Joshilyn Jackson
	Prawie w domu	Pam Jenoff
	Złodziej tożsamości	Erica Spindler
	Krwawe wino	Erica Spindler
czerwiec	**Noc, morze i gwiazdy**	Heather Graham
wrzesień	**A Room Swept White**	Sophie Hannah
październik	**A Hidden Affair**	Pam Jenoff
listopad	**Watch Me Die**	Erica Spindler
	Jedwab	Penny Jordan
	To będzie najlepszy rok twojego życia!	Debbie Ford

Książki dostępne w księgarniach, na www.gjksiazki.pl
i w sprzedaży wysyłkowej: tel. 22 360 37 77

JOSHILYN JACKSON

BOGOWIE ALABAMY

Przełożył
Radosław Madeiski

G+J

Tytuł oryginału:
Gods in Alabama

Copyright © 2005 by Joshilyn Jackson
This edition published by arrangement with Grand Central
Publishing, New York, New York, USA.
All rights reserved.

Copyright for the Polish Edition © 2011 by G+J
Gruner+Jahr Polska
Sp. z o.o. & Co. Spółka Komandytowa
02-674 Warszawa, ul. Marynarska 15

Dział handlowy: tel. 22 360 38 41–42
Sprzedaż wysyłkowa   tel. 22 360 37 77

Redakcja: Joanna Zioło
Korekta: Bronisława Dziedzic-Wesołowska
Projekt okładki: Wioletta Wiśniewska
Zdjęcie na okładce: Shutterstock
Zdjęcie autorki na okładce: Gilbert King
Redakcja techniczna: Mariusz Teler
Redaktor prowadząca serię: Agnieszka Koszałka

Skład i łamanie: TYPO 2, Warszawa
Druk: Abedik SA, Poznań

ISBN: 978-83-62343-35-5

Dla Betty, tej przede mną, i Maisy, tej po mnie

Podziękowania

Powieść to proces, którego jedyną zrozumiałą dla mnie częścią jest moment, kiedy siadam i piszę. A potem okazuje się, że trzeba zrobić tyle rzeczy, i to mnie przeraża. Aby ich dokonać, często trzeba mieć to, czego mi brak – zdrowy rozsądek, spostrzegawczość i odwagę.

Byłam tak oszołomiona i niedoświadczona jak stado kaczątek, ale miałam na tyle szczęścia, że dostrzegł mnie Jacques de Spoelberch, mój magiczny agent. Zajął się tym, czemu nie potrafiłam sprostać, i zrobił to świetnie, a potem zaprowadził mnie do Caryn Karmatz Rudy z Warner Books. Gdybyś zamknął oczy, marząc o idealnym agencie, i gdybyś przez całe swoje życie był bardzo, bardzo grzeczny, pojawiłaby się Caryn. A gdybyś, tak jak ja, nie był grzeczny przez całe życie, byłby ci potrzebny Jacques, żeby ją odnaleźć.

Szczere podziękowania należą się również zawsze gotowej nieść otuchę asystentce wydawniczej Emily Griffin. Moją wdzięczność zaskarbiła sobie też Penina Sacks, redaktor prowadząca, która potrafiła zebrać tysiące detali w spójną całość, oraz Beth Thomas, która redagowała tę książkę, dzielnie zmagając się z moją Skłonnością do Przypadkowego Używania Dużych Liter.

Moją powieść przeczytała grupa ludzi, z których każdy tchnął w nią trochę życia i dodał jej impetu. Zapewniam, że Lily James zapowiada się na najlepszą pisarkę, jaką wydało moje pokolenie, ponadto jest obdarzona krytycznym spojrzeniem. Nieocenionej pomocy w nadawaniu tej książce poloru udzielili mi także Lydia Netzer, Jill James, Jill „~" Patrick, Julie Oestreich, Nancy Meshkoff i każdy, kto należał do In Town Atlanta Writers' Group (a szczególnie do sekcji prozy kryminalnej – Fred Willard, Diane Thomas, Bill Osher, Linda Clopton, Anne Webster, Anne Lovett, Skip Connett, Jim Taylor, Jim Harmon i Barbara Knott). Wiele informacji na temat charakteru postaci udzieliła mi dr Yolanda Reed (oraz reszta zespołu Pensacola's Loblolly Theatre), Ruth Replogle i dr Natalie Crohn Schmitt. Gdyby nie wsparcie, które otrzymałam od mojej społeczności Kościoła Metodystów, nie byłabym w stanie pracować.

Jest niemal powszechnie przyjęte, że pisarz z Południa musi mieć okrutną i oryginalnie upośledzoną rodzinę. Moja jednak pod tym względem mnie zawiodła. Wszyscy są niestety zdrowi na umyśle i serdeczni. Scott Winn to moja miłość i podpora. Betty Jackson zawsze brała moją stronę. Bob Jackson jest dla mnie bohaterem – do dziś moje sumienie przemawia jego głosem. I oficjalnie zawiadamiam, że Bobby Jackson jest w błędzie, a Julie, Daniel, Erin i ja mamy rację.

Samuel Jackson i Maisy Jane nie zrobili absolutnie nic, by pomóc mi w pisaniu tej książki. Przy każdej okazji odciągali mnie od pracy i nakłaniali do zbijania bąków. Dziękuję za nich Bogu.

Rozdział 1

Alabama ma swoich bogów: jacka daniel'sa, gwiazdorów szkolnych drużyn futbolowych, pikapy i wielkie cycki, jak również Jezusa. Jedno z tych bóstw ukryłam tutaj, w Possett. Cisnęłam je w zarośla, pozostawiając na pastwę robactwa.

Zawarłam umowę z Bogiem dwa lata przed wyjazdem stąd. Wydawało mi się wtedy, że stać Go na wiele. Zaproponowałam Mu układ z przebiciem trzy do jednego, a jedyne, co miał zrobić, to dokonać cudu. On się wywiązał, więc i ja sumiennie dotrzymałam trzech obietnic, nie bacząc na koszty. Traktowałam naszą umowę jak świętość przez całe dwanaście lat. Ale tak było, zanim Bóg pozwolił, by na progu mojego domu pojawiła się Rose Mae Lolley, wlokąc ze sobą pokaźny bagaż przeszłości i budząc do życia moje upiory.

Za tydzień miały się rozpocząć letnie wakacje, a mój wujek Bruster właśnie szykował się do odejścia na emeryturę. Przez trzydzieści lat roznosił pocztę wzdłuż drogi numer 19 i teraz miał dostać złoty zegarek, gównianą odprawę i oficjalne pozwolenie rządu federalnego na wyzionięcie ducha. Niebawem miało się odbyć jego przyjęcie pożegnalne i ciotka Florence wykorzystała ten fakt w swej ostatniej kampanii mającej na celu zwabienie mnie do domu. Rozpętywała takie krucjaty trzy albo cztery razy do roku, zazwyczaj pod wpływem świątecznego klimatu albo rodzinnych wydarzeń.

Już wiele razy wyjaśniałam mamie, że się nie pojawię. Właściwie nie powinnam w ogóle się tłumaczyć. Nie przyjeżdżałam do Possett od czasu, gdy ukończyłam liceum w osiemdziesiątym siódmym. Dziewięć kolejnych ferii świątecznych spędziłam w Chicago i podczas dziewięciu kolejnych przerw wielkanocnych nie pokazałam się w domu. Od dziesięciu lat sumiennie zapisywałam się albo prowadziłam różne kursy w czasie wakacji. Unikałam weekendowych wypadów na urodziny, uroczystości rozdania świadectw szkoły średniej i śluby przeróżnych kuzynów i pociotków. Wywalczyłam sobie nawet zwolnienie od udziału w pogrzebach mego zramolałego dziadka i jego żony, Świątobliwej Babuni.

W takim układzie wydawało mi się jasne i zrozumiałe dla wszystkich, że nie wybrałabym się do domu, nawet gdyby całe Chicago miały strawić święte płomienie zesłane przez mściwego Pana w starotestamentowym stylu. „Dziękuję, mamo, za zaproszenie – powiedziałabym – ale planuję w ten weekend spłonąć w ogniu". Jednakże mama potrafiła niezliczoną ilość razy usuwać takie rozmowy z pamięci i powracała do tematu przy następnej okazji.

Burr oparł nogi na rozchwianym stoliczku do kawy i czytał jakiś kryminał kupiony w sklepie spożywczym. Pomiędzy wczesną wyprawą do kina a późną kolacją wstąpiliśmy do mnie, żeby o ósmej odebrać telefon od Florence. Nie można było tego pominąć. Dzwoniłam do ciotki Florence w każdą niedzielę po mszy, a w każdą środę wieczorem Flo sadzała moją matkę przy telefonie i wybierała mój numer. Wcale bym się nie zdziwiła, gdyby Florence, słysząc moją automatyczną sekretarkę, wysłała do Chicago ekipę prowincjonalnych wojowników ninja, aby doprowadzili mnie do domu.

Florence wciąż nie wspomniała jeszcze wprost o emeryturze wuja, chociaż nakłoniła mamę, by od sześciu tygodni wypytywała mnie, czy zamierzam z tej okazji pojawić się w domu. Kiedy do pożegnalnego przyjęcia zostało tylko dziesięć dni, nadszedł czas, by ciotka osobiście wkroczyła do akcji. Uległość mamy sprawiała, że była ona praktycznie jak bezkręgowiec, ale Florence trzymała jej kościste nadgarstki w potężnych męskich dłoniach i potrafiła tak długo mnie naciskać, dopóki nie brakło mi oddechu, by powiedzieć „nie". Umiała tego dokonać nawet przez telefon.

Burr przyglądał mi się znad książki, kiedy miotałam się po pokoju. Nie byłam w stanie usiąść obok niego, tak bardzo wytrąciła mnie z równowagi perspektywa rychłego męczeństwa, a Florence czekała na mnie niczym krzyż ze stali nierdzewnej. Burr siedział rozparty na sofie. Urządziłam sobie mieszkanie na garażowych wyprzedażach, w niedbałym stylu typowym dla wszystkich świeżo upieczonych absolwentów. Szarozieloną tapicerkę sofy zdobiły welwetowe zawijasy w kolorze mchu, a jej siedzisko było tak zwiotczałe i zapadnięte, że Burr zarzekał się, jakoby właśnie dlatego po raz pierwszy mnie pocałował. Usiedliśmy na sofie równocześnie, a ona wessała nas i przycisnęła ku sobie w samym środku swego sflaczałego cielska. I wtedy musiał mnie pocałować, jak twierdzi, żeby zachować się uprzejmie.

– Jak myślisz, ile to może potrwać? – odezwał się Burr. – Umieram z głodu.

– Tyle co zwykła rozmowa z mamą, jak w każdą środę – wzruszyłam ramionami.

– No dobra – odparł Burr.

– A potem będę musiała stoczyć bój z ciotką Florence o to, czy będę na przyjęciu wuja Brustera, czy nie.

– Cóż, siła wyższa. – Wygrzebał się z głębin sofy i przeszedł pięć kroków, by znaleźć się w maleńkiej kuchni. Otworzył kredens i zaczął w nim myszkować.

– Nie zamierzam ciągnąć tego zbyt długo – powiedziałam.

– Jasne, kochanie – skwitował i z paczką krakersów wrócił na sofę. Rozsiadł się, trzymając książkę, ale nie otwierał jej przez chwilę. – Spróbuj zmieścić się w czterech godzinach. Chciałbym o czymś z tobą porozmawiać przy kolacji.

Przestałam chodzić po pokoju.

– Czy to coś złego? – zapytałam nerwowo poruszona poważnym tonem jego głosu. Nie miałam pojęcia, o co mu chodzi. Może znów chciał ze mną zerwać, a może chciał mi się oświadczyć. Rozstaliśmy się w zeszłym roku przed Bożym Narodzeniem, ale było to dla nas obydwojga tak uciążliwe, że zeszliśmy się machinalnie z powrotem, nawet o tym nie rozmawiając. Prześlizgnęliśmy się razem przez kilka miesięcy życia. Czułam jednak, że to kiedyś musi się skończyć. Powinniśmy zmierzać w jednym kierunku. Jeśli by tak nie było, Burr uznałby, że to układ nie dla niego.

– Wiesz, że tego nie cierpię – powiedziałam. – Nie możesz trzymać mnie w niepewności.

– Bez paniki. – Burr obdarzył mnie szerokim uśmiechem, a jego brązowe oczy emanowały ciepłem.

– W porządku – odparłam.

Czułam, że coś mi trzepocze w żołądku, i nie byłam pewna, czy to podniecenie, czy strach, gdy wtem rozległ się dzwonek telefonu.

– Niech to szlag. – Telefon stał na zapchanej książkami etażerce, która znajdowała się po przeciwnej stronie tej szkaradnej sofy. Usiadłam obok Burra i podniosłam słuchawkę.

– Arlene, kochanie! Pamiętasz Clarice?

Clarice była moją kuzynką. Wychowywałyśmy się w jednym domu, praktycznie jak siostry. Mama była jedyną osobą na świecie, która mogła zadać takie pytanie córce, niepojawiającej się w domu od niemal dekady, bez cienia sarkazmu. Ciotce Florence za nic by się to nie udało i nic na to nie mogłam poradzić, chociaż zaczęłam się zastanawiać, czy to aby nie ona zasiała to pytanie w żyznym, chociaż grząskim gruncie umysłu mej matki.

Niewiele różniło się to od kartki świątecznej, jaką mama przysyłała mi przez ostatnie pięć lat. Widniał na niej czerwony telefon, a jaskrawoczerwone zawijasy układały się w napis: „Córeczko! Czy pamiętasz tego człowieka, któremu cię przedstawiłam w dniu, kiedy przyszłaś na świat? Wiem, że się do niego nie odzywasz, ale dzisiaj są jego urodziny". Po otwarciu kartki pojawiało się wyjaśnienie dla kompletnych idiotów – wypisane ogromnymi literami w cukierkowe paski słowo „Jezus".

Mama dostawała te obrzydlistwa od Baptystycznej Ligi Kobiet na rzecz Zadręczania Własnych Dzieci w Imię Boże, czy jak tam się nazywało to jej stowarzyszenie. Ciotka Florence była oczywiście jego przewodniczącą. I to oczywiście ona kupowała mamie te kartki, podsuwała jej do podpisania, lizała koperty, naklejała znaczki od wuja Brustera i wysyłała. W oczach Florence znajdowałam się na prostej drodze do odszczepieństwa, ponieważ należałam do amerykańskiego Kościoła Baptystycznego, a nie do Południowej Konwencji Baptystów.

Moja odpowiedź ograniczyła się jednak do słów:

– Oczywiście mamo, że znam Clarice.

– Otóż Clarice chce wiedzieć, czy w przyszły piątek mogłabyś podjechać i zabrać ciocię Mag. Ktoś musi podwieźć ją do Quincy's na przyjęcie wujka Brustera.

– Naprawdę chcesz mi powiedzieć, że Clarice pyta, czy będę jechała czternaście godzin z Chicago, a potem jeszcze godzinę do Vinegar Park, gdzie zresztą ona sama mieszka, żeby zabrać ciotkę Mag, która na pewno zasika mi pożyczony samochód, a potem jeszcze czterdzieści pięć minut do Quincy's?

– Tak, ale nie mów „zasika". To nie jest miłe – odparła matka ze śmiertelną powagą. – Zresztą Clarice i Bud przeprowadzili się do Fruiton i teraz do cioci Mag mają dobre czterdzieści minut drogi.

– Ach, no cóż. Dlaczego nie powiesz Florence – miałam na myśli Clarice – że na pewno przyjadę i wstąpię po Mag. Zaraz po tym, jak ciotka Flo zajrzy do piekieł, żeby zabrać samego diabła.

Burr siedział zapadnięty głęboko w sofie i trzymał otwartą książkę, ale jego wzrok przestał wędrować po tekście. Był zbyt pochłonięty tłumieniem śmiechu, próbując nie zadławić się krakersem.

– Arlene, ja nie powtarzam bluźnierstw – powiedziała matka łagodnie. – Florence może poprosić Grubą Agnes o podwiezienie Mag, a ty przyjedziesz po mnie.

Och, ciotka Florence była podstępna. Nakłonienie mojej matki do odbycia ze mną takiej rozmowy było równoznaczne z przyczepieniem do kociej łapy pistoletu o bardzo czułym spuście. Naturalnie kiedy kot potrząsa uwięzioną kończyną, pociski lecą na wszystkie strony, a niektóre mogą nawet w coś trafić. Mimo wszystko rozmawiałam z mamą o tym, czy podwiozę Mag, czy nie, a nie o tym, czy w ogóle się tam wybieram. Tani wybieg na poziomie kryminału, który czytał Burr, a jednak dałam się złapać.

– Nie przyjadę po ciebie, mamo – powiedziałam uprzejmie, jakbym chciała osłodzić jej tę przykrą wiadomość – bo mnie tam nie będzie.

– Och, Arlene. – W głosie matki pojawił się lekki ton smutku. – Czy kiedykolwiek jeszcze odwiedzisz swój dom?

– Nie tym razem, mamo – odparłam.

Matka wydała cichy, melancholijny pomruk, a potem odezwała się, już pogodniejszym tonem:

– No cóż, tym bardziej będę wyczekiwała Bożego Narodzenia.

Fakt, że nie pojawiałam się w domu przez ostatnie dziewięć świąt Bożego Narodzenia, nie miał żadnego wpływu na wynik jej mglistego rozumowania. Zanim zdążyłam rzucić szybkie: „Kocham cię, dobranoc", i się rozłączyć, usłyszałam w tle szczekliwy głos ciotki Florence.

– Teraz kolej cioci Flo! – oznajmiła matka.

Usłyszałam szelest słuchawki podawanej z ręki do ręki i stłumione słowa ciotki, która prosiła mamę, by poszła zerknąć na ciasto. Nastąpiła krótka pauza, podczas której matka przypuszczalnie ulotniła się z pokoju, a potem ciotka Florence zdjęła dłoń z mikrofonu i odezwała się rozbrajająco tkliwym tonem.

– Witaj, gadzino.

– Cześć, ciociu Florence – powiedziałam.

– Czy wiesz, dlaczego nazywam cię „gadziną", gadzino?

– Nie mam pojęcia, ciociu Florence.

– Odwołuję się do wersetu biblijnego. Czy oni mają Biblię w tym Amerykańskim Kościele Baptystycznym?

– Zdaje mi się, że raz tam jakąś widziałam – odparłam. – Ale na pewno stamtąd czmychnęła, kiedy tylko zdała sobie sprawę, gdzie jest. O ile mnie pamięć nie myli, było w niej mnóstwo gadów i na pewno jest to określenie jak najbardziej dla mnie stosowne.

Burr wciąż znakomicie się bawił. Nie chciałam, by mi się przyglądał, więc pokazałam palcem na jego książkę. Wyszczerzył zęby w szerokim uśmiechu i wstydliwie odwrócił wzrok.

– Bo niczym wąż wyhodowany na własnym łonie jest niewdzięczne dziecko – wyrecytowała ciotka Florence niskim, natchnionym głosem.

– To nie Biblia, ciociu. To przekręcony cytat z *Króla Leara*.

– Czy zdajesz sobie sprawę, że wszystkie kobiety z naszego kościelnego koła paplają jak kwoki, cóż za okropieństwa musiała ci wyrządzić twoja biedna mama – albo i ja – że jedyna jej córka uciekła z domu i nie ma zamiaru wracać? Czy zdajesz sobie sprawę, jakie straszne rzeczy muszą wygadywać o twojej nieszczęsnej matce? I o mnie?

– Nie, ciociu Florence, nie zdaję sobie sprawy – odpowiedziałam, ale ona nie słuchała.

Ujadała nieprzerwanie do mego ucha o poczuciu winy, o biciu się w piersi i o ścieżce występku. Że niby kto, według mnie, zapewniał mi chleb? Wuj Bruster i jego pocztowy rewir. A teraz on potrzebuje jedynie tego, żeby rodzina się zgromadziła i zjadła na jego cześć kolację w Quincy's. Poprosiłam ją o przekazanie słuchawki Brusterowi, bym mogła mu powiedzieć, jak bardzo jestem z niego dumna.

Florence nie miała jednak zamiaru oddawać telefonu, nawet swojemu mężowi. Niespodziewanie zmieniła taktykę, zniżając głos do nabożnego szeptu.

– Twoja mama może nie dożyć przyszłego roku – przeszła do kolejnego wątku, pytając mnie zatroskana, jak będę się czuła, gdy stracę tę ostatnią szansę, by się z nią zobaczyć.

Zwróciłam jej uwagę, że posługuje się tym argumentem dziewiąty rok z rzędu, a mama jak dotąd nie umarła.

Burr odłożył książkę i pochylając się nade mną, sięgnął po ołówek i notatnik, które trzymałam na półce obok telefonu. Nagryzmolił coś na kartce, a potem wyrwał ją i podsunął mi pod nos. Przeczytałam: „Zgódź się na ten wyjazd i chodźmy coś zjeść".

Zmięłam ją i cisnęłam w niego, pokazując język.

– Nawet nie wiesz, Arlene, jak z nią jest źle – powiedziała Florence. – Mizernieje w oczach. Wygląda jak chodząca śmierć. W tym roku była dwa razy w szpitalu.

– W prawdziwym szpitalu? – zapytałam. – Czy w Deer Park?

– W prawdziwym – Florence przybrała obronny ton.

– Prawdziwe szpitale nie mają w świetlicach ścian obitych poduszkami – odparowałam.

Burr rozprostował skrawek papieru i trzymając go w górze jak znak, wskazywał na każde ze słów po kolei. Potrząsnęłam głową, a potem pochyliłam się do przodu, aby ukryć twarz w moich długich, ciemnych włosach.

– To nie jest tak, że nie chcę przyjechać. Nie mogę. Nie mam w tym momencie pieniędzy na podróż.

Zerknęłam na Burra. Zmrużył oczy i dotknął podbródka dwoma palcami. Był to szyfr, którego nauczył się podczas pozorowanych rozpraw na studiach prawniczych. Jego znak mówił: „Jestem w posiadaniu dwóch sprzecznych faktów". Wiedziałam, do czego pije. Fakt pierwszy: Burr wiedział, że w zeszłym tygodniu miałam odłożone jakieś trzy tysiące. Fakt drugi: Burr wiedział, że nie kłamię.

Nigdy. Skinęłam na niego i przyłożyłam do mojej brody jeden palec, sygnalizując, że nie ma do czynienia z paradoksem, tylko jeden z faktów należy wykluczyć.

Ciotka Florence rozprawiała o przelewach bankowych, pożyczkach i o tym, żebym ruszyła dupę i poszukała jakiejś dorywczej pracy, podczas gdy Burr nad czymś się zastanawiał. Po chwili coś mu zaświtało, podniósł się z sofy i ruszył w stronę drzwi wejściowych, spoglądając na mnie spod uniesionych brwi. Przycisnęłam słuchawkę ramieniem i splotłam się rękami, pokazując, że jest mi zimno. Nagle uświadomiłam sobie, że na drugim końcu linii panuje cisza, i poczułam, iż szybko muszę ją wypełnić.

– Ciociu Florence, wiesz, że nie wezmę twoich pieniędzy...

– Ależ skąd, tylko jedzenie z mojego stołu i łóżko w moim domu przez całe twoje dzieciństwo.

Burr zmienił kierunek i ruszył w stronę kuchni. Gestykulowałam, pokazując mu, że jeszcze bardziej marznę i otulam się niewidzialnym kocem.

– Szkoła daje mi stypendium i dodatek mieszkaniowy plus czesne – powiedziałam do słuchawki. – To nie jest tak, jakbym żyła z zasiłku.

Burr minął kuchnię, zrobił cztery kroki i przestąpił próg ciasnej, przypominającej szafę klitki, która w moich jankeskich włościach nosiła dumne miano sypialni. Otarłam niewidzialny pot z czoła i zrzuciłam wyimaginowany koc, a potem zaczęłam się wachlować. Zniknął za drzwiami i słyszałam, jak myszkuje, szurając nogami po twardej, drewnianej podłodze.

– Nie – powiedziałam do słuchawki – nie sądzę, aby to zasługiwało na specjalne zgromadzenie w kościele.

Ale być może zasługiwało. Florence wywierała na mnie pewien wpływ. Zawsze to potrafiła. Myślałam o wujku Brusterze, o jego łysinie pokrytej rzadką blond zaczeską, wielkim brzuchu i szerokich, spadzistych ramionach. Wyglądał tak, jak gdyby możliwe było, aby niedźwiedź wspiął się na górę i miał z nią dziecko. Miał naiwne, chłopięce oczy w kolorze bladego błękitu, wielkie i sprawiające wrażenie nieco wilgotnych. A kiedy miałam jedenaście lat, towarzyszył mi podczas Pierwszego Naleśnikowego Przyjęcia Ojców i Córek Kościoła Baptystów w Possett. Wprawdzie pod drugie ramię trzymała go Clarice, ale to mnie odsunął krzesło od stołu i to mnie nazywał Małą Damą przez cały ranek.

Usłyszałam skrzypnięcie drzwi mojej szafy, a potem nastąpiła pauza, którą Florence wypełniła słowami pełnymi czułości, mieszając je z obelgami. Drzwi szafy się zatrzasnęły, a do pokoju wrócił Burr, niosąc torbę z Computer City z nowym laptopem w środku. Zrobił minę, jakby chciał zagwizdać z podziwu, ale nie wierzyłam w to. Coś się działo w jego głowie, gdy tak patrzył na laptopa. Nie byłam w stanie dociec, o co mu chodziło.

Burr był dobrym prawnikiem, a jeszcze lepszym pokerzystą. Grywaliśmy kiedyś w coś, co było naszym wynalazkiem i nazywało się Pięciokartowy Poker Dobierany za Drobne Świadczenia Seksualne. Ale zrezygnowałam z dwóch powodów. Po pierwsze, zbyt często sprowadzał nas na drogę, która kończyła się frustracją i wielkimi awanturami. A po drugie, on prawie zawsze wygrywał.

Burr wrócił na sofę, a torbę z laptopem położył na stoliku do kawy. Sięgnął z powrotem po książkę, ale jej nie czytał ani też nie chciał popatrzeć mi w oczy.

Koniec końców, wbrew wszelkim oczekiwaniom ciotka Florence przeszła do etapu, w którym oświadczyła, że będzie modlić się do Boga, prosząc, abym z Jego pomocą przestała być taką małą, samolubną gnidą. Później pozwoliła mi odłożyć słuchawkę. Złożyłam jej wymijającą obietnicę dokładnego przeanalizowania planu moich letnich zajęć i sprawdzenia, czy dam radę wybrać się do domu przed jesienią. Sceptyczne prychnięcie ciotki, którym zakończyła rozmowę, wciąż pobrzmiewało mi w uszach, kiedy odkładałam słuchawkę.

– To wypasiona maszyna – stwierdził Burr od niechcenia, wskazując na laptopa. – Rzeczywiście jesteś spłukana.

– Taaa... – odparłam. Spłukałam się, żeby go kupić. I tak naprawdę kupiłam go, żeby się spłukać.

– Na szczęście ja nie jestem – powiedział Burr.

– Na szczęście, bo zapraszasz mnie na kolację. – Wstałam, ale Burr wciąż tkwił wciśnięty w kąt sofy.

– Nie o to mi chodziło. Pamiętasz, Leno, jak powiedziałem ci, że chciałbym z tobą porozmawiać przy kolacji?

– Tak. – Trzepotanie w żołądku natychmiast wróciło. Znalazłam się już na nogach i patrzyłam na niego z góry. Zaczęłam się zastanawiać, czy pomiędzy sofą a stolikiem do kawy jest dość miejsca, by mógł przede mną uklęknąć, czy też powinnam się cofnąć.

– Myślę, że lepiej, jak zapytam cię teraz – powiedział, a jego ciemne oczy przybrały bardzo poważny wyraz. Burr miał ładne oczy, chociaż były małe i płaskie. Nie dostrzegałam, jakie są piękne, dopóki nie zbliżyłam się, by go pocałować. Jego twarz nie pasowała do tych oczu. Wyrazu nadawały jej kości policzkowe i ostro zwężająca się szczęka, dość masywna, kontrastująca z szerokimi, delikatnymi wargami skrywającymi cudowne zęby, na których wyprostowanie jego mama wydała osiem tysięcy dolarów. – Jestem trochę zdenerwowany – dodał.

– Nie musisz się denerwować – odparłam, chociaż sama byłam już piekielnie wytrącona z równowagi.

– Zapomnij o swoim uzależnieniu od cioci Florence i twojej mamy. Pomyśl tylko o sobie i o mnie. Gdybym powiedział, że to dla mnie ważne, wybrałabyś się w przyszłym tygodniu do Alabamy na to przyjęcie? – zapytał.

– Co? – Usiadłam gwałtownie.

– Mogę zapłacić za podróż.

– Nie pozwolę ci płacić za to, żebym tam jechała zobaczyć się z moją rodziną – zaprotestowałam.

– Nie zrobiłbym tego – odpowiedział. – Zapłaciłbym za nas obydwoje.

– Na to też nie mogę ci pozwolić.

– Nie możesz czy nie pozwolisz? – Uśmiechał się, ale już go przejrzałam i widziałam, że pod tym uśmiechem kryje się złość.

– Nie pozwolę – powiedziałam. To strasznie uciążliwa przypadłość, kiedy nigdy się nie kłamie.

– Nie martw się. – Burr skinął na laptopa, a na jego twarzy wciąż malował się ten piękny, gniewny uśmiech. – W Computer City mają dziesięciodniowy termin zwrotów bez podania przyczyny. – Wstał i przeszedł na drugą stronę stolika. – Bo oczywiście nie masz zamiaru tego trzymać.

– Nie, jasne, że nie – przyznałam. I natychmiast zdanie „Alabama ma swoich bogów" odbiło się w mojej głowie echem tak potężnym, że omal nie wypowiedziałam go na głos. Powstrzymał mnie Burr, który znów się odezwał:

– Leno, jeżeli mnie tam nie zabierzesz i nie przedstawisz swojej rodzinie, zaczniemy brnąć w ślepą uliczkę.

– Ale ja cię kocham – zapewniłam. Zabrzmiało to bezbarwnie i sztucznie, chociaż pamiętałam jeszcze, jak to z nami było, kiedy do późnej nocy migdaliliśmy się na sofie. Zadręczałam się różnymi myślami i właśnie wtedy pojawił się Burr. Przypominałam sobie, jak byliśmy razem, jak brał mnie w swoje wielkie ręce i obydwoje wiedzieliśmy, jakie są zasady.

Jego dłonie były takie ogromne, że praktycznie mógł mnie nimi objąć w talii. Miał metabolizm przypominający spalanie silnika rakietowego, który sprawiał, że jego skóra była zawsze ciepła w dotyku. Jego wielkie dłonie błądziły po moim ciele, w górę albo w dół, wślizgując się w zakazane rejony. Kiedy mnie dotykał, oczyma wyobraźni widziałam drganie naprężonych mięśni wydobywanych przez mdłe światło, które pełzało po jego wędrujących dłoniach. Mogłam je złapać i oderwać od moich piersi, spychając w dół, na biodra. Mogłam wyprowadzić je powolnym ruchem spomiędzy moich nóg i położyć na udach. Jego ręce zawsze trafiały tam, gdzie kazały im moje, natychmiast i choćby nie wiem co. Ta moc, ta władza, a może przyzwolenie na kierowanie czymś dużo silniejszym ode mnie, sprawiała, że byłam rozkojarzona i czułam coś, czego nie potrafiłam nazwać, ale co było blisko spokrewnione z tęsknotą. Ostatecznie musiałam go odsuwać od siebie, wypychać za drzwi pospiesznymi pocałunkami, gdy obydwoje konaliśmy z tłumionego pożądania i zanosiliśmy się od śmiechu.

– Często to powtarzasz. – Burr stał obok drzwi wyjściowych, spoglądając na punkt położony gdzieś ponad moim lewym ramieniem. Czasem tak robił, kiedy był wkurzony. Toczył wewnętrzną walkę, spoglądając markotnie na horyzont, tak zadumany i szpetnie piękny, jak Heathcliff, który myśli: „Och, te wrzosowiska! Te wrzosowiska!".

– Gdybym cię nie kochała, w ogóle bym tego nie mówiła. Wiesz, że nie kłamię.

– Jest wiele rzeczy, których jak twierdzisz, nie robisz – odparł. – Nie kłamiesz, nie pieprzysz się, nie zabierasz swojego faceta do domu, by przedstawić go rodzinie. Mówisz, że mnie kochasz, ale znasz setki sposobów, by uniknąć prawdy, nie mówiąc żadnego kłamstwa. – Wskazał laptop na stoliku. – Prosty przykład. Dzisiaj mówisz swojej ciotce, że jesteś spłukana, a jutro to oddasz i odzyskasz pieniądze. I ty to nazywasz mówieniem prawdy.

– Nie. To nazywam niemówieniem kłamstw. Wiesz, że to dwie różne rzeczy. Zresztą nie mam obowiązku nikomu o wszystkim opowiadać. Nie kłamię tak samo jak ponad dziewięćdziesiąt procent tego zasranego świata, a tak w ogóle, po co ta dyskusja? Czemu właśnie w tej chwili postanowiłeś, że powinnam zabrać cię na pożegnalne przyjęcie mojego wujka? Nie to spodziewałam się od ciebie usłyszeć.

– Może też nie o to planowałem cię poprosić – powiedział Burr. – Ale, Leno, obserwowałem twoje zmagania z ciotką i zacząłem się zastanawiać, nie po raz pierwszy zresztą, jak często zmagasz się ze mną, by nie dopuścić mnie do centrum swego życia.

– Przede wszystkim Possett w stanie Alabama nie jest centrum mojego życia. To nie jest mój dom. To czwarty krąg piekieł. Sama się tam nie wybieram, nie mówiąc już o zabieraniu ciebie...

– Spójrz na swój rachunek telefoniczny.

– A po drugie – ciągnęłam, jakby wcale się nie odezwał – nie widzę związku pomiędzy tym, że nie uprawiamy seksu, a zabieraniem cię do Alabamy.

– Kobieta, kiedy zakocha się w mężczyźnie – odparł – uprawia z nim seks albo zaprasza go do domu, żeby przedstawić rodzinie. W gruncie rzeczy, Leno, większość kobiet robi jedno i drugie.

– Ale moja rodzina jest chora. – Miałam nadzieję, że moje słowa zabrzmiały przekonywająco. – Dlaczego miałbyś chcieć ją poznać?

– Ponieważ jest twoja – stwierdził beznamiętnie, sięgając ręką do klamki. – Myślałem, że ty jesteś moja.

Natychmiast ogarnęła mnie furia. To było zbyt piękne jak na potoczystą filmową kwestię. Ludzie nie posuwają się do mówienia wielkich rzeczy, by zaraz potem wrócić do rzeczywistości. Burr mógł wygadywać takie pierdoły o wiele częściej, a to ze względu na swój sięgający najniższych rejestrów bas. Mógł nim wygłaszać nieziemsko dramatyczne kwestie, które w moich ustach zabrzmiałyby tak, że cały tłum tarzałby się po ziemi i wyjąc ze śmiechu, zalecał mi leczenie. Ale Burr? On mógłby powiedzieć: „Luke, jestem twoim ojcem", i uszłoby mu to na sucho.

Ale nie przy mnie.

– Nie próbuj odgrywać Rhetta Butlera, kierując się do drzwi w samym środku kłótni. – Zerwałam się z sofy i obeszłam stolik, zbliżając się do niego.

– Nigdy nawet nie wspomniałaś o mnie swoim krewnym, za to połowę wolnego czasu spędzasz u mojej mamy – powiedział, zdejmując dłoń z klamki. – Nie jesteś moją kochanką, ale nie potrafisz utrzymać rąk przy sobie, dopóki nie wpadnę w kliniczne szaleństwo. Jestem dwudziestodziewięcioletnim mężczyzną, Leno. Nie jakimś piętnastolatkiem, który wyznaje ci miłość w nadziei, że po raz pierwszy zobaczy goły cycek.

– To nie jest tak, że cię nie kocham – odparłam. – Ale przysięgam na Boga, że nie chcesz jechać w tę podróż. To tak, jakbyś znalazł się w operze mydlanej, tylko że nikt nie jest tam piękny, bogaty ani interesujący. Jeżeli tam pojedziemy, musisz wiedzieć, jak by to było. To znaczy… posłuchaj, Burr, co widzisz, kiedy patrzysz na nas?

– Zawsze widziałem świetną parę – odpowiedział. – Pozostaje pytanie, co ty widzisz?

– To samo. Ale oni tam, w Possett, tego nie zobaczą. Spojrzą na mnie i będą widzieć stukniętą Arlene Fleet, która nigdy nie była tak dobra, jak powinna. A kiedy spojrzą na ciebie, zobaczą czarnucha, który ją posuwa.

– Ale ja cię nie posuwam. – Burr uśmiechnął się lekko.

– No cóż, moglibyśmy ci nawet sprawić podkoszulek z napisem, że tego nie robisz, ale i tak by w to nie uwierzyli. Bo po cóż innego byłabym z tobą? To niemożliwe, żebyś był mądry, przystojny, interesujący czy zaradny, bo żadna z tych rzeczy nie jest ci dana, kiedy trafisz do Possett. Samo bycie czarnym wystarczy ci aż nadto. Gdy znajdziesz się wśród mojej rodziny, bycie czarnym stanie się tak poważnym zajęciem, że przysłoni całe twoje jestestwo. Nie pozwolą ci być niczym więcej. Gdybym pokazała się w domu, przyprowadzając mojego czarnego chłopaka na pożegnalną imprezę wuja Brustera, potraktowaliby to jako osobistą zniewagę. Jakbym miała czarnego faceta wyłącznie po to, żeby nadepnąć im na odcisk. I może później ubzdurasz sobie, że wybrałam cię, bo jesteś czarny, a to jest struna, na której mogłam zagrać. Chyba sam na to wpadniesz, że kiedy dziewczyna nie pokazuje się w domu od dziesięciu lat, to musi mieć jakieś problemy z rodziną. Ale to wcale nie dlatego. Wybrałam cię, ponieważ ty to ty, ponieważ jesteś dla mnie idealny i jestem w tobie bardzo zakochana.

– Ja również cię kocham, Leno – powiedział Burr – ale jestem zmęczony tymi podchodami.

– Co to ma znaczyć? Stawiasz mi ultimatum? Daj mi dupy albo odchodzę? To nie jest w porządku, Burr.

– Nie zrozum mnie źle. – Jego głos przybierał na sile. – Nie sprowadzaj wszystkiego do próby zmuszenia cię do czegoś. Nigdy nie wywierałam na ciebie nacisku. To oczywiste, że chcę uprawiać z tobą seks, ale nie o tym teraz mówię. Proszę cię, żebyś przedstawiła mnie swojej rodzinie. To wszystko. Proszę cię o trochę zaangażowania. Jesteśmy razem od dwóch lat.

– Różnie z tym bywało.

– Ale przeważnie bywało. – Burr znów sięgnął do klamki.

– Nie waż się wychodzić w środku kłótni. – Byłam tak wściekła, że zaczęłam krzyczeć. – Nienawidzę, jak to robisz!

Na sekundę zastygł w bezruchu, ale potem odsunął zasuwkę. Drzwi zakleszczyły się we framudze, więc pchnął je nerwowo. Otworzyły się z impetem, przewracając dziewczynę, która stała po drugiej stronie. Znajdowała się tak blisko, że musiała trzymać ucho przyciśnięte do drzwi, a odrzucona ich siłą zatoczyła się i wylądowała na pupie.

– Co za... – mruknął Burr i przestąpił próg, nachylając się już, by pomóc jej wstać, ale ona zaczęła pełznąć w tył niczym spanikowany krab. Burr przystanął, a dziewczyna poderwała się na nogi, gorączkowo przeszukując swą wielką torbę z frędzlami. Była ubrana jak jedna z moich studentek, w obcisłe dżinsy i bluzkę w rustykalnym stylu, ale nie przypominałam sobie jej twarzy. Dziewczyna wyszarpnęła rękę z torby i uniosła ją, wymierzając mały pojemniczek ze sprayem w twarz Burra.

– Słyszałam twój krzyk – zwróciła się do mnie. Dyszała ciężko, ale gdy tylko stanęła na nogi, była bardziej podekscytowana niż wystraszona i przyjęła teatralną pozę rodem z *Aniołków Charliego*, trzymając wciąż uniesiony spray.

– Ejże – Burr uniósł ręce – uspokój się.

Dziewczyna nie odrywała od niego oczu, ale mówiła do mnie.

– Uderz go w czułe miejsce – powiedziała – a potem uciekniemy, kiedy będzie leżał.

Zdałam sobie sprawę, że odruchowo również uniosłam ręce. Opuściłam je i podeszłam bliżej, stając obok Burra.

– Nic ci się nie stało? – zapytałam ją. – To był wypadek. Nie wiedzieliśmy, że tu jesteś. Cóż ty, do cholery, robisz?

– Leno, czy to jedna z twoich studentek? – Burr zaczął powoli się przesuwać, próbując znaleźć się między mną a miotaczem gazu, co nie było trudne, ponieważ dziewczyna mierzyła agresywnie w jego twarz. Stała na szeroko rozstawionych nogach w pozycji bojowej, a w wyprostowanych rękach trzymała pojemniczek, jakby to był pistolet.

– Nie sądzę, żeby chodziło jej o mnie, Burr – powiedziałam, a ponieważ byłam wściekła, mogłam tylko się roześmiać, widząc, jak ta drobniutka dziewczyna trzyma go na muszce. – Wydaje mi się, że to z tobą ma problem.

– Właśnie wychodziłem – oświadczył Burr.

– Uważaj, bo ci uwierzę – odparła dziewczyna.

– On tylko chciał pomóc ci wstać – zapewniłam, ale ona wciąż trzymała wymierzony miotacz i nie zwróciła na mnie uwagi.

Burr powoli opuścił ręce i przeszedł obok niej, a dziewczyna obróciła się półkolem, nie spuszczając go z oczu.

– Nie skończyliśmy naszej rozmowy – zawołałam za nim.

– Ja skończyłem – odpowiedział Burr i ruszył w dół po schodach.

Chciałam iść za nim, ale dziewczyna stanęła bokiem na mojej drodze i kręciła głową tam i z powrotem, starając się mieć nas obydwoje na oku.

– Przepraszam – powiedziałam, ale mnie zignorowała.

Burr zniknął za rogiem i w momencie, kiedy był już niewidoczny, dziewczyna stanęła przodem do mnie, opuściła ręce i uśmiechnęła się triumfująco.

– Prawie wszyscy to bydlaki – oświadczyła.

Kiedy się jej dokładnie przyjrzałam, stwierdziłam, że jest za stara na moją studentkę. Dawałam jej około trzydziestki. Była mojej postury, może trochę niższa. Wątpliwe, by bez obcasów mierzyła metr pięćdziesiąt pięć. Jej grube, czarne włosy były agresywnie przystrzyżone na pazia, odsłaniając kark i zwieszając się ku przodowi dwoma ostrymi kosmykami, które okalały ładną twarz o zawziętym wyrazie.

– My tylko się kłóciliśmy – powiedziałam. – Przepraszam, ale muszę go dogonić. – Ruszyłam w ślad za Burrem, ale dziewczyna znów zastąpiła mi drogę. Wciąż ściskała pojemniczek z gazem.

– Gdybym miała gotową wymówkę na wszystko, właśnie tak bym powiedziała.

– Schowaj ten gaz – nakazałam.

– Och, no tak. – Wrzuciła go do torebki. – Ale przypadek, co? Usłyszałam, że krzyczysz, i już miałam wywalić drzwi, żeby przyjść ci na pomoc.

Słysząc, jak wypowiada niektóre słowa, nie miałam wątpliwości, że pochodzi z Alabamy. Zapomniałam o pościgu za Burrem i spojrzałam na jej szczupłą twarz o wielkich, fiołkowych oczach wyzierających spomiędzy włosów, które układały się w kształt ostrych skrzydeł.

– Rose? – spytałam, ale to nie mogła być ona.

Kiedy ostatni raz widziałam Rose Mae Lolley, nosiła włosy sięgające do pasa i poruszała się z powolną gracją odurzonej baletnicy. Rose Mae, którą znałam i której nienawidziłam przed laty w Alabamie, nigdy nie rzucałaby się po jankeskiej klatce schodowej, wymachując miotaczem gazu. I oczywiście nie zniżyłaby się do tego, żeby zamienić ze mną choćby słowo.

Ale ona skinęła potakująco głową.

– Dasz wiarę? Zmieniłam się, co? Ale ty nie. W każdym razie nie bardzo. Znaczy na pewno jesteś starsza. Ale od razu byłam pewna, że odnalazłam Arlene Fleet. Mogę wejść?

– Niespecjalnie – odparłam. Przemknęła mi przez głowę absurdalna myśl, że ona wypełnia jakąś misję powierzoną jej przez ciotkę Flo, taktyczny manewr w odwiecznej wojnie o sprowadzenie mnie do domu. I zanim zdążyłam się powstrzymać, usłyszałam własne słowa: – Kto cię tu przysłał? Czy to Florence?

– Florence? – Rose wyglądała na zmieszaną. – Ach! Pani Lukey, mama Clarice? Boże, nie. Nie widziałam jej całe wieki. Co u niej?

– To nie jest wspominkowy tydzień, Rose – odparłam. – Nie widziałam cię od dziesięciu lat, nie miałam nawet pojęcia, czy żyjesz, czy nie, i szczerze mówiąc, niewiele mnie to obchodziło. A teraz pojawiasz się pod moimi drzwiami, jawnie podsłuchując mnie i mojego faceta. To nie twoja sprawa, jak się miewa moja rodzina. Skoro ciotka Florence nie nasłała cię w charakterze pewnego rodzaju plagi, to jak, do cholery, w ogóle mnie znalazłaś? Co tu robisz? Czego ode mnie chcesz?

Przez chwilę wyglądała na skonsternowaną, ale zaraz na twarzy wykwitł szeroki uśmiech.

– No dobra, Arlene. Chyba zawsze brakowało ci towarzyskiej ogłady. Nie szkodzi. To trochę długa historia, ale skoro wolisz skróconą wersję korytarzową, też może być. Miałam awanturę z moją terapeutką i teraz odbywam podróż duchową. Gratuluję, jesteś moim kolejnym przystankiem.

– Czy chodzi o to przyjęcie pożegnalne? – spojrzałam na nią sceptycznie.

– Nie, nawet nie wiem, co to znaczy. O dziwo, nie wszystko na tym świecie kręci się wokół ciebie, Arlene. Tym razem chodzi o mnie. Jak ci powiedziałam, próbuję podążać ścieżką, którą wybrałam dla swego rozwoju duchowego...

Uciszyłam ją gestem dłoni i powiedziałam:

– Jeżeli to jest jakaś metoda w dwunastu krokach, wprowadzanie poprawek czy coś w tym stylu, to w porządku. Wybaczam ci. A teraz muszę dogonić Burra.

– Co mi wybaczasz? – spytała Rose. Odtańczyłyśmy jakąś dziwną figurę na trzy kroki, kiedy próbowałam ją wyminąć, a ona przestępowała z nogi na nogę, by mnie powstrzymać. – Zaczekaj, Arlene, jedną chwilę. Przykro mi, że byłam opryskliwa. Naprawdę potrzebuję twojej pomocy. Ja tylko robię to, co ty próbujesz zrobić. Podążam za tym, co odeszło.

Przestałam się przeciskać i spojrzałam na nią nieufnie. Dziewczyna może opuścić Alabamę, ale jak sprawić, żeby Alabama nie wlokła się za nią tysiące kilometrów, czając się tuż za progiem. Poczułam, że zaczyna wzbierać we mnie stary gniew. Bóg chybaby nie pozwolił, żeby doszło do czegoś takiego. To była niepisana część umowy. Cofnęłam się o krok w stronę zamkniętych drzwi mojego mieszkania.

– Cokolwiek to jest, nie może mieć ze mną nic wspólnego – oznajmiłam.

– Ale ma, pośrednio. Posłuchaj, moja terapeutka twierdzi, że poznaję gównianych facetów, ponieważ ich szukam, a nie dlatego, że większość facetów jest do dupy. – Zrobiłam kolejny krok w tył, a ona zaczęła mówić szybciej, starając się, bym ją wysłuchała. – Jej zdaniem trafiam na dupków, bo uważam, że na takich zasługuję. Bla, bla, bla, masochizm, bla, bla, niska samoocena. Wiesz, jak gadają psychiatrzy.

– Nie – odparłam z naciskiem – Nie wiem.

– Przy twojej matce? – Rose spojrzała sceptycznie. – Daj spokój. Zresztą to nie jest tak. Przemyślałam moje sercowe historie i szukam faceta, który nie okazałby się dupkiem. Jeżeli znajdę choćby jednego takiego, okaże się, że moja terapeutka się myli i to nie moja wina, ale mężczyzn. I jest taki jeden. Wiem o tym. Pamiętam go. Ale potrzebuję twojej pomocy, żeby go znaleźć.

– Znaleźć go? – zapytałam.

Kiedy Rose mówiła, cofałam się, a ona sunęła za mną krok po kroku, ale pewnie bardziej wyciągała nogi, bo miałam ją zbyt blisko. Czułam zapach gumy owocowej w jej oddechu, a oczy lśniły gorliwym blaskiem neofity.

– Tak. Muszę znaleźć Jima Beverly'ego – powiedziała.

Nim zdążyła wymówić ostatnią sylabę, wpadłam gwałtownie do mieszkania, zatrzasnęłam jej drzwi przed nosem, przekręciłam zasuwę i założyłam łańcuch. Nie mogłam złapać oddechu. Od dziesięciu lat nie słyszałam, żeby ktoś głośno wypowiedział jego imię.

Na zewnątrz Rose Mae Lolley dobijała się do moich drzwi.

– Arlene! – zawołała.

Rzuciłam się pędem przez pokój i złapałam stojący obok sofy duży, przenośny odtwarzacz. Zaczęłam przekopywać pudełko z płytami, by znaleźć cokolwiek, byle grało głośno. Natrafiłam na Clash. Dopiero kiedy usiłowałam wyciągnąć płytę z pudełka i włożyć ją do odtwarzacza, zauważyłam, jak straszliwie trzęsą mi się ręce. Cała się trzęsłam. Zęby dzwoniły mi tak, jakbym stała na mrozie.

– Arlene. To jest śmieszne. Chciałabym ci zająć tylko pięć minut – krzyknęła Rose, kopiąc w drzwi.

W końcu udało mi się wsunąć płytę do odtwarzacza i ustawiłam głośność na sześć.

Rose łomotała tak mocno, że nie zagłuszyło jej nawet *London Calling*, więc podkręciłam na dziewięć. Do cholery z sąsiadami. Potem usiadłam na podłodze i rozłożyłam ręce na boki, przyciskając dłonie do chłodnej podłogi, i siedziałam tak, aż skończyła się pierwsza piosenka. Miałam ochotę wstać i wyjrzeć przez wizjer, ale obawiałam się, że zobaczę wielkie, fiołkowe oko patrzące na mnie.

Rozglądałam się za czymś, czym mogłabym się zająć. Miałam w domu stertę prac studentów pierwszego roku na temat literatury światowej, które musiałam ocenić, ale nie byłam w nastroju, by stawić im czoło. Mogłam też zajrzeć do jednej z trzech książek, które czytałam równolegle, przygotowując się do doktoratu, ale serce waliło mi tak mocno, że nie byłabym w stanie się skupić. Zapragnęłam położyć się do łóżka albo nawet wczołgać pod nie i nigdy już nie wychodzić.

Zauważyłam, że na oparciu sofy leży książka, którą czytał Burr. Stara poduszka miała wygniecioną dziurę w miejscu, gdzie siedział. Rozsiadłam się w resztkach jego ciepła i zaczęłam czytać, na siłę skupiając się na słowach. Nieważne, jaki dramat rodem z Alabamy rozgrywał się na korytarzu, nieważna była ciotka Florence i jej żądania, nieważne było to, że mój facet właśnie sobie poszedł, może tym razem na dobre.

Może byłoby to łatwiejsze, gdyby Burr zostawił jakąś lepszą książkę. Gustował w powiastkach sądowych, a potrafił czytać szybciej niż ktokolwiek mi znany. Połykał tekst jak budyń, nie przeżuwając, ale potrafił go strawić. W tygodniu pochłaniał dwa albo trzy takie thrillery prawnicze. Był doradcą podatkowym, który nie miał styczności z prawem karnym, lecz uwielbiał książki. Wszystko, od prawdziwej literatury aż po tanie kryminałki. Jeżeli główny bohater był prawnikiem, następowały nieoczekiwane zwroty akcji i sądzono jakąś kobietę z wielkimi cyckami, była to lektura w sam raz dla niego.

Tym razem trafiłam na jedną z tych gorszych. Już w samym prologu pojawiło się siedem ofiar. Pięć z nich zginęło z ręki pewnego niedobrego typka. Ponieważ był niedobry, reagował złośliwym śmiechem i obłąkańczym tańcem. Natomiast młody prokurator okręgowy, który znalazł się w nieodpowiednim miejscu i czasie, przyparty do muru rozwalił dwie osoby. Oczywiście w obronie własnej. A ponieważ był dobry, zwymiotował i długo nad tym rozmyślał w duchu człowieczeństwa. Kompletne gówno.

Dokonałam tylko jednego zabójstwa – tak naprawdę to nie jest takie proste. Nie możesz powiedzieć, czy jesteś dobry, czy zły, na podstawie tego, że się śmiejesz albo rzygasz. Prawda jest taka, że robiłam i jedno, i drugie.

Czytałam tak długo, jak potrafiłam to znieść, a potem schyliłam się i wyłączyłam muzykę. Nagle zapanowała taka cisza, że zaczęło dzwonić mi w uszach. Nie słyszałam niczego na korytarzu. Cisnęłam książką; odbiła się od drzwi i upadła na podłogę. Żadnej reakcji. Rose Mae Lolley poszła sobie.

Wciąż się trzęsłam. Chciałam się pomodlić, ale byłam zbyt wściekła na Boga, by móc się skupić. Dziesięć lat, przez dziesięć lat byłam wierna, a teraz Bóg nie dotrzymywał umowy.

Zanim wyjechałam z Possett, obiecałam Mu, że już nie będę się pieprzyć z każdym, kto mi się nawinie. (W modlitwie używałam słowa „cudzołożyć", jakbym nie chciała urazić delikatnych uszu Boga). Teraz traciłam przez to Burra. Nie było mi lekko, traciłam go na całe miesiące, ale nie zmieniłam decyzji.

Przyrzekłam Bogu, że już więcej nie skłamię, i nie skłamałam. Nawet gdyby kłamstwo mogłoby mi ułatwić stosunki z ciotką Florence i moją rodziną, nie pozwoliłam, aby przez usta przeszło mi słowo nieprawdy.

Ponadto przyrzekłam, że jeśli Bóg mnie ocali, nigdy nie wrócę do Possett. Za nic w świecie. Nawet nie spoglądałam za siebie, żeby nie zamienić się w słup soli.

A teraz Bóg pozwolił, aby Possett objawiło się za moimi drzwiami.

Wyglądało na to, że wszystkie układy szlag trafił.

Rozdział 2

Jima Beverly'ego zabiłam tuż pod koniec drugiej klasy, kiedy miałam piętnaście lat. Na drodze prowadzącej w kierunku zalesionych wzgórz, które okalały Possett, unosiły się tumany kurzu. Zazwyczaj właśnie tam jeździła młodzież, żeby się pomigdalić. U stóp jednego z nich, które nazywaliśmy Wzgórzem Lizania, znajdował się kawałek płaskiego terenu, gdzie można było zaparkować. W każdy weekend stał tam rząd aut wypełnionych dzieciakami, które zabawiały się w lizanki i macanki. Można też było leśną ścieżką wspiąć się na szczyt wzgórza, z dala od samochodów.

Jeżeli na najniższej gałęzi sykomory rosnącej na prawo od ścieżki wisiał biały podkoszulek, oznaczało to, że nie należy dalej iść. Miejsce było zajęte. W zasadzie można było się dostać na szczyt wzgórza tylko wtedy, gdy jedno z zainteresowanych robiło to po raz pierwszy. Świadczył o tym właśnie ten biały podkoszulek.

Znałam to miejsce bardzo dobrze. W liceum we Fruiton mój rocznik liczył sto dwoje uczniów. W tym pięćdziesięciu trzech chłopców. W drugiej klasie przeleciałam pięćdziesięciu dwóch, po kolei, kiedy każdy obchodził szesnaste urodziny. Zaliczyłabym również Buda, ostatniego, gdyby nie był chłopakiem Clarice. Trzydziestu jeden chłopców pod naporem mojej ręki w ich spodniach i z lęku, że ją zabiorę, przyznało, że są prawiczkami. Każdy z nich miał biały podkoszulek schowany pod siedzeniem kierowcy. Nadziei i napalonych kutasów nigdy na świecie nie zabraknie. W każdym razie odwiedziłam to wzgórze ponad trzydzieści razy, więc chyba znałam je lepiej niż ktokolwiek inny.

Las, składający się głównie z karłowatych krzewów, sosen oraz nielicznych sykomor i dębów, kończył się tuż pod szczytem. Znajdowała się tam mała, trawiasta przesieka, gdzie można było rozłożyć koc i zabrać się do rzeczy. Dalej polanka zamieniała się w żwirową ścieżkę, a tam, gdzie wzgórze opadało, przechodząc w przeciwległy stok, rosła gęstwa.

„Gęstwą" nazywaliśmy kudzu, szybko rozprzestrzeniające się pnącza, które oplatały wszystko, co napotkały na swej drodze, zamieniając się w poplątaną, bezkształtną masę. Pełznąc po ziemi i okręcając się wokół drzewa, gęstwa opanowała las, który rósł w zagłębieniu otoczonym kręgiem wzgórz. A jeśli w okolicy nic nie rosło, gęstwa pięła się po kłębowisku własnych pędów. W niektórych miejscach takie zbite kopce roślinności sięgały wyżej niż szczyty wzgórz. Clarice nazywała je Krainą Karaluchów, gdyż uwielbiały gnieździć się w kudzu. Clarice nigdy nie zajrzała na szczyt Wzgórza Lizania. Jedynym miejscem, do którego chodziła z Budem, była schludna bawialnia w suterenie, gdzie było dużo miejsca na podłodze pod stołem bilardowym. A robili to dopiero od czasu zaręczyn, czyli od połowy klasy maturalnej.

Tej nocy, kiedy poszłam na wzgórze za Jimem Beverlym, pieprzyłam się z chłopakiem o imieniu Barry, ostatnim z pięćdziesięciu dwóch. Barry zaklinał się, że nie jest prawiczkiem, więc zrobiliśmy to w jego samochodzie. Miał rozklekotany wóz, coś w rodzaju skurczonej wersji sedana. A jego niewiarygodnie długie nogi były blade i cienkie jak u bociana. Na tylnym siedzeniu nie było miejsca, aby jakoś zbliżył się do mnie i bym mogła go przyjąć, chociaż kotłowaliśmy się i wierciliśmy, nie dając za wygraną. Wciąż strzelało mu w kolanach, kiedy prężył i wyginał swoje długie nogi, które owijały się wokół mnie, plącząc się i zawadzając.

W końcu straciłam cierpliwość. Moim zdaniem wszyscy chłopcy w tym wieku powinni mówić, że są prawiczkami, nawet ci, którzy nie są, aby dziewczyny nie miały do nich pretensji, kiedy się okaże, jak beznadziejni są w te klocki. Powiedziałam mu, żeby usadził tyłek na fotelu pasażera, ale najpierw kazałam zapiąć koszulę, bo przy blasku księżyca w pełni bylibyśmy widoczni. Wciągnęłam z powrotem sukienkę przez głowę i wdrapałam się na jego biodra, twarzą do niego, i bingo, wtyczka A weszła od razu do gniazda B.

Powiedziałam coś w rodzaju „Ale jest twardy", nie chciałam jednak zakłócać jego skupienia. Barry postękiwał, rozpaczliwie wierzgając biodrami. Pieprzony kłamca, musiał być prawiczkiem.

Barry był zwrócony tyłem do wzgórza, więc patrząc ponad jego ramieniem, miałam doskonały widok na ścieżkę prowadzącą na szczyt. Zauważyłam jakąś nieznaną mi bliżej dziewczynę z pierwszej klasy, a kilka kroków za nią szedł Jim Beverly. Rozwinął przybrudzony biały podkoszulek niczym flagę i przechodząc koło niskiej gałęzi, zarzucił go na nią niedbale. Lekko się zataczając, ruszył truchtem za swoją partnerką i objął ją ramieniem, żeby utrzymać równowagę. W jego drugiej ręce kołysała się butelka. Księżyc był tak jasny, że widziałam błyski światła odbijające się w złotym płynie, który chlupotał wewnątrz.

Kiedy tak patrzyłam, jak podchmielony wspina się na szczyt wraz z tą dziewczyną, coś mnie tknęło. Oto siedziałam w samochodzie rozkraczona na pojękującym chłopcu, który odchodził od zmysłów, zatracając się we mnie, i dopóki nie zobaczyłam Jima Beverly'ego, czułam się taka rozluźniona, tak dobrze nad wszystkim panowałam. Teraz patrzyłam, jak moje ręce sięgają do twarzy Barry'ego, a kciuki delikatnie uciskają jego oczy. Wyobraziłam sobie, że szarpię paznokciami własną twarz. Musiałam coś zrobić, cokolwiek, by powstrzymać to obłąkane rozszczepienie, które ogarniało mnie, gdy poddawałam Barry'ego Watkinsa tej bezkrwawej pasji. A tymczasem Jim Beverly szedł na Wzgórze Lizania z kolejną panienką.

Musiałam się szarpnąć albo wyprężyć, bo Barry uniósł na mnie wzrok i otwierając szeroko usta, doszedł, zszokowany i otumaniony. Byłam prawie nieobecna, ale zmusiłam się do grzeczności. Przygładziłam jego włosy, powiedziałam mu coś miłego i pocałowałam go w usta. To był naprawdę przemiły chłopak, z tych, którym mamusie wciąż urządzają domowe postrzyżyny. Jego mleczna skóra była miękka jak u dziewczyny.

– Spotykasz się z kimś, Barry? – zapytałam, choć wiedziałam, że nie. Pokręcił głową. – No cóż, to będziesz, ale już przeleciałeś mnie, więc nie musisz jej niczego udowadniać. Prawda?

Spojrzał na mnie, niepewny prawidłowej odpowiedzi, chociaż skłonny jej udzielić. W końcu potrząsnął głową. Jeszcze raz obdarzyłam go przelotnym pocałunkiem i zerknęłam przez okno. Zobaczyłam starego golfa, którym jeździł Bud. Bogu dziękować za porządne pary; wiedziałam, że Clarice siedzi z nim tam w środku. Sięgnęłam na tylne siedzenie po majtki, które wcisnęłam do torebki. Zaczynałam działać na oślep, całkowicie ulegając instynktom. Musiałam dorwać Jima Beverly'ego i tę jego głupią dupę.

Powiedziałam Barry'emu, że Bud i Clarice odwiozą mnie do domu, a on był zbyt zamroczony albo wyluzowany, żeby mnie zatrzymać. Powiedział tylko „Dobra" i dalej siedział w zapiętej koszuli i spodniach opuszczonych do kostek. Patrzył na mnie, mrużąc oczy. Zsunęłam się z niego i wyskoczyłam z samochodu.

Rozpływałam się nad tym, jaki był słodki, chociaż wtedy ledwie tego skosztowałam. Wcale nie miałam zamiaru przeszkadzać chłopakowi mojej kuzynki. Clarice i ja prawie wcale nie odzywałyśmy się do siebie w tym czasie, więc dobijanie się do samochodu, w którym usiłowała przeżyć obyczajny seans erotyczny, na pewno nie poprawiłoby moich notowań.

Ale Barry nie odjeżdżał. Widziałam, jak szamocze się, naciągając spodnie, a potem siedzi na fotelu pasażera i zerka w moją stronę. Obserwował mnie, by się upewnić, czy bezpiecznie dotarłam do samochodu Buda, tak jak chłopak patrzy za dziewczyną, która wbiega po schodach na ganek i znika we wnętrzu domu. Zachowywał się, jakby to była jakaś prawdziwa randka, a nie naturalny skutek tego, że zaszłam go od tyłu w pustym pokoju gier w Pizza Hut, złapałam za jaja i wyszeptałam do ucha „Masz samochód?".

Wciąż siedział, wlepiając we mnie wzrok, więc nie miałam wyboru. Podeszłam do brudnego volkswagena Buda, otworzyłam drzwi po stronie pasażera i wgramoliłam się do środka. Kiedy tylko się tam znalazłam, Barry odjechał. Bud i Clarice siedzieli spleceni w uścisku na tylnej kanapie, ale byli kompletnie ubrani. Odskoczyli od siebie. Clarice patrzyła na mnie przez moment szklistymi oczami, jak gdyby śniła jakiś słodki, błogi sen, z którego ją wyrwałam.

– Arlene? – odezwała się zaskoczona, ale wystarczyło, że wzięła jeszcze dwa oddechy, i ogarnęła ją złość.

– Cześć, Arlene. – Bud obdarzył mnie jak zwykle uprzejmym, braterskim uśmiechem.

– Co jest? – spytała Clarice.

Mój rozum nie funkcjonował właściwie. Powiedziałam pierwszą rzecz, jaka przyszła mi na myśl i przypadkowo okazała się prawdą.

– Ach, bzykałam się właśnie z Barry'm Watkinsem, ale już skończyłam i wstąpiłam do was.

Bud wydał z siebie stłumiony śmiech, ale Clarice mu nie zawtórowała.

– Dobry Boże. – Potrząsnęła głową i odwróciła twarz do okna.

Clarice nie obchodziło, że zaplanowałam przelecieć całą męską połowę naszego rocznika, jak również fakt, że robiłam to głównie ze względu na nią. Wiedziała jednak, że jestem rozwiązła i cieszę się reputacją, która przerastała najśmielsze marzenia małomiasteczkowych kurewek z Alabamy. Stałam się legendą, przynajmniej dla samców z naszego rocznika. Dziewczęta nie pałały do mnie zbytnią sympatią – teraz brzmi to jak grube niedomówienie – ale też nie zamieniały mojego życia w piekło na ziemi, wciąż bowiem, przynajmniej częściowo, chroniła mnie złota parasolka jasnowłosej dobroci Clarice, jak również ogromna popularność. Innymi słowy, Clarice nie pozwoliłaby im otwarcie mnie nękać. Chroniła mnie, choć czasem myślałam, że mnie szczerze nienawidzi, gdyż przypominałam jej o problemach i komplikacjach, podczas gdy ona lubiła, żeby wszystko było schludne, czyste i pozamiatane. Jednak dorastałyśmy tak blisko, że nie zdobyłaby się na to, aby mnie zamordować lub porzucić. Wtedy też być może w pewnym stopniu zdawała sobie sprawę, że coś mi zawdzięcza. No i wreszcie, jak bardzo mogła się ode mnie oddalić? Mieszkałyśmy w jednym pokoju.

– No cóż, my właśnie się całowaliśmy – powiedziała Clarice z egzaltacją. – I szło nam bardzo dobrze. Więc dzięki, że zajrzałaś do nas i w ogóle, ale teraz możesz już iść.

Już wtedy Clarice potrafiła przemawiać jak na spotkaniu Ligi Juniorów, nawet gdyby ktoś obcy wszedł do jej domu i nasrał na dywan.

– Clarice, potrzebuję pomocy. – Nie mogłam uwierzyć, że mój głos brzmiał tak spokojnie.

– Ten Barry był dla ciebie miły? – Bud natychmiast zrobił się czujny. – Nie skrzywdził cię?

Bud wychodził z założenia, że skoro jestem kuzynką Clarice, a praktycznie jej siostrą, to gdybym nawet była dziwką, a on wiedział, że jestem, i gdyby ktoś potraktował mnie jak dziwkę w jego obecności, spuściłby mu przykładny łomot. A Bud był obrońcą w drużynie futbolowej i grał w reprezentacji naszego rocznika. Mógł spuścić łomot właściwie każdemu.

– Nie, Barry jest w porządku, ale... Clarice, potrzebuję, żebyś zabrała mnie do domu. Jest mi niedobrze.

Clarice obróciła twarz i przyjrzała mi się.

– Nie wyglądasz na chorą – stwierdziła.

– Ej, jeżeli Arlene źle się czuje, odwiozę was obie do domu – powiedział Bud. – Zresztą i tak za godzinę musicie wracać. Możemy położyć Arlene do łóżka i posiedzieć jeszcze trochę na werandzie.

Clarice już przytaknęła z rezygnacją, kiedy się odezwałam:

– Nie, Bud. To bardzo miłe, ale chcę, żeby Clarice odprowadziła mnie do domu. Właśnie Clarice. Muszę z nią pogadać.

Obydwoje wlepili we mnie wzrok, ale pierwszy przemówił Bud.

– Arlene, czy znalazłaś się w tarapatach? – spytał i naturalnie miało to oznaczać ciążę.

– Nie, nie – odparłam. – Nie jestem w tarapatach. Mam tylko taki kobiecy problem. Chociaż nie jestem w tarapatach. Po prostu muszę pomówić z Clarice.

Bud skinął głową usatysfakcjonowany. Nie miałam pojęcia, co chciał przez to wyrazić. Może jakąś tajemniczą miesiączkową historię, o której nie chciał wiedzieć, a może pomyślał sobie, że zaraziłam czymś Barry'ego.

Clarice spojrzała na mnie spod przymrużonych powiek, ale się nie sprzeciwiała.

– Stoi tu samochód Clinta. – Bud rozejrzał się dokoła. – Zrobię nalot jemu i Jeannie. Zresztą ona musi już wracać. Może stary Clint zechce pograć u mnie w bilard. Ale rano muszę mieć auto z powrotem. Pamiętasz, w sobotę mam trening.

– Podwiozę cię i zostanę, żeby popatrzeć – powiedziała Clarice. – I wezmę dla nas coś na lunch. Możemy zrobić sobie piknik.

– W porządku, kotku. – Bud nie był ani trochę zmieszany tym, że wysiada, zostawiając jej swój samochód. Był taki opanowany i czuły. Chyba jakaś mała cząstka mnie żałowała, że to jedyny chłopiec w klasie, z którym się nie puściłam. Bud ruszył powolnym krokiem, by zepsuć randkę Clintowi.

– Na Boga, Arlene – powiedziała Clarice napastliwie. – Ilekroć myślę, że wycięłaś najbardziej głupi i zwariowany numer, znajdujesz sposób, by zrobić coś jeszcze gorszego. A to było nie tylko głupie, ale też złośliwe. I bezczelne. I mogłabym jeszcze wiele na ten temat powiedzieć, ale jestem zbyt wściekła, by o tym teraz myśleć.

Uniosła się z tylnej kanapy i wgramoliła na siedzenie kierowcy. Kluczyk tkwił w stacyjce i Clarice uruchomiła silnik.

– Clarice, poczekaj sekundę. Nie możemy jeszcze jechać. Potrzebuję twojej pomocy.

W moim głosie było coś, co ją zatrzymało. Jej ręka znieruchomiała na dźwigni zmiany biegów.

– Lepiej, żeby to nie była kolejna z twoich pierdół, Arlene. Bo robi mi się od nich niedobrze.

– Nie jest, zapewniam cię, naprawdę potrzebuję w tej chwili twojej pomocy. Naprawdę, strasznie. Ale chcę, żebyś zrobiła to, co ci powiem, i nie zasypywała mnie pytaniami. Proszę, pomóż mi teraz, a jutro będziesz mogła prosić, o co tylko zechcesz.

Przypatrywała mi się przez dłuższą chwilę podejrzliwie, a może z niepokojem.

– Co mam zrobić?

– Chcę, żebyś teraz stąd odjechała, jakbyś zabierała mnie do domu, ale gdy tylko miniemy zakręt i nikt nas nie będzie widział, zwolnisz, żebym mogła wyskoczyć...

– Arlene...

Lekko uniosłam głos, by jej przerwać.

– Potem pojedziesz do domu i powiesz swojej mamie, że z tobą wróciłam.

Kiedy chodziłyśmy do pierwszej klasy, ciotka Florence wyraziła zgodę, byśmy zaczęły umawiać się na randki, pod warunkiem, że będziemy sobie nawzajem towarzyszyć. Clarice i ja natychmiast zaczęłyśmy próbować z jej rodzicami różnych sztuczek. Musiałyśmy wracać do domu o tej samej porze (chociaż jestem o rok młodsza, należałam do tego rocznika co Clarice), więc kiedy stałyśmy już w holu, jedna z nas wołała: „Jesteśmy w domu! Dobranoc!".

Czekałyśmy, aż w pokoju na końcu holu odezwie się jedno z jej rodziców. Zwykle ciotka Florence rzucała zaspane „Dobra" i wtedy szłyśmy spać. Moja matka spała w pokoju, który kiedyś należał do brata Clarice, Wayne'a, i mieścił się dokładnie między sypialnią ciotki a naszym pokojem. Ale mama przeważnie zażywała na noc tyle leków, że nie słyszała, jak przychodzimy. Nigdy nam nie odpowiadała.

Ciotka Florence i wuj Bruster przywykli, że odzywamy się na przemian, że słychać tylko jedną z nas. W ten sposób druga mogła dłużej zostać poza domem i wśliznąć się, kiedy czujna drzemka ciotki Flo zamieni się w prawdziwy sen.

– Arlene – moja kuzynka potrząsnęła głową – jeżeli to jakieś głupstwo w tym stylu, że niby pozbyłaś się Barry'ego i teraz chcesz jeszcze z kimś się spotkać, to będę...

– Nie, to nie tak, przysięgam. Przysięgam. Nie przeszkadzałabym ci, gdybym naprawdę cię nie potrzebowała. Proszę, Clarice, nie pytaj o nic, tylko mi pomóż. Tak bardzo potrzebuję, żebyś mi teraz pomogła. – Szlochałam, a łzy zalewały mi oczy, aż w końcu tak ścisnęło mnie w gardle, że nie mogłam mówić.

– Nie wiem, czy powinnam, Arlene. – Clarice wyciągnęła dłoń i niepewnie dotknęła moich włosów.

Chyba nie widziała mnie zapłakanej od tamtej strasznej nocy, kiedy tak bardzo cierpiałam i leżałyśmy w moim łóżku, obejmując się nawzajem, jak porzucone przez kogoś zepsute zabawki. Troszczyła się o mnie i pomogła mi wtedy. Wymogłam na niej obietnicę, że zapomni o tamtej nocy, jak gdyby nigdy się nie wydarzyła. A Clarice, zawsze taka pogodna, powszechnie lubiana, piękna i spokojna, zdołała jakoś tego dokonać w swojej głowie. Ale ja nie byłam taka jak ona.

44

– Odwiozę cię do domu. – Przepraszająco wzruszyła ramionami i wrzuciła bieg. Nie potrafiła mi zaufać, więc zdecydowałam, że to ja muszę zaufać jej.

– Jim Beverly jest na szczycie wzgórza z jakąś dziewczyną z pierwszej klasy – powiedziałam.

Clarice zamilkła na chwilę.

– Dlaczego spławiłaś Buda? – odezwała się wreszcie. – Och nie, będzie nam potrzebny.

– Nie będzie. Bud nie może o niczym wiedzieć. Zrób tylko, co ci powiedziałam, i kryj mnie przed ciotką Florence.

Jej gardło zrobiło się tak suche, że słyszałam, kiedy przełykała ślinę.

– Co masz zamiar zrobić? – zapytała.

– Mam pewien plan – skłamałam. – I albo będę tu siedzieć, i wszystko ci wyjaśniać, a potem możemy jechać do domu, bo zanim wszystko ci opowiem, Jim Beverly zdąży wrócić do internatu. Albo po prostu się zamkniesz i mi zaufasz.

Patrzyła na mnie jeszcze przez dwie sekundy, a potem zrobiła tak, jak chciałam. Wyjechała z placu u podnóża pagórka i skierowała się ku drodze, ale zanim dotarła do brukowanej jezdni, przystanęła w cieniu drzew. Wysiadłam z samochodu.

– Dzięki, Clarice.

– To jest najgłupsza rzecz, jaką kiedykolwiek zrobiłam w życiu. – Jej wielkie oczy wyrażały zmartwienie. – Mam na ciebie zaczekać?

– Dotrę do domu. – Potrząsnęłam głową. – Musisz tam wrócić o czasie.

Do domu było tylko jakieś sześć kilometrów, które mogłam pokonać w niecałą godzinę.

– Gdyby ktoś pytał, jutro czy później, nie tylko nasi rodzice, ale ktokolwiek, powiesz, że wróciłyśmy razem – dodałam. – Dobrze? I nie martw się. Mam plan, a on już nigdy więcej mnie nie skrzywdzi.

Zaczekałam, aż Clarice przytaknie, niepewnie, ale z ufnością, a potem odsunęłam się od samochodu i stojąc w cieniu, patrzyłam, jak odjeżdża.

Nie miałam pojęcia, co robić. Wiedziałam, że jest z nim tamta dziewczyna. Może po prostu chciałam ich szpiegować. A może chciałam dorwać tę głupiutką, małą dupencję i zawlec do domu. Przysięgam, że nie miałam żadnego planu. Nie chciałam, aby ktokolwiek wiedział, że idę na szczyt śladem Jima Beverly'ego.

Przemknęłam między drzewami, okrążając plac. Stało na nim wciąż około piętnastu aut, ale wiedziałam, że już niedługo odjadą. Większość młodzieży musiała meldować się w domach o jedenastej albo o jedenastej trzydzieści. Unikałam oświetlonych blaskiem księżyca miejsc, przemykając między drzewami. Nawet kiedy dotarłam do ścieżki prowadzącej na szczyt wzgórza, nie wychylałam się z lasu, tylko podążałam równoległym kursem, przedzierając się wśród paproci. Szłam powoli, bo chciałam być tak cicho, jak to tylko możliwe, a poza tym wciąż zahaczałam o kolce jeżyn. Nagle usłyszałam czyjeś kroki na ścieżce.

Zamarłam w bezruchu. To była ta dziewczyna z młodszego rocznika. Maszerowała w dół, mrucząc pod nosem i przeklinając. „Za kogo on się uważa, ten zarozumiały, bucowaty Pan Rozgrywający. Może mnie w dupę pocałować, i tyle". Jej związane w koński ogon włosy kołysały się, kiedy z oburzeniem potrząsała głową. W jednej ręce ściskała torebkę, a w drugiej pęk kluczy, które podzwaniały gniewnie z każdym jej krokiem.

Kiedy już minęła mnie i znalazła się w bezpiecznej odległości, chyba najrozsądniej było za nią pójść. Powinnam była wrócić do domu. Ale przypuszczalnie chciałam zobaczyć, jak on mógł pozwolić jej tak odejść. To było zupełnie niepodobne do tego Jima Beverly'ego, którego znałam. Ze szczytu wzgórza dobiegał jego głos:

– Panno Sally? Wracaj do mnie. Panno Sally!

Weszłam na ścieżkę i ruszyłam pod górę. Kiedy wynurzyłam się spośród drzew, zobaczyłam Jima Beverly'ego, który siedział tyłem do mnie, twarzą zwrócony w stronę gęstwy. Przeciwległe zbocze wzgórza było tak strome, że można by nawet nazwać je urwiskiem. Obniżało się łagodnie na kilkumetrowym odcinku, a potem przechodziło w długi, spadzisty stok. W całości porastała go gęstwa, która wypiętrzała się, tworząc kłębowiska, a każde z nich było niczym szpon wbity w grzbiet wzgórza.

Jim Beverly siedział na żwirze, kiwając nogami przewieszonymi poza krawędź urwiska. Wiedziałam już, jak to możliwe, że pozwolił tamtej panience odejść. Był tak pijany, że bez pomocy nie byłby w stanie się podnieść i za nią iść. Podeszwy jego butów delikatnie muskały najwyższą hałdę gęstwy. Odchylony do tyłu wspierał się niepewnie na rękach, próbując utrzymać równowagę. Tuż obok jego dłoni stała na trawie butelka z alkoholem. To była tequila. Czułam jej zapach w miejscu, gdzie stałam. Butelka o kwadratowym, grubym dnie wyglądała na większą niż przeciętna, a w środku została tylko odrobinka złocistego płynu.

Jim Beverly usłyszał moje kroki. Cały czas coś mówił, ale tak bełkotał, że ledwie go rozumiałam. Ani razu nie odwrócił się w moją stronę.

– No, panno Sally, bądź taka kochana i zrób mi lodzika, co? Przysięgam, jestem zbyt nawalony, żeby się rypać. No już, Sally, możesz mi go chociaż trochę obciągnąć, co? Wiesz, że jest mi smutno.

W zeszłym tygodniu zawalił mecz. Poziom jego gry znacznie się popsuł, odkąd wyszło na jaw, że dostanie stypendium. Jesienią miał się przenieść na Uniwersytet Północnej Alabamy, więc teraz mógł sobie pozwolić na rozluźnienie.

Butelka tequili była otwarta, a zakrętka leżała tuż obok. Blask księżyca odbijający się w szkle działał hipnotycznie.

– Mustang Sally – zaśpiewał. – Najlepiej zrobisz, jak... obciągniesz mi kutasa.

Ruszyłam w stronę tej pięknej butelki, zbliżając się do niego, a on wciąż się nie odwracał. Spodziewałam się, że to zrobi, a wtedy nasze oczy mogłyby się spotkać. A to skąpane w księżycowym blasku wzgórze było idealnym miejscem, gdzie mogłabym się na niego wydrzeć, wyzwać od dupków i pijaków, a potem odwrócić się i pognać do domu tak szybko, jak się da. Ale on się nie odwracał. Czułam się, jakbym płynęła w kierunku butelki poruszana jakimś prądem. Była taka piękna, taka prosta i solidna.

– Mustang Sally, no już, kotku. – Jim zawodził na tyle głośno, że nie słyszał, jak ostrożnie zakręcam butelkę.

Kiedy popatrzyłam z góry, z miejsca, gdzie stałam, na jego rozłożyste ramiona, osadzona na nich głowa sprawiała wrażenie nienaturalnej, pokryta jasnym meszkiem jak u niemowlęcia. Jego blady kark wyglądał cudownie, niewinnie i jakoś tak bezbronnie.

Spoglądając na ten śliczny skrawek ciała, pomyślałam, że mogłabym się nachylić i zaciśniętymi wargami złożyć na nim nieśmiały pocałunek. Tego rodzaju pocałunek, jakim Clarice mogłaby obdarzyć brzydkiego chłopaka, którego byłoby jej żal. Odczekałam chwilę, trzymając luźno butelkę w dłoni. Czułam ciężar grubego, masywnego szkła. Butelka nie miała etykiety, a jej powierzchnia była pokryta drobnymi wypustkami. Jim wciąż się nie odwracał. Czekałam i czekałam, a ponieważ on wciąż trwał w bezruchu, ujęłam starannie butelkę w obie ręce i stając w pozycji wybijającego, jaką podpatrzyłam na rozgrywkach Małej Ligi, z całej siły grzmotnęłam go w głowę.

Ludzie, którzy grają w baseball, mówią o punkcie optymalnego trafienia; w pewnym sensie wiem, co mają na myśli. Nie jestem do końca pewna, co to jest. Miejsce na powierzchni kija? A może chodzi o to, gdzie uderzasz piłkę? Ale znam uczucie trafienia w ten punkt. Gdy butelka uderzyła w tył jego głowy, tuż nad karkiem, poczułam, że coś mnie przenika jak prąd elektryczny. Czułam, jak pęka kość czaszki i to pęknięcie rozprzestrzenia się wibrującą falą przez moje ręce po całym ciele. To było niemal bezszelestne, ale czułam chrupot, czułam, jak kość się rozszczepia i jej odłamki zagłębiają się w gęstej treści mózgu. Pod wpływem siły uderzenia Jim osunął się na bok i leżał nieruchomo.

Właściwie nic się nie zmieniło poza tym, że przestał śpiewać. Nie było krwi. Jego skóra pozostała nienaruszona. Butelka była cała. W ogóle wszystko wyglądało jak nietknięte. Stojąc nad nim, zaczęłam chichotać. Śmiałam się i śmiałam, nie mogąc przestać. Dotarło do mnie, że zrobiłam coś niestosownego, a potem uzmysłowiłam sobie, że określenie „niestosowne" brzmi śmiesznie, kiedy stoję nad martwym ciałem. Pewnie coś takiego powiedziałaby Clarice, zaciskając usta z dezaprobatą, gdyby zobaczyła, że chichoczę nad chłopcem, któremu właśnie roztrzaskałam głowę. Ogarnęła mnie kolejna fala bezsilnego śmiechu.

W końcu odkręciłam butelkę i pociągnęłam trzy długie łyki. Ból piekącego gardła sprawił, że ucichłam.

Przede mną leżał Jim Beverly. Był martwy i to ja go zabiłam. Spojrzałam głupkowato na butelkę. Chociaż wpatrywałam się w nią zafascynowana, zanim ją podniosłam, jakoś nie dostrzegłam faktu, że jest to prawdziwa meksykańska tequila. W pobliżu dna dryfował bezradnie martwy robak.

Byłam tak zaskoczona, że otworzyłam usta i zwróciłam gwałtownie alkohol. Wszystko chlusnęło na przód mojej sukienki, a ostre wyziewy zaczęły szczypać mnie w oczy. Potem dotarło do mnie, że obrzygałam samą siebie, i to było najśmieszniejsze. Śmiałam się tak mocno, że musiałam usiąść, żeby się nie posikać.

Kiedy już się uspokoiłam, siedziałam przez minutę, czkając i przełykając ślinę. Mój śmiech przypominał płacz. Rozejrzałam się wokół siebie, gdzie leżał bezwładnie Jim Beverly. Był całkowicie spokojny. Nie miałam pojęcia, co z nim zrobić. Chociaż mierzył jakieś metr osiemdziesiąt i był chudym facetem o nadmiernie rozbudowanej klatce piersiowej i łykowatych, muskularnych kończynach, znacznie mnie przerastał. Miałam zaledwie metr pięćdziesiąt wzrostu, i to na obcasach, a ważyłam niewiele ponad czterdzieści kilo. A do tego dygotałam, jakbym miała gorączkę. Kiedy tak gapiłam się na leżące przede mną ciało, z zaskoczeniem odkryłam, że moja sytuacja nie wydaje się straszna ani nawet poważna. Nie przypominała tego, co się naprawdę wydarzyło. Ale mimo wszystko nie byłam tak głupia, żeby siedzieć tam, chichotać i rzygać sobie na cycki, dotrzymując towarzystwa martwemu chłopcu, aż przyjdzie miły policjant i mnie zabierze.

Usiadłam za nim i zaczęłam popychać stopami jego bezwładne ciało. Zapierałam się i przesuwałam go powoli, aż wreszcie przeturlał się nad skrajem urwiska. Upadł, miażdżąc zarośla i wydając przy tym głuchy, mięsisty odgłos, który był tak teatralny i sztuczny, że musiałam się mocno uszczypnąć, by powstrzymać kolejny atak śmiechu. Potem zaczął się staczać po stromym zboczu.

Kiedy się toczył, miałam wrażenie, że gęstwa toczy się wraz z nim, kłębi się jak fale oceanu. Jak gdyby ożyła i sięgała po niego, jakby miała ręce, którymi wciągała go pod powierzchnię, do Krainy Karaluchów.

Zabrałam butelkę i wypiłam wszystko podczas długiej wędrówki do domu. Z robakiem włącznie.

Rozdział 3

Kiedy w czwartek przyszłam do swego biura na uczelni, było około szóstej rano. Wiedziałam, że Rose Mae Lolley wróci, i nie chciałam, by zastała mnie w domu. Musiałam ją okłamać, ale nie byłam na to gotowa. Nie miałam nawet pewności, czy wiem, jak to zrobić.

Przejrzałam poranną stertę testów do sprawdzenia. Moje biuro było pozbawioną okna klitką, którą dzieliłam z dwójką innych doktorantów, ale o tak wczesnej porze miałam je w całości dla siebie. Dwa razy zadzwoniłam do Burra, ale nie podnosił słuchawki. O dziewiątej wybrałam numer do jego pracy i natrafiłam na automatyczną sekretarkę.

Urodziłam się i dorastałam przez większość życia na Południu, więc powinnam znaleźć jakiś sposób, by się z nim skontaktować. Dziewczęta z Południa uczy się od maleńkości, że droga do serca mężczyzny nigdy nie prowadzi przez frontowe drzwi. Są raczej skłonne postawić tam kosz pełen ciastek, a gdy facet jest zajęty jego podnoszeniem, wślizgują się przez okno. Moja kuzynka Clarice rzuciła na kolana swego męża, który do dziś wymiata każdy pyłek spod jej nóg. Ja chyba odpuściłam tę lekcję w szkole dla dziewcząt albo nie odziedziczyłam tego w genach.

Musiałam wyjść na seminarium na temat Joyce'a, ale kiedy tylko wróciłam do biura, zadzwoniłam na jego komórkę. I znów poczta głosowa. Odpuściłam sobie rozmowę z Burrem i postanowiłam zadzwonić do jego matki.

Matkę Burra poznałam dużo wcześniej, zanim spotkałam jego. Kiedy przeprowadziłam się na Północ, mieszkał jedenaście godzin drogi stąd, w Ithace. Nie znałam tu nikogo, a jednak zdecydowałam się na Chicago, ponieważ było to najbardziej oddalone od Possett miejsce, gdzie zaoferowano mi pełne stypendium.

Naprawdę nie polecam przeprowadzki z prowincjonalnej Alabamy do wielkiego jankeskiego miasta jednym wielkim skokiem. To tak, jakby pieska preriowego wrzucić do Pacyfiku. Zupełnie odmienne środowisko. Z innymi studentami nie łączyło mnie nic. Interesowało ich tylko, jak zdobyć fałszywe dokumenty albo kogoś okłamać. A mnie interesowało, żeby mieć średnią cztery zero i dostać jakąś pracę.

Ale to nie było tak, że nie nawiązywałam przyjaźni. Tylko że wszystko radykalnie się zmieniło. Monstrualne budynki, samochody w równych rzędach po obu stronach ulic, które przecinały się w poprzek, pokrywając miasto niczym krata. Wszystko biegło wzdłuż prostych linii, miało ostre rogi i twarde krawędzie. Nie było tu zakrętów ani pagórków, nie było kojących miejsc, na których można by przez chwilę zawiesić wzrok. Nawet ludzie wyglądali jak odrysowani od linijki. Po ulicach śródmieścia poruszali się tak, jakby każdy niósł serce do przeszczepu w pudełku na kanapki. Nikt się do mnie nie uśmiechał i wszyscy unikali kontaktu wzrokowego. Kiedy się do nich uśmiechałam, przyspieszali i mijali mnie w pędzie, jakbym była psychicznie chora. Mówili twardo i szybko, wyrzucając słowa jak pociski.

Powiedziałam sobie, że Chicago jest ekscytujące i dynamiczne. Powiedziałam sobie, że ma surowe, miejskie piękno. Powiedziałam sobie, że prędzej wypiję drinka z cloroksu i rzucę się z Sears Tower, niż złamię słowo dane Bogu i wrócę do Alabamy z podkulonym ogonem.

Matkę Burra poznałam w Wal-Marcie. Kiedy mieszkałam w Possett, jazda do Fruiton na zakupy w Wal--Marcie była wielką wyprawą. Jeździło się tam całą rodziną i zostawało na kilka godzin. Połowa napotkanych ludzi to byli znajomi, więc przystawało się przy każdej półce, żeby odbyć długą pogawędkę o tym, że Grubej Agnes ropieje rana na nodze, a panią Mott nawiedziła plaga wiewiórek.

W Chicago moje życie kręciło się wokół rozmów telefonicznych z rodziną, które prowadziłam w każdą środę i niedzielę. Ale kiedy czułam się nieznośnie samotna, szłam do pobliskiego Wal-Martu. Włóczyłam się między półkami, dotykałam różnych towarów i w wyobraźni zagadywałam do ludzi z rodzinnych stron, krewnych i przyjaciół. Rozmawiałam ze wszystkimi, zwłaszcza z Clarice, wymyślałam też sprzeczki z ludźmi, za którymi nigdy specjalnie nie przepadałam. Nawet mój nieżyjący zramolały dziadzio wydawał się jak prawdziwy.

Stałam w dziale z damską odzieżą i wyobrażałam sobie, że towarzyszy mi ciotka Florence. Kiedy zastanawiałam się, czy wybrać niebieski, czy zielony sweter, ciotka odezwała się: „Kochanie, weź ten niebieski. W zielonym wyglądasz paskudnie".

Zamrugałam oszołomiona. Mówiłam wiele rzeczy do mojej wyimaginowanej ciotki Florence, ale ona nigdy dotąd nie odpowiedziała mi na głos. I nigdy w życiu nie słyszałam, żeby ciotka Florence odezwała się takim słodkim, troskliwym tonem.

Uniosłam wzrok i zobaczyłam matkę Burra, która uśmiechała się do mnie uprzejmie. Miała krągłe policzki, które przypominały miękkie, brązowe poduszeczki i nadawały jej matczyny wygląd. Jej oczy miały ciepły, złotawy blask i wyglądały jak dwa jaśniejsze cienie na jej twarzy. Rysy jej gładkiej twarzy nabierały miękkiego, rozmytego kształtu jak u niektórych kobiet w tym wieku, we włosach zaś widać było białe pasemka. Miała na sobie sukienkę w kwieciste wzory. Taką kościółkową. Kiedy mówiła, słyszałam, że lekko zniekształca słowa, prawie tak jakby pochodziła z Południa.

Zalałam się łzami.

– Och, kochanie – odezwała się, ale potrząsnęłam głową.

Upuściłam swetry na podłogę i zakrywając twarz dłońmi, rozpłakałam się na dobre. Zdawałam sobie sprawę, że nie jest to zdrowe zachowanie, i robiłam wszystko, co w mojej mocy, żeby się opanować, ale wzbierał we mnie rzewny płacz, którego nie potrafiłam powstrzymać. Kobieta podeszła i otoczyła mnie ramieniem. Odskoczyłam natychmiast, a potem przełknęłam łzy i jeszcze raz spróbowałam się uspokoić.

– Wiesz, dlaczego ludzie płaczą? – zagadnęła, kiedy tarłam gwałtownie załzawione oczy. Wzruszyłam ramionami. Niespecjalnie mnie to obchodziło. – Bóg dał nam łzy, żeby inni ludzie widzieli, kiedy potrzebujemy pomocy, i mogli nam pomóc.

Znów mnie objęła. Tym razem pozwoliłam jej na to, wyciągnęłam ręce i wtuliłam się w miękkie ciało, zawodząc i chlipiąc w jej spadziste ramię. Dałam za wygraną, pozwalając, by potężny huragan tłumionych emocji rozszalał się po dziale z damską odzieżą w Wal-Marcie.

– Och, kochanie – powiedziała znowu – wszystko będzie dobrze. I nie przejmuj się, tylko weź ten zielony, jeśli ci na nim zależy.

Była wdową po pastorze i dobrą baptystką. Tego dnia zaprosiła mnie do domu i poczęstowała plackiem z wiśniami, zrobionym na cieście, do którego uciera się przez pół godziny masło z mąką. Opowiadała mi o przepisach na ciasto i o Bogu i zaprosiła mnie na niedzielę do swojego kościoła. Czułam się zobowiązana za poczęstunek i uprzejmość, więc poszłam.

Był to zrzeszający samych czarnych kościół baptystyczny, który mieścił się w robotniczej, skromnej dzielnicy. Wszyscy zachowywali się bezpośrednio. Przypominało to odwiedziny w domu. Oczywiście niektórzy dziwnie mi się przyglądali, kiedy pokazałam się tam po raz pierwszy. Czułam się, jakby moja skóra połyskiwała rozżarzoną do bieli odmiennością. Zgromadzenie posyłało mi ukradkowe spojrzenia, ale nie zauważałam w nich żadnej złej woli. Każda z osób, z którą się zapoznałam i rozmawiałam, szybko się odprężała, gawędząc ze mną o pogodzie, swoich dzieciach albo o Jezusie. A ja czułam się wśród nich tak samo spokojna. Nie przeszkadzało mi to, że byłam mocno wciśnięta pod opiekuńcze skrzydło pani Burroughs. Jej mąż do samej śmierci pozostał pastorem tego kościoła, a ona cieszyła się powszechną sympatią.

Później, siedząc nad testem z historii Ameryki, zdałam sobie sprawę, dlaczego czułam się w tym kościele jak w domu. Po rewolucji przemysłowej nastąpiła wielka migracja, kiedy to czarni farmerzy przybywali do Chicago w poszukiwaniu lepiej płatnej pracy w fabrykach i zaczynali nowe życie. Ale wszyscy pochodzili z Południa. Stworzyli nowe społeczności, w których przetrwała kultura. Ludzie w kościele pani Burroughs długo i płynnie wymawiali samogłoski, podczas gdy spółgłoski brzmiały niewyraźnie, smażyli wszystko na smalcu i poruszali się z ociężałym wdziękiem, który sugerował, że na zewnątrz panuje czterdziestostopniowy upał.

Mogli być ze mną spokrewnieni. Bez nich, a zwłaszcza bez matki Burra, nigdy nie przeżyłabym tego pierwszego roku na Północy.

Poznałam Burra, kiedy przeprowadził się z powrotem do Chicago. Pani Burroughs miała jeszcze dwie starsze córki, które powychodziły za mąż za wojskowych i wyjechały. Burr był jej pupilkiem, pierwszym w rodzinie, który poszedł na studia, i to prawnicze, mimo że jego ojciec ukończył dwuletnie seminarium baptystyczne.

Tylne drzwi do serca Burra mogła mi teraz wskazać tylko jego matka. Nacisnęłam dziewiątkę na linię zewnętrzną i wybrałam numer. Kiedy odebrała telefon, nie wydawała się wcale zaskoczona, słysząc mnie w słuchawce.

– Domyślam się, że rozmawiałaś z Burrem – powiedziałam.

– Wpadł dziś rano na śniadanie i zażyczył sobie grzanek na słodko – odparła, a w tle słyszałam brzęk naczyń i szum płynącej wody. Zapewne podczas naszej rozmowy pozostałości tych grzanek spływały do zlewu. – Był jak niedźwiedź z obolałą łapą. Zaczęłam badać sprawę i kiedy okazało się, że drażliwym punktem jesteś ty, czekałam już, aż zadzwoni telefon. Zajęło ci to godzinę dłużej, niż się spodziewałam.

Opowiedziałam jej o naszej kłótni, pomijając wątek seksu. W końcu była jego matką i żoną kaznodziei. Powiedziałam jej za to, że Burr postawił mi ultimatum i wyszedł, a teraz nie chce nawet ze mną rozmawiać, by się dowiedzieć, czy mu się podporządkuję. Zresztą wcale nie chciałam.

Pani Burroughs wydawała chrząknięcia i pomruki, rozchlapując wodę, podczas gdy ja wylewałam z siebie wszystkie żale. Wyobrażałam ją sobie, jak stoi przy zlewie w swojej kuchni, której ściany pokrywała wyblakła, różowa tapeta. Zdjęcia Burra i jego sióstr wisiały nad stołem i okalały okno. Na półeczce na bibeloty wiszącej nad lodówką stał ceramiczny kubek w kształcie żaby, otoczony dziecięcymi bucikami zbrązowiałymi ze starości. To Burr ulepił ten kubek na jakimś obozie, kiedy miał dwanaście lat.

– Leno, wiesz, że bardzo się o ciebie troszczę – powiedziała, kiedy już spuściłam z tonu. – Ale musisz też wiedzieć, że nie jesteś dziewczyną, jaką wybrałabym dla mojego syna na życiową partnerkę. Nie wiem, czy jakakolwiek dziewczyna jest wystarczająco dobra w oczach jego matki. Ale gdyby to zależało ode mnie i miałabym kogoś wybrać, na pewno nie byłaby to mała, na pół szalona, biała dziewczyna z Alabamy, niezależnie od tego, jak bardzo bym ją lubiła. – Życzliwość w jej ciepłym głosie sprawiła, że słowa nie były aż tak bolesne.

– Ale ten wybór nie należy do mnie – kontynuowała. – Ten chłopak cię kocha. Myślę, że naprawdę cię kocha i nie potrafiłby tak bezceremonialnie porzucić. Nie sądzę, aby rozstanie z tobą mogło zmienić go na lepsze albo uszczęśliwić. Jeśli zatem pragniesz go tak jak on ciebie, ja nie staję wam na drodze. Ale sama dobrze wiesz, że gdybym teraz pomogła ci do niego dotrzeć, a potem ty złamałabyś mu serce, nie zniosłabym już twego widoku. Nie wybaczyłabym ci tego, choćbym miała się smażyć w piekle.

Słyszałam w jej głosie nutkę wesołości, ale pod spodem kryła się absolutna powaga. Nagle odniosłam wrażenie, że rozmawiam z ciotką Florence. Miękkość głosu i akcent były inne, ale wyczuwałam chłodną stal pod żartobliwym tonem. Nie miałam żadnych wątpliwości, że pani Burroughs właśnie o to chodziło.

– Nie zamierzam złamać mu serca – odparłam.

– Więc powiem ci dwie rzeczy. – Ciężko westchnęła do słuchawki. – Po pierwsze, musisz dać mu coś, czego on chce. Moim zdaniem w tej chwili on czuje, że wszystko płynie w jednym kierunku, od niego do ciebie. Myśli, że nie zabiegasz o niego tak jak on o ciebie. A więc musisz trochę ustąpić. Ale po drugie, powinnaś również go nagiąć. Nigdy nie pozwalaj mężczyźnie, żeby ci mówił „Po mojemu albo wcale". Nawet dobremu mężczyźnie. Nawet mojemu synowi. Sama też nigdy nie mów mu niczego takiego. Nie wykorzystuj jego miłości przeciw niemu. Tak można się obchodzić z mamą, ale nie ze swoim ukochanym.

Uśmiechnęłam się, słysząc te słowa.

– On popełnia błąd, traktując cię w ten sposób. Ale ty też, dopuszczając do sytuacji, w której uznał, że musi ci to powiedzieć. Obydwoje musicie się nagiąć, jednak myślę, że tym razem pierwszy ruch należy do ciebie. I to wszystko, co mogę ci powiedzieć, nie nadużywając zaufania. A teraz nie zrób niczego, co by kazało mi żałować, że ci pomogłam.

– Nie zrobię – zapewniłam i byłam szczera jak nigdy w życiu.

Musiałam pędzić do Stevenson Hall, by poprowadzić popołudniowe zajęcia z literatury światowej. Przebiegłam przez dziedziniec, dźwigając ciężką, skórzaną torbę. Stevenson Hall był przysadzistym, dwupiętrowym budynkiem z kamienia o długich, wąskich oknach. Moja grupa zbierała się na parterze, tuż za metalowymi drzwiami frontowymi.

Były to ostatnie zajęcia w semestrze i pozostało mi jeszcze przejrzeć i zaliczyć prace końcowe. Niektórzy studenci pojawili się wcześniej i złożyli swoje prace na biurku. Zebrałam resztę i kilka minut zajęło mi ułożenie sterty papierów w teczce i wytarcie z tablicy notatek pozostawionych przez poprzednią grupę. Kiedy skończyłam, w budynku panowała cisza. Większość innych grup skończyła już zajęcia, a następne zaczynały dopiero za jakieś pół godziny.

Wyszłam na korytarz, gdzie czekała na mnie Rose Mae Lolley. Stanęłam nieruchomo w drzwiach.

Znów była ubrana jak studentka, w niechlujnie obstrzępione dżinsowe szorty i bluzkę na ramiączkach. Miała zdarte, żółto-brązowe buty i opierała się o ścianę, krzyżując nogi.

– Cześć, Arlene – zagadnęła.

– Jak mnie tu znalazłaś? – Mój głos wydał mi się drżący i piskliwy.

– Dali mi rozkład twoich zajęć w biurze wydziału.

– Nie, chodzi mi o to, skąd wiedziałaś, gdzie pracuję i gdzie mieszkam? Jak się w ogóle dowiedziałaś, że jestem w Chicago?

– Bud mi powiedział.

– Bud Freeman? Mąż mojej kuzynki Clarice?

Przytaknęła. Zebrałam się w sobie, wykonałam zwrot i oddaliłam się od niej bez słowa. Wyszłam frontowymi drzwiami na dziedziniec i skierowałam się w stronę uniwersyteckiego parkingu.

Rose Mae oderwała się od ściany i ruszyła za mną. Przyspieszyłam, wydłużając krok tak, że musiała truchtać, by mnie dogonić, a jej małe, spiczaste piersi podskakiwały pod bluzką.

– Zaczekaj, Arlene. Chcę tylko zadać ci kilka pytań, a potem, przysięgam, nie będę cię już nękać.

Zignorowałam ją i puściłam się biegiem w poprzek trawnika.

– Zatrzymaj się na sekundę. – Rose była pół kroku za mną. – Zadzwoniłam do Clarice i nie było jej w domu, ale odebrał Bud. Powiedział mi, że rozmawiałaś z Jimem Beverlym tej nocy, kiedy rozwalił swojego jeepa.

Zatrzymałam się tak gwałtownie, że Rose Mae wpadła na mnie. Odrzuciło ją i stałyśmy na wprost siebie. Jej buty miały niskie obcasy, nasze twarze znalazły się więc dokładnie na tej samej wysokości. Jedyne, co mogłam zrobić, to skłamać. Mogłam tylko powiedzieć, że Bud się myli i że w ogóle nie widziałam Jima Beverly'ego tamtej nocy. I to patrząc jej prosto w oczy z absolutną szczerością i lekkim zakłopotaniem, jakbym się zastanawiała, dlaczego Bud wymyślił coś takiego. Jednak przez wiele lat nie powiedziałam ani jednego kłamstwa. Miałam rozbiegane spojrzenie i wiedziałam, że od razu zorientowałaby się, że kłamię.

– Nie rozmawiałam z nim – oznajmiłam i była to prawda. Ale zabrzmiało to źle, z naciskiem na słowo „rozmawiałam", co natychmiast wychwyciła.

– Ale widziałaś go? – zapytała, a ponieważ wciąż milczałam, złapała mnie za ramię, próbując zmusić, bym na nią popatrzyła. – Gdzie on był? Co robił? – dopytywała natarczywie.

Wyszarpnęłam rękę z jej uścisku i cofnęłam się o krok.

– Nie wiem – odparłam, ale nie była to do końca prawda. Kierowana zwykłą siłą przyzwyczajenia dodałam: – Nie mam na ten temat nic do powiedzenia.

– Nie wierzę ci. Wiem, że go widziałaś. – Zrobiła krok w moją stronę. Końcówki jej włosów kołysały się zadziornie.

Dokoła nas przewalały się tam i z powrotem niczym mrówki tłumy młodych ludzi, nieświadomych dramatu, jaki rozgrywał się przed nimi. Skoro oni potrafili zignorować to, że Rose prześladuje mnie publicznie, to może i ja potrafiłam. Zdałam sobie sprawę, że nie jest to dojrzała czy nawet racjonalna reakcja, ale kto powiedział, że muszę się zachowywać racjonalnie? To pytanie uspokoiło mnie, ponieważ zadając je, dostrzegłam rozwiązanie. Musiałam tylko udzielić sobie odpowiedzi: „Co zrobiłaby mama?".

Rozejrzałam się; stałyśmy niemal na środku dziedzińca, gdzie do kwadratowego klombu przylegały cztery kamienne ławki. Przy najdalszej z nich stał wózek sprzedawcy hot dogów, a przy nim krótka kolejka studentów czekała na spóźniony lunch. Po lewej, w odległości kilku kroków, rosły cztery dęby.

Puściłam uchwyt teczki, rzucając ją na ziemię obok najbliższej z ławek, i ruszyłam w stronę drzew. Rose Mae nie odstępowała mnie ani na krok. Wybrałam drugi pod względem wielkości dąb. Miał gruby pień, ale kilka konarów znajdowało się na tyle nisko, bym mogła do nich sięgnąć.

Podskoczyłam, złapałam najniższą gałąź i podciągnęłam się na niej. Moje mokasyny ślizgały się po pniu, pozwoliłam więc im się zsunąć, by palcami bosych stóp szukać oparcia na korze. W końcu oparłam nogę na gałęzi i sięgnęłam do góry w poszukiwaniu kolejnej.

– Arlene, co ty robisz? – zdziwiła się Rose Mae.

Odpowiedź wydawała się zbyt oczywista, by wymawiać ją na głos, dlatego zignorowałam pytanie, szukając dalszej drogi w górę drzewa. Byłam niebywale spokojna i wyciszona. Zerknęłam w dół. Grupka studentów przyłączyła się do Rose Mae, obserwując moją wspinaczkę.

– Arlene, to jest śmieszne – zawołała Rose Mae. – Zejdź stamtąd.

Wdrapywałam się po pniu, stając na najgrubszych gałęziach, jakie tylko mogłam znaleźć. Jakieś sześć metrów nad ziemią stwierdziłam, że gałęzie stają się już zbyt cienkie, by mogły mnie bezpiecznie utrzymać. Znalazłam wygodne rozwidlenie i usadowiłam się w nim. Kilku następnych studentów zatrzymało się pod drzewem, a jeden z nich pokazywał na mnie palcem.

– Nie możesz tam zostać na zawsze – Rose ujadała niczym rozwścieczony pudel. – Musisz zejść i porozmawiać ze mną.

Powiedziałam sobie w duchu, że bardzo się myli.

– Jeżeli nie zejdziesz – oświadczyła zdesperowana – zabiorę twoje buty!

Wysoka blondynka o mizernym wyglądzie, która chodziła na moje zajęcia z literatury światowej, stała u podnóża dębu wraz z koleżanką.

– Nie weźmiesz jej butów – zwróciła się nieufnie do Rose, schyliła się po mokasyny i przycisnęła je do piersi. Zauważyła moją torbę leżącą na ziemi kilka metrów dalej i wraz z koleżanką podeszła, by jej przypilnować.

Siedziałam na gałęzi i spoglądałam na kampus. Miałam dobry widok. Kilku studentów, którzy przystanęli, by popatrzeć, jak się wspinam, odeszło, ale zastąpili ich kolejni. Przestałam spoglądać w dół, tylko zamknęłam oczy i skupiłam się na bryzie, która owiewała moją twarz. Gdy ponownie opuściłam wzrok, Rose Mae Lolley już nie było.

Zsunęłam się z konaru i zaczęłam ostrożnie schodzić. Moja studentka podniosła torbę i zbliżyła się do mnie, kiedy zeskoczyłam na ziemię. Wzięłam od niej buty i wsunęłam je z powrotem na nogi.

– Dzięki, Mario – powiedziałam.

– Nie mogłam pozwolić, żeby zabrała nasze prace – wytłumaczyła wzburzona. – Kto to był?

Wzruszyłam ramionami.

– To nieistotne – odparłam stanowczym tonem, ale kiedy schyliłam się po torbę, kolana zachwiały się lekko pode mną. Maria doskoczyła, by złapać mnie pod ramię, a potem zaprowadziła do ławki, na którą ciężko opadłam. Tłumek studentów zdążył już się rozproszyć poza trzyosobową grupą, która otumaniona gapiła się na mnie, jakbym była telewizorem.

– Precz stąd, sępy! – Z irytacją machnęłam na nich dłonią. Opuściłam głowę, dysząc ciężko, a kiedy spojrzałam przed siebie, już ich nie było.

Maria usiadła obok mnie, uderzając się nerwowo palcami po chudej piegowatej nodze.

– Chcesz trochę fruitopii? – odezwała się wreszcie.

Kiwnęłam głową, a ona wyciągnęła z plecaka butelkę wściekle zielonego płynu. Wzięłam ją z wdzięcznością i opróżniłam prawie do połowy. Smakowało jak płynny cukier.

– Dzięki – powiedziałam, oddając napój. – Muszę już iść. Udanych wakacji.

– Wszystko w porządku? – zapytała Maria, ale już wstałam i trzymając torbę, ruszyłam szybkim krokiem w stronę samochodu.

Zmarnowałam trochę czasu, ale gdyby Rose Mae nie przestała się za mną włóczyć, nie tylko zachowywałabym się jak kompletna wariatka, lecz stałabym się nią naprawdę. Nie mogłam w nieskończoność zatrzaskiwać jej drzwi przed nosem ani wdrapywać się na drzewa.

Byłam wściekła na siebie, że nie potrafiłam skłamać. Jedno dobre kłamstwo mogłoby wszystko rozwiązać. Wciąż mogło. Ćwiczyłam je w myślach. „Rose, nie wiem o niczym, co mogłoby ci pomóc. Nie mam pojęcia, co się stało z Jimem Beverlym".

Przechodzący student uniósł brwi, spoglądając na mnie pytająco. Uzmysłowiłam sobie, że poruszam ustami i przywołuję na twarz wyraz szczerości, otwieram szeroko oczy i kiwam głową do wyimaginowanej Rose. Posłałam mu zakłopotany uśmiech, opuściłam głowę i przyspieszyłam kroku. To musiało się skończyć. Musiało, ale nie potrafiłam sprawić tego sama, a próbując, doprowadzałam się do szaleństwa. Potrzebowałam pomocy. Potrzebowałam Burra.

Zajechałam przed dom, w którym mieszkał. Nie miałam pojęcia, co mu powiem, ale musiałam sprawić, by zrozumiał, że absolutnie nie możemy teraz się rozstać. Kilka razy przećwiczyłam kwestie, w których zamierzałam mu to oznajmić, wpędzając się w panikę, kiedy Burr w mojej wyobraźni przerywał mi i nie pozwalał dokończyć zdania. Jakimś cudem znalazłam miejsce, by zaparkować swoją hondę.

Wjechałam windą na jego piętro. Nie sądziłam, aby Burr był już w domu, więc postanowiłam na niego zaczekać. Zapomniałam, że w maju często wracał wcześniej do domu, gdyż potrzebował odetchnąć po trudach przesilenia podatkowego. Siedział ze słuchawkami na uszach w swoim ulubionym skórzanym fotelu i bez wątpienia słuchał bluesa na tyle głośno, że jego błony bębenkowe ledwie to wytrzymywały. Nie usłyszał, jak wchodziłam, ale kiedy otworzyłam drzwi, poderwał się na równe nogi. Nie spuszczając ze mnie wzroku, ściągnął słuchawki i rzucił je na fotel. Dosłyszałam odległe i metaliczne dźwięki. To był Hound Dog Taylor i zespół Houserockers. Burr wyłączył muzykę.

Zamknęłam drzwi za sobą i oparłam się o nie. Staliśmy tak, wpatrując się w siebie nawzajem. Musiałam go mieć po swojej stronie. Nie mogłam okłamać Rose Mae Lolley, potrzebowałam więc, aby był ze mną, bo bez niego, bez jego pomocy nie wyobrażałam sobie, że wygram. Jego matka powiedziała mi, że muszę ustąpić i dać mu coś, czego chce. Byłam jednak absolutnie pewna, że nie mogę zabrać go do Alabamy. Otworzyłam usta, by wygłosić mowę, którą przygotowałam w samochodzie, ale udało mi się powiedzieć tylko jedno zdanie.

– Myślę, że powinnam z tobą uprawiać seks.

– To jest z całą pewnością... – Uniósł ze zdziwienia brwi i zawiesił głos, szukając właściwego słowa. W końcu dodał: – Niespodziewane.

– Myślę, że powinnam z tobą uprawiać seks w tej chwili – powtórzyłam łamiącym się głosem. – Tutaj, na dywanie.

Burr zaśmiał się lekko z niedowierzaniem, ale nie ruszył się z miejsca.

– Myślę, że powinnaś ze mną uprawiać seks. Tutaj. Na tym fotelu – odezwał się w końcu i wyciągnął jedną rękę jak Vanna White, prezentując swój ulubiony mebel.

– Mówię poważnie, Burr. – Tupnęłam nogą. – Zróbmy to.

Przyjrzał się badawczo mojej twarzy, a potem spytał: – Kochanie, co się stało? Jesteś taka blada. Rozchorowałaś się? – Podszedł do mnie, chwycił za ręce i zaprowadził na dużą, skórzaną sofę. – Masz takie zimne dłonie. Podać ci szklankę wody?

– Piłam fruitopię – potrząsnęłam głową.

Burr tymczasowo odłożył na bok nasz konflikt i rozstanie, widząc, że jestem w sytuacji podbramkowej. Wezbrała we mnie taka ulga i wdzięczność, że aż rzuciłam się na niego.

– Pamiętasz tamtą dziewczynę? – zapytałam. – Tę pod moimi drzwiami zeszłej nocy?

– Tę z miotaczem gazu? Niełatwo zapomnieć o kimś takim.

– To Rose Mae Lolley – oznajmiłam, a ponieważ nazwisko nic mu nie mówiło, dodałam: – z mego rodzinnego mia-

66

steczka. Z Alabamy. Ona tu jest i nie przestaje mnie śledzić. To tak, jakby zebrała wszystkie okropieństwa, które pozostawiłam za sobą, i zrzuca je teraz wszystkie na mnie, a ja nie umiem jej powstrzymać. Wie, gdzie mieszkam, i mówię ci, Burr, zamieniła się w taką bezwzględną, straszną dziewczynę, która nosi modną fryzurę, chodzi bez stanika i nie ma zamiaru zostawić mnie w spokoju. Nie mogę wrócić do mojego mieszkania, a dzisiaj wyśledziła mnie na uczelni. Nie mam dokąd pójść. Zachowałam się jak wariatka, żeby się od niej uwolnić, i jeżeli widział mnie kierownik wydziału, to mam przesrane. Wiesz, że może to do niego dotrzeć... Ale nie mam pojęcia, jak się jej pozbyć. – Ściskałam kurczowo rękę Burra i z emocji uderzyłam go w ramię. – Muszę się jej pozbyć, Burr. Ona mnie prześladuje.

– Weź głęboki oddech – powiedział Burr. – Musisz się uspokoić. Leno, gdybym wpuścił cię na ring z jakąś panienką z Alabamy, która nie nosi stanika, na pewno skopałabyś jej dupę. Swoją drogą, już to sobie wyobrażam.

Uśmiechnęłam się wbrew sobie, a Burr wyszczerzył zęby i kontynuował: – Myślę, że powinniśmy zrobić tak. Na razie odłóżmy nasze spory. Możemy się kłócić później, kiedy jej już nie będzie. Zawiozę cię do domu i zaparzę ci twoją ulubioną herbatę, która pachnie jak kocie szczyny. Zamówimy pizzę. Pooglądamy telewizję. A jeżeli ona znów się zjawi, poradzisz sobie z nią. Będę przy tobie, żeby cię wspierać, na wypadek gdyby znów coś jej odbiło.

Kiwnęłam potakująco głową. Czułam ulgę.

– Burr, my nadal jesteśmy razem, prawda?

– Nie wiem – odparł. Potrząsnął głową, a ja cofnęłam się o krok i zaczęłam bacznie obserwować jego twarz. – Cokolwiek dzieje się między nami, teraz dajmy temu spokój.

– Może tak być – przytaknęłam. – To dobry pomysł.

Pojechaliśmy do mnie. Burr podążał za mną swoim chevroletem blazerem. Znalazłam miejsce na parkingu przed domem, ale Burr musiał kilkakrotnie okrążyć budynek, zanim zwolniło się coś dla niego. Czekałam nerwowo na schodach przed wejściem, a słońce zaczynało już chylić się ku zachodowi. Kiedy zobaczyłam, że nadchodzi, wyszłam mu na spotkanie.

– Znalazłeś miejsce? – spytałam.

– Tak. W Egipcie.

Ruszyliśmy w stronę mojego mieszkania. Klatka schodowa była czysta, ale gdy stanęłam przed drzwiami, zobaczyłam, że ktoś przykleił do nich taśmą kopertę. Widniało na niej moje imię i nazwisko nabazgrane grubymi literami. Był to dziewczęcy charakter pisma, o wyrazistych zaokrągleniach i zadartych zawijasach na końcu każdego wyrazu.

– Twoja prześladowczyni? – spytał Burr.

– Pewnie tak – powiedziałam. – Nikt w Chicago nie nazywa mnie Arlene.

Zabrałam kopertę i weszliśmy do mieszkania.

– O, moja książka. – Burr schylił się po kryminał, który wciąż leżał tam, gdzie go rzuciłam.

Rozsiadłam się na sofie i otworzyłam kopertę.

Droga Arlene,

Doprawdy przykro mi z powodu tego, co wydarzyło się dzisiaj na uczelni. Bud powiedział mi przez telefon, że nie zaglądałaś do domu od wieków, ale nie wspominał o tym, że jesteś taka nerwowa. Pozwolę sobie zasugerować, nie osądzając, ale na podstawie wiedzy i doświadczenia, że powinnaś skorzystać z fachowej pomocy.

Postąpię tak, jak sobie życzysz, i zostawię cię w spokoju. Wybieram się teraz do Oklahomy, żeby odnaleźć najlepszego przyjacie-

la Jima z tamtych czasów. To Rob Shay, pamiętasz go? Jest teraz zawodowym piłkarzem, dasz wiarę? W drugiej lidze, ale co tam. A potem pojadę do Teksasu, gdzie mieszka teraz brat Jima. Nie mam pojęcia, gdzie się zatrzymam. Ale powiedzmy, w przyszłą środę albo czwartek czeka mnie ostatni etap podróży, czyli Fruiton. Zamieszkam w Holiday Inn, tym przy autostradzie, obok Waffle House.

Będę tam co najmniej przez tydzień i planuję spędzać czas głównie w miejscach, które dla mnie i Jima były szczególne, medytując i próbując wyczuć, gdzie on teraz może być. Na pewno musiał kiedyś powiedzieć coś, co teraz okaże się wskazówką. Myślę, że wracając do tamtych miejsc, mogłabym sobie przypomnieć jakiś szczegół, który pomoże mi go znaleźć.

Mam nadzieję, że coś cię tknie, by do mnie zadzwonić, zwłaszcza jeśli przyjdzie ci na myśl cokolwiek, co byłoby pomocne w moich poszukiwaniach. Jeżeli nie, zrozumiem, gdyż przeszłam to samo, co ty najwyraźniej przechodzisz teraz. Ale pamiętaj, możesz skorzystać z pomocy, jeśli tylko chcesz.

We Fruiton porozmawiam również z ludźmi, którzy znali Jima, jak twoja kuzynka Clarice. Ale nie martw się! Słowem nie wspomnę o tym czarnym mężczyźnie, z którym się kłóciłaś, ani o wspinaczce na drzewo, gdyż wiem, że nikt nie może ci pomóc. Możesz to zrobić tylko ty sama! Pozdrowię Clarice od ciebie.

Pamiętaj, to nie twoja wina! Nie zasługujesz na to! Zawsze jest miejsce, w którym znajdziesz schronienie!

Rose Mae Wheeler (nazwisko po mężu – jestem rozwiedziona, ale w hotelu będę zameldowana jako Wheeler, gdybyś się zdecydowała ze mną porozmawiać).

– O kurwa – powiedziałam i rzuciłam list na stolik. Burr wziął go i zaczął czytać. Siedziałam w milczeniu, czekając, aż skończy. – Powinnam była skłamać – odezwałam się, kiedy uniósł wzrok znad papieru. – Gdybym wymyśliła dostatecznie dobre kłamstwo, mogłabym stłumić to wszystko w zarodku. Dlaczego nie skłamałam?

– Nie wiem, Leno, dlaczego nigdy nikogo nie okłamujesz. Może powinnaś ostrzec swoją kuzynkę – powiedział Burr, machając do mnie listem. – Ta dziewczyna nie jest normalna.

Jęknęłam i opuściłam głowę na oparcie sofy. To sprawka Boga. To musiał być Bóg. Baptyści nie wierzą w zbiegi okoliczności. Próbowałam dzisiaj skłamać i nie udało mi się, mimo że tego chciałam. Próbowałam cudzołożyć i też nic z tego, chociaż pragnęłam Burra. Bóg z jakiegoś powodu chciał, żebym zerwała układ, a jedyną rzeczą, jaka mi pozostała, było Possett. Bóg zmuszał mnie, abym tam wróciła, stawiając bezwolnie krok za krokiem.

Ciotka Florence bez wątpienia przemaszeruje triumfalnie wokół kuchni, wyciągając blachy i brytfanki niczym zwycięskie chorągwie. Ale prawda była taka, że musiałam chronić Clarice. Nie mogłam pozwolić, aby Rose Mae Lolley ściągnęła do Possett i zaczęła ją nachodzić, grzebiąc w przeszłości. Clarice wiedziała dostatecznie wiele, by mnie zranić. A równocześnie nie wiedziała aż tyle, by zdać sobie sprawę, jak groźne mogą być jej informacje w rękach Rose Mae Lolley.

Burr przyglądał mi się badawczo.

– No cóż, Burr. – Usiadłam, krzyżując ramiona. – Myślę, że w przyszłym tygodniu zrobię ten krok i pojadę do Possett, zanim zaczną się letnie zajęcia. Nie wiem, czy dotrę na przyjęcie wujka, ale jeśli możesz wziąć trochę wolnego i chcesz jechać ze mną, by poznać moją rodzinę, teraz masz okazję.

Burr zmrużył oczy i przypatrywał mi się przez dłuższą chwilę. Słyszałam niemalże, jak iskry przeskakują w jego mózgu, kiedy tak myślał i myślał.

– Co takiego jest w tym liście, czego nie widzę? – odezwał się w końcu.

Potrząsnęłam bezsilnie głową.

– Dawno temu ślubowałam, że nigdy tam nie wrócę. Ale gdy teraz tak bardzo chcesz, bym cię tam zabrała, muszę złamać przyrzeczenie. I faktycznie, być może dzieje się jeszcze coś innego. Nie chcę, żeby ta psychopatka nękała moją kuzynkę tak, jak nękała mnie. A moja ciotka Florence od lat niestrudzenie prowadzi kampanię, by ściągnąć mnie do domu. Mogę upiec trzy pieczenie na jednym ogniu, ale ty jesteś jedną z nich. Moją ulubioną pieczenią. Prawda jest taka, że w ogóle nie chcę tam jechać. Ale muszę, więc chcę, byś mi towarzyszył. Chcę, żebyś był przy mnie.

Burr obserwował mnie długo, ważąc moje słowa. Potem, siląc się na śmiertelnie poważną minę, powiedział: – Hurra, wycieczka.

Rozdział 4

Alabama ma swoich bogów. Wiem o tym, bo zabiłam jednego z nich. Ale jeśli chcecie znać prawdę, dogłębną, absolutną i najprawdziwszą prawdę na ten temat, to brzmi ona tak: zabiłam go z powodu Clarice.

Nie twierdzę, że nie była to po części osobista zemsta. Nie twierdzę, że nie znienawidziłam go na własny rachunek. Nie twierdzę nawet, że gdyby moja kuzynka nigdy się nie urodziła, nie poszłabym na szczyt Wzgórza Lizania, by go tam zakatrupić. Zapewniam tylko, że wierzę, szczerze i głęboko, iż w tamtym momencie, w tamtej sekundzie, w której czas zwolnił i widziałam wszystkie pory na skórze jego karku, kiedy słyszałam wydobywający się z jego gardła ostatni oddech, że wtedy mogłam się powstrzymać.

Zanim wzięłam rozmach, nastąpiła pauza i właśnie w tej niekończącej się sekundzie mogłam odejść i pozwolić mu wziąć kolejny oddech, pozwolić, by zamrugał, przeciągnął się, odwrócił i mnie zobaczył. Pozwolić, by się uśmiechnął i powiedział „Cześć, Arlene" tym swoim niskim głosem. Ale w tamtym momencie myślałam o Clarice i wiedziałam o rzeczach, z których ona nigdy nie zdawała sobie sprawy. Myślałam o tym, jaka jest niewinna, jaka wspaniała, jak emanowała blaskiem, który ogrzewał wszystko dokoła, nawet mnie. I przypomniałam sobie, jakim rozpalonym, złym wzrokiem wodził za nią Jim Beverly, jak nieustępliwie na nią patrzył. Wiedziałam, jaki jest naprawdę, i dlatego się nie zatrzymałam i nie odeszłam, a on już nigdy nie zaczerpnął powietrza.

Mogłabym przyodziać mój motyw w strój Clarice i skropić jej perfumami, ale nie uważam, by była czemuś winna. Przyznaję, że sama dokonałam wyboru. Chcę tylko powiedzieć, że nie bez wpływu pozostało to, jak wiele zawdzięczałam Clarice. A zawdzięczałam jej wszystko. Ocaliła mi życie.

Kiedy byłam mała, prawie nie znałam Clarice ani jej rodziców czy brata Wayne'a. Mój świat kręcił się wokół najbliższej rodziny: mamy, taty i mnie. To było typowe, szczęśliwe dzieciństwo.

Zapamiętałam ojca jako człowieka żylastego, posępnego i szorstkiego. Był silny i stanowczy, ale tak delikatny, że nie przypominam sobie, by kiedykolwiek krzyczał. Matka zawsze nosiła fartuch, piekła ciasteczka i robiła zakupy w kantynie tak jak inne żony oficerów. Czasami miewała stany lękowe. Zamykała się wtedy w szafie albo barykadowała pod łóżkiem i dopiero kiedy ojciec wracał do domu, udawało mu się przekonać ją, by wyszła. W najgorsze dni bała się nawet otworzyć puszkę z jedzeniem, ale przez większość czasu zachowywała się jak każda inna matka.

Wiele razy się przeprowadzaliśmy z jednej bazy wojskowej do drugiej, dorastałam więc, nie znając dobrze Clarice ani nikogo z krewnych z Alabamy. Widywałam Clarice i Wayne'a jedynie w Boże Narodzenie albo Święto Dziękczynienia. Zatrzymywaliśmy się w domu ciotki Flo, gdyż ojciec nie przepadał za moim zramolałym dziadkiem. Każdego ranka mój ojciec wołał psa Wayne'a, Buddy'ego, i zabierał mnie oraz dwoje moich kuzynów na długi spacer.

Wszystko jednak się zmieniło, kiedy miałam siedem lat. Mieszkaliśmy wtedy w Forcie Monroe. Nasz dom był pomalowany na biało, miał wysokie sufity i wielkie okna, a na podłogach leżał parkiet w miodowym kolorze.

Siedziałam na podłodze i lepiłam kota z plasteliny. Właśnie szczypałam jego głowę, by uformować uszy, kiedy zadzwonił telefon. Słyszałam, jak matka idzie go odebrać, mrucząc coś pod nosem. Potem powiedziała: „Och, Florence, nie". Nastąpiła przerwa, a potem usłyszałam ponownie: „Och, nie. Nie, nie, nie". Mówiła coś jeszcze, a potem odłożyła słuchawkę i zaniosła się płaczem. Byłam tak wystraszona, że nie słuchałam jej słów, tylko cały czas rzeźbiłam kocie uszy. Głos matki otaczał mnie zewsząd, udręczony i histeryczny. Ojciec trzymał ją w objęciach, podczas gdy ona uderzała nogami o podłogę.

Szczypałam plastelinę tak mocno, że w palcach zostawały mi cienkie nitki, a głowa kota robiła się coraz mniejsza, aż w końcu nie zostało z niej nic.

Mama, krztusząc się i zawodząc, opowiadała ojcu o moim kuzynie. Coś o osach. Coś o psie Wayne'a. Nic z tego nie rozumiałam. Mama powiedziała, że mój kuzyn Wayne nie żyje i musimy natychmiast jechać do Alabamy, ponieważ Florence jej potrzebuje.

Nie dojechaliśmy tam. Tego samego dnia, kiedy mama wzięła swoje tabletki na nerwy i leżała w łóżku, mój zgrabny tatuś potknął się, ładując jej walizkę do samochodu. Kiedy upadł, jego kość udowa trzasnęła niczym kruchy sopel lodu i w ten sposób dowiedzieliśmy się, że ma raka. Rak opanował już żołądek i wątrobę, a potem zaatakował kości.

Zostaliśmy w Kansas, a ojciec trawiony chorobą stawał się coraz chudszy i coraz bardziej przerażający. Potem rak dotarł do mózgu i mój ojciec, który nigdy nie podnosił głosu, cały czas krzyczał zachrypniętym głosem w sali szpitala wojskowego, gdzie śmierdziało moczem. W końcu wypisali go, by umarł w domu, i tak się stało. Trwało to krócej, niż mogłoby się wydawać.

Tuż przed śmiercią taty matka zaczęła zażywać jego tabletki przeciwbólowe. Rozdzielała je: jedna dla mnie, druga dla ciebie. Pamiętam też, że przychodziła pielęgniarka, żeby dawać ojcu zastrzyki. Był na tym etapie, kiedy bez zmrużenia oka wydawano mu kolejne recepty i nikt nie przejmował się tym, że dostaje zbyt wiele pigułek. Mama zaczęła je podkradać. Jedna dla mnie, druga dla ciebie, jedna na potem. Kiedy mu się pogorszyło, robiła to samo. Dwie dla mnie, trzy dla ciebie, cztery na potem.

Po śmierci ojca mama spędzała cały czas na beznamiętnym przekładaniu rachunków i listów z kondolencjami, nie otwierając ani jednej koperty. Poszła do nowego lekarza, który przepisał jej leki antydepresyjne. Przypadło im honorowe miejsce wśród zapasów tabletek przeciwbólowych i tych na nerwy.

Armia wciąż wypłacała nam pieniądze, ale było ich za mało, zwłaszcza że musiałyśmy opuścić służbowe mieszkanie. Wyprowadziłyśmy się do miasta i nigdy nie mogłam zapamiętać, które z zielonych drzwi są nasze, tak bardzo były do siebie podobne.

Nie mogłam już chodzić do szkoły na osiedlu wojskowym. Wychudłam, a mama rzadko pamiętała, by przygotować mi kąpiel. Bała się otworzyć pralkę, więc przekopywałam przygotowane do prania sterty i ubierałam się w najczystsze rzeczy, jakie udało mi się znaleźć. W nowej szkole nie miałam przyjaciół. Dzieci z miasta nie przywykły widzieć co miesiąc nowych twarzy. Nie to co wojskowe bachory, które musiały wcześnie opanować sztukę błyskawicznego nawiązywania przyjaźni.

Podczas lunchu wlepiałam wzrok w talerz i przygryzałam niechlujne kosmyki moich czarnych włosów albo paznokcie jak jakaś dzikuska. Nie pachniałam najlepiej. Inne dzieci wydawały się przekonane, że dotykając mnie, mogą złapać jakąś zarazę, w wyniku której też stracą ojców, zaczną śmierdzieć i obgryzą sobie paznokcie do krwi. Przypuszczalnie byłam jedyną drugoklasistką, która obsesyjnie zaczytywała się we *Władcy much*, ponieważ naprawdę czułam więź ze świniami.

Uratowała nas ciotka Florence. Z hukiem i trzaskiem przyjechała do Kansas rozklekotanym pikapem wuja Brustera, by nas zabrać po tym, jak nie mogła się dodzwonić do mojej matki. Nasz telefon został odłączony, gdyż mama nie była w stanie otwierać kopert z rachunkami. Mogłam wreszcie rozróżnić nasze drzwi, kiedy wracałam ze szkoły. Było na nich przyklejone zawiadomienie o wykwaterowaniu.

Pamiętam wyraźnie tę mizerotę bezwładnie wiszącą w mocnym uścisku ciotki Florence, która potrząsając mną jak szczenięciem, mówiła: „Nie widzisz, że to dziecko umiera? Popatrz na to dziecko! Twoje dziecko umiera, nie widzisz tego?". Ścisnęła mnie za ramiona, aż trochę zabolało, i postawiła na podłodze.

Matka patrzyła na nas spokojnie, szklistym i niewidzącym wzrokiem. „Dobrze więc – powiedziała Florence – zapakujemy twoje naczynia i serwantkę na samochód, zresztą pozostałe meble cuchną tak, że należałoby je spalić. Gnój. To miejsce jest całe zagnojone. Nawet ściany śmierdzą. Możesz się pożegnać ze zwrotem kaucji".

Jedną ręką spakowała to, co mogła ocalić. Wykąpała mnie i opatuliła w ubrania, które udało jej się wyprać. Wykąpała też i ubrała moją matkę. Kiedy Florence chodziła tam i z powrotem, zapełniając tył pikapu naszymi rzeczami, matka siedziała obojętnie i bezwładnie w starym fotelu taty, a ja patrzyłam nieufnie wielkimi oczami, siedząc na podłodze u jej stóp. W końcu zapadłam w sen na czystym ręczniku, który rozścieliła ciotka, mówiąc, że nawet zwierzęciu nie pozwoliłaby leżeć na moim brudnym łóżku.

Następnego dnia Florence wsadziła nas do kabiny pikapu i zawiozła do Alabamy. Jechałam, siedząc pośrodku, a moje nogi dyndały po obu stronach dźwigni zmiany biegów. Był koniec listopada, ogołocone konary drzew wyglądały przerażająco. Rok wcześniej w Boże Narodzenie ciotka Florence i mama były ślicznymi, wysokimi damami o jasnych włosach i łagodnie zaokrąglonych kształtach. Były niemal identyczne. Uśmiechały się olśniewająco, ukazując równe szeregi zębów, a ich połyskliwe oczy były wielkie i okrągłe jak ćwierćdolarówki.

Teraz urocze krągłości matki zamieniły się w otyłość. Stała się miękka i bezkształtna. Jej twarz w słabnącym świetle zapadającego wieczoru wydawała się zamazana, jakby była z bladego wosku, który zaraz miał stopnieć i ześlizgnąć się z czaszki. Siedząca po mojej drugiej stronie ciotka Florence wyglądała, jakby zwiędła i stwardniała. Miała tyczkowatą sylwetkę i wysuszoną skórę, jej ramiona i policzki były spierzchnięte i poszarzałe. Usta bez przerwy zaciskały się w cienką, pozbawioną warg kreskę. Widziałam kości jej nadgarstków, kiedy nieruchomo zaciskała wychudzone ręce na kierownicy. Siedziałam między nimi sztywna jak kołek, nie mogąc się przechylić w żadną stronę, by znaleźć oparcie i odpoczynek.

Dotarłyśmy do Possett tuż po świcie. Miałam zapuchnięte oczy, ale byłam przytomna i patrzyłam, jak jedziemy główną drogą przez miasteczko. Zatrzymałyśmy się na wszystkich dwóch skrzyżowaniach ze światłami. Całe centrum miasta rozciągało się na długość trzech budynków, a na jego końcu był sklep z małą knajpką na tyłach.

Po przeciwnej stronie ulicy stały w równym rzędzie trzy małe blaszane pakamery. Wszystkie łączyła długa, przybita gwoździami tablica, na której widniał wymalowany od szablonu napis: „Posterunek Policji, Straż Poż., Areszt".

„Posterunek Policji" był zbyt długi i ostatnie litery zachodziły na obszar przynależny straży. Przyszło mi na myśl, że słowo „Posterunek" zajęło za dużo miejsca i straż pożarna była zmuszona posłużyć się skrótem. Zaczęłam się nawet zastanawiać, czy strażacy byli o to źli na policjantów. Ja bym była.

Zostawiłyśmy centrum za sobą, kierując się w stronę drogi numer 19, wiejskiego traktu, który prowadził między pastwiskami oraz polami soi i bawełny do domu mojej ciotki. Otaczały go zabudowane tereny rolne. Znajdowało się tam około dwudziestu posesji z ogródkami albo kurzymi fermami. Do kilku z nich przylegały pastwiska, na których wydzielono zagrody dla koni lub kóz.

Ciotka Florence przeznaczyła ponad czterdzieści arów na ogród, w którym uprawiała warzywa i zioła. W głębi stała szopa wyposażona w instalację elektryczną i bieżącą wodę, a do znajdującego się obok niej placyku prowadziła wybetonowana dróżka. Jej dom, biały budynek w farmerskim stylu, był obity szpetnym i oczywiście winylowym sidingiem. Skręciłyśmy w boczną drogę, a z niej na żwirowy podjazd, na końcu którego znajdowała się wiata dla samochodów.

Kiedy zatrzymałyśmy się przed domem, zobaczyłam kuzynkę Clarice, która siedziała na schodach prowadzących do tylnego wejścia do wiaty. Miała na sobie białą, bawełnianą koszulę nocną z krótkimi, bufiastymi rękawami, która opinała się na jej zgiętych kolanach. Ramiona schowała w fałdach koszuli i skuliła się tak, że była podobna do szmacianej piłki z wystającą głową.

Clarice podniosła się, kiedy ciotka Florence zaciągnęła hamulec ręczny i wyłączyła silnik. Jakby pod wpływem czarów ukazały się jej złociste nogi, a ramiona zakotłowały w poszukiwaniu rękawów, po czym wystrzeliły na zewnątrz. Patrzyłam na nią zmęczonym wzrokiem jak na jedną z tych kapsułek, które wrzuca się do wody, a kiedy się rozpuści powłoka, niespodziewanie wyskakuje śliczne, gąbkowe zwierzątko.

Ciotka Florence wysiadła, za to mama ani drgnęła. Wydawała się nieświadoma tego, że dojechałyśmy, tylko tkwiła bezwolnie na siedzeniu pasażera, zostałam więc przy niej. Ciotka poszła obudzić wuja Brustera, który po chwili wynurzył się z domu, przecierając oczy, odziany we flanelową piżamę. Pochwycił mnie wielkimi, niedźwiedzimi łapskami, wyciągnął z samochodu i postawił na ziemi.

– Witaj, dziewczynko – powiedział, mierzwiąc mi włosy. – Twoja ciocia Flo mówi, że zostaniesz z nami. Chyba ja i Clarice możemy zrezygnować z dziewczęcych zakupów w weekendy, co?

Potem podszedł do samochodu i zaczął się mocować z rzeczami mamy. Myślałam, że podczas jednego z takich kursów, jakie odbywał tam i z powrotem, dźwigając walizki, wyładuje również mamę jak jakiś mebel.

Kiedy stałam obok pikapu, podeszła do mnie Clarice. Wyglądała pięknie i rześko, zupełnie niezmieniona. Objęła mnie ramieniem i zaczęła trajkotać.

– Nie zmrużyłam oka, wciąż czekałam. Szybko, wchodź do domu, bo tu zamarznę. – Pociągnęła mnie w kierunku drzwi.

Jedynie Clarice sprawiała, że czułam się dobrze. Powietrze we wnętrzu domu wisiało nieruchomo i było tam zbyt cicho. Odgłosy, jakie wydawali ciotka Florence i wuj Bruster, wnosząc do środka nasze torby i skrzynie, były gwałtowne i urywane. Tak jakby dom pochłaniał wszystkie dźwięki, zanim zdążyły się rozpłynąć. Niewyspana i trochę przestraszona wyobraziłam sobie, że to właśnie ten dom połknął Wayne'a, wraz z jego chłopięcymi okrzykami i wybrykami, aby się posilić.

Nie mogąc odpędzić tej myśli, udałam się najpierw do pokoju Wayne'a. Clarice szła przy mnie, jedną ręką wciąż obejmując mnie za ramię. Pokój Wayne'a został ogołocony. Kiedyś było tam piętrowe łóżko i tapeta w kowboje na ścianach, elementy zestawów konstrukcyjnych erector, klocki lego, żołnierzyki rozrzucone na podłodze i Buddy, który niczym wielka, żółta poduszka leżał zwinięty na dolnym posłaniu.

O czasu, gdy ostatnio widziałam ten pokój, czyjaś ręka przejechała po ścianach żyletką, zdzierając z nich kowbojów, a potem zamalowała je surową, białą farbą. Miejsce zdzelowanej koi i skrzyni z zabawkami zajęło stare, podwójne łoże i toaletka bez lustra. Obok szafy, gdzie dawniej stało biurko Wayne'a, przycupnął teraz wyścielany fotel na biegunach, pozostałość po zmarłej ciotce Niner. Bruster wniósł do domu cała stertę rzeczy mamy, a dwie potężne torby załadowane jej ubraniami stały obok siebie na nowej wykładzinie w kolorze owsianki. We wnętrzu domu unosił się tak mocny zapach cytrynowego płynu do mycia podłóg i lizolu, że aż zaczęły łzawić mi oczy.

– Gdzie jest Buddy? – zapytałam, a Clarice spojrzała na mnie zaokrąglonymi z przestrachu oczami. Położyła palec na ustach i potrząsnęła głową. Potem pociągnęła mnie za sobą, prowadząc za rękę wzdłuż korytarza. Znalazłyśmy się w jej pokoju, otoczone radosnymi, krzykliwymi kolorami. Jabłkowa zieleń gryzła się z gorącym różem i złoceniami. Ciotka Florence pokryła wszystkie podłogi nową wykładziną, ale poza tym pokój Clarice pozostał taki, jakim go zapamiętałam.

Clarice zawsze lubiła stokrotki i cały jej pokój był nimi udekorowany. Miała moskitierę nad łóżkiem w biało--żółte kwiatki i kilka poduszek w kształcie stokrotek. Nawet porcelanową podstawę jaskrawozielonej lampki nocnej zdobiły stokrotkowe kalkomanie.

Clarice zauważyła, że się przyglądam, i złapała lampę.

– Powąchaj to – powiedziała, drapiąc jedną z nalepek, a potem podstawiła mi lampę pod nos. – Powinny pachnieć jak prawdziwe stokrotki, ale według mnie pachną jak sztuczne.

Posłusznie wciągnęłam powietrze, zastanawiając się, jak pachną sztuczne stokrotki. Przede wszystkim spalonym cukrem. Na jednym z podwójnych łóżek zauważyłam moją walizkę i z wdzięcznością usiadłam obok niej, wdychając głęboko cukierkowo słodkie ożywienie, jakie unosiło się w pokoju Clarice.

Clarice zawsze wydawała mi się zbyt dorosła i promienna, aby była prawdziwa. Taka ładna, pewna siebie i wysoka. Podczas świątecznych wizyt zawsze pozostawałam w tyle, mniejsza i młodsza, a czasem niezauważona, idąc śladem fali uderzeniowej, jaką Clarice i Wayne wzniecali, galopując po domu. Teraz jednak ta sama Clarice klapnęła obok mnie i powiedziała:

– Zawsze chciałam mieć siostrę.

Nawet mimo że w związku z moim przyjazdem musiała się pożegnać z własnym pokojem. Zasnęłyśmy, słuchając, jak wuj Bruster pomstuje na serwantkę mamy, którą wnosił do domu.

Następnego dnia ciotka pojechała z nami do Fruiton, by zapisać mnie do szkoły podstawowej. Florence molestowała dyrektora, by pozwolił mi przeskoczyć o jeden rok wyżej i zapisał mnie do trzeciej klasy, do której chodziła Clarice. Dyrektor wyraził kilka zastrzeżeń co do mego wieku i wzrostu, ale ciotce udało się po prostu go przegadać, podczas gdy moja matka siedziała bezwolnie w jego gabinecie, a ja obgryzłam palce do krwi.

– To dziecko czyta książki, których ja nie rozumiem, a pan się martwi o jej adaptację społeczną? – przekonywała ciotka Florence. – Arlene mogłaby wiedzieć, co to znaczy, skoro przeczytała tyle mądrości, ale ja nie mam pojęcia, co to adaptacja społeczna. Wiem tylko, że ma głowę nie od parady, a w trzeciej klasie moja córka będzie miała na nią oko.

Dyrektor szkoły miał rację. Byłam niezdolna do adaptacji społecznej w trzeciej klasie. Ale tak samo nie byłabym w stanie zaadaptować się w drugiej, do której rocznikowo należałam.

W tej klasie nie miało to znaczenia. Clarice łagodnie przekonała wszystkich, by dostosowali się do mnie. Wkrótce stało się oczywiste, że jeśli któraś z dziewcząt chce, aby Clarice przyszła na jej przyjęcie urodzinowe albo została u niej na noc bądź zagrała z nią w piłkę – a wszystkie chciały – to musi zaprosić również mnie.

Chodziłam już do szkoły od jakichś dwóch tygodni, gdy pewnej nocy mama dostała jednego ze swych ataków. Zaczęła tak mocno walić w ściany, że wszystkich obudziła.

– To w pokoju Wayne'a – powiedziała Clarice.

– To mama. – Zeskoczyłam z łóżka i rzuciłam się pędem przez korytarz. Clarice biegła tuż za mną.

Walenie ustało, kiedy stanęłam pod drzwiami. Zajrzałam do środka i zobaczyłam, że ciotka Flo siedzi na mamie. Mama musiała uderzać w ścianę twarzą, bo z nosa buchał jej strumień jasnej krwi. Niczym pstrąg wyrzucony na brzeg trzepotała się pod ciężarem Florence, ta zaś kolanami przyciskała jej ramiona do podłogi. Ciotka groźnie milczała, a jedynym odgłosem wydawanym przez mamę były ciche, jękliwe sapnięcia, które sprawiały, że w jej nozdrzach wyrastały i pękały bąbelki spienionej krwi. Za naszymi plecami pojawił się wuj Bruster, a Florence zorientowała się, że wszyscy stoimy w drzwiach.

– Wezwij pogotowie, Bruster – krzyknęła. – A wy, dziewczęta, marsz do łóżka. Nic tu po was. Natychmiast.

Clarice wzięła mnie za rękę i pociągnęła za sobą. Wróciłyśmy do pokoju i leżałyśmy w ciemności, nasłuchując, jak sanitariusze zabierają mamę. To był jej pierwszy pobyt w szpitalu dla nerwowo chorych w Deer Park.

Obróciłam się na bok i spojrzałam na Clarice. Nie spała. Patrzyła na mnie.

– Co jej się stało? – zapytała. – Czy ona jest chora?

– Nie wiem. Czasem dzieją się z nią takie dziwne rzeczy. – Czułam się zmarznięta, mała i przerażona. – Szkoda, że nie ma już waszego psa. Co się stało z Buddym.

– Wiesz, jak umarł Wayne? – odezwała się Clarice po długiej chwili milczenia.

– Coś niecoś – odparłam i przypomniała mi się mama, która ze szlochem opowiadała tę historię ojcu. Coś o dzikich osach. Coś o psie Wayne'a.

Po kolejnej długiej pauzie Clarice zaczęła mówić. W ciemności jej głos brzmiał płasko i bezbarwnie. Wydawało się, jakby recytowała coś, czego nauczyła się na pamięć dawno temu.

– Buddy był przywiązany na lince do suszenia prania do tej dużej sosny, która rośnie na podwórzu. Wayne też tam był i bawił się z nim. I chyba musieli rozdrażnić

dzikie osy. One gnieżdżą się w ziemi. Tato zawsze wlewa
benzynę do takich dziur, ale tę jedną przeoczył. To było
duże gniazdo i wyleciał z niego rozwścieczony rój os. Kilka z nich użądliło Buddy'ego, ale z jakiegoś powodu
większość rzuciła się na Wayne'a. Kiedy Wayne się ze-
rwał, żeby uciekać do domu, Buddy też zaczął biec, ale
był wystraszony i nie biegł prosto, tylko jak oszalały gonił
w kółko. Oplątał Wayne'a linką do suszenia prania.
Okrążył drzewo raz i drugi i biegał wokół niego i wokół
Wayne'a. Aż w końcu przywiązał go do tego drzewa. Dzikie osy przez cały czas kąsały Wayne'a. One nie są takie
jak pszczoły. Mogą żądlić i żądlić.

Rozdygotana Clarice wzięła głęboki haust powietrza.
Wyszłam ze swojego łóżka i położyłam się obok niej.
W ciemności odnalazłam jej rękę.

– Właśnie wtedy mama i ja wyszłyśmy z domu, żeby
popracować w ogrodzie. Mama niosła szpadel, taki nowy,
który kupiła w Wal-Marcie i chciała zanieść go do szopy.
Zobaczyłyśmy Wayne'a. Popatrzyłam na niego i z początku nie wiedziałam nawet, że to Wayne. Nie mogłam rozpoznać jego twarzy. Zdawało mi się, że nie ma oczu, ale
to chyba dlatego, że był taki opuchnięty. Myślę, że już nie
żył. Za to Buddy'emu nic się nie stało. A osy już prawie
wszystkie odleciały. Mama zrozumiała wszystko w mgnieniu oka. Zobaczyła, że Wayne leży nieruchomo, cały
oplątany linką i przywiązany do drzewa, Buddy siedzi
obok niego, a jedna czy dwie osy krążą nad nimi jak oszalałe, i już wiedziała, co się stało. Wtedy mama wydała
z siebie przeraźliwy dźwięk. Nigdy nie słyszałaś takiego
dźwięku. Nikt nie słyszał. Ruszyła w stronę Wayne'a.
Buddy próbował wybiec jej naprzeciw, merdając ogonem,
ale był przywiązany do Wayne'a i kiedy zaczął szarpać,
poruszył jego nogą. Mama podeszła do Buddy'ego, unios-

ła wysoko szpadel, zamachnęła się i trafiła go w głowę. Rozległ się głuchy chrobot. Ale mama się nie zatrzymała. Wszystko odbywało się tak płynnie, jakby chodzenie i równoczesne wymachiwanie szpadlem było dla niej normalne. Buddy upadł na ziemię z rozpłataną czaszką, mama nawet na niego nie spojrzała. Upuściła szpadel obok niego, złapała linkę do suszenia prania, rozplątała Wayne'a i wzięła go na ręce.

Ścisnęłam dłoń Clarice i razem milczałyśmy w ciemności.

– Właśnie tak to było – odezwała się w końcu. – To niesamowite, jak płynie czas. Wydawało się, że to wszystko przebiegło tak szybko, ale naprawdę trwało o wiele dłużej.

– Kiedy tato umarł, czas płynął bardzo wolno. Każdy dzień tak się dłużył, że mama i ja czekałyśmy, aż się skończy, ale potem zaczynał się następny i też musiałyśmy go przeczekiwać. Lepiej, że teraz jesteśmy tutaj.

– Dla mnie też lepiej. Lepiej, że tu jesteś.

Nie pamiętałam, jak zapadłam w sen, ale zostałam z Clarice w jej łóżku i od tamtej nocy zbliżyłyśmy się do siebie jak siostry. Nie bałam się nawet, kiedy mama trafiła na obserwację do szpitala, bo Clarice była przy mnie. Byłyśmy blisko siebie, dopóki w pierwszej klasie gimnazjum sprawy damsko-męskie nie obróciły się przeciwko nam.

Nie, to nie było tak. Trzymałyśmy się razem jeszcze dłużej, aż w drugiej klasie stałam się taka skryta i szalona i zaczęłam „nawiązywać kontakty". Te kontakty były tak bliskie, że Clarice nie mówiła o nich inaczej jak „pieprzenie się z każdym chłopakiem, który nie ucieka". Nie potrafiłam jej tego wytłumaczyć, ale w pewien pokrętny sposób to, co robiłam z tymi chłopakami, robiłam dla niej.

Lub przynajmniej z jej powodu. Nawet wtedy Clarice nie powiedziała publicznie ani słowa, które sugerowałoby, że jest mną choćby odrobinę mniej zachwycona.

Prawda jest taka, że nawet wtedy, gdy prawie wcale się do mnie nie odzywała, nie przestałam jej kochać. Mogę powiedzieć to bez cienia wątpliwości i niezależnie od tego, co jeszcze okazałoby się prawdą. Mogłabym dla niej zabić. I oczywiście w końcu to zrobiłam.

Rozdział 5

Burr i ja wyjechaliśmy do Possett wcześnie rano w poniedziałek. Planowaliśmy pokonać całą piętnastogodzinną trasę w ciągu jednego dnia, więc powiedziałam ciotce Florence, że przyjedziemy późno w nocy. Chciałam mieć pewność, że dotrę tam przed Rose Mae.

Ciotka Florence zapiszczała triumfalnie, kiedy zadzwoniłam, by powiedzieć jej o swoim przyjeździe. Byłam zirytowana tą rozmową i szybko odłożyłam słuchawkę. Uprzedziłam, że przywiozę mojego chłopaka, ale nie wspomniałam, iż jest czarny. Nie wyjaśniłam też, że zamierzamy wyjechać z Possett przed zaplanowanym na piątek przyjęciem wuja Brustera. Pomyślałam jednak, że kiedy ciotka pozna Burra, odwoła swoje zaproszenie.

Spędziłam wczesne dzieciństwo w bazach wojskowych, wśród dzieci o różnych kolorach skóry, jednak Burr nie miał co liczyć na ciepłe powitanie w domu ciotki Florence i wuja Brustera. Nie trzymali w szafach nasączonych naftą wielkich krzyży i spiczastych, białych kapturów. Nie słyszałam nawet, aby którykolwiek z moich krewnych wymówił słowo „czarnuch". Ale nie używali go z tego samego powodu, dla którego nie mówili „podaj tę pieprzoną grochówkę". To nie było ładne.

Przekonanie, że czarni nie są tacy jak my, było dla rodziny Lukeyów i dla krewnych ciotki Flo, Bentów, prawdą tak oczywistą, że nikt nie musiał używać obelżywych słów, aby ją wyrazić. Tak głęboko zakorzenioną, że stała się częścią nich w takim samym stopniu, jak błękitne oczy Lukeyów czy powszechna wśród Bentów skłonność kobiet do ukradkowego popijania.

Planowałam, że przyjedziemy na miejsce, przedstawię im Burra, zostanę wyklęta, a wtedy zameldujemy się w Holiday Inn we Fruiton, przed Rose Mae Lolley. Chciałam ją przechwycić, zanim wykona podejście do Clarice, rozbroić i nakarmić jakimś odpowiednio spreparowanym kłamstwem, a jeżeli wszystko łyknie, wziąć nogi za pas. Przy odrobinie szczęścia ciotka Flo nie będzie odchodziła od telefonu, rozmawiając z dalszymi krewnymi, a wszyscy Lukeyowie i Bentowie machną na mnie ręką. Z wyjątkiem Clarice, miałam nadzieję. Nie spodziewałam się, że kiedykolwiek w moim życiu będę jeszcze przejmowała się wizytą w Possett. W najgorszym wypadku mogą przypuścić szturm na Holiday Inn i spalić nas na stosie.

Pojechaliśmy chevroletem blazerem Burra, bo był większy, zresztą moja honda mogłaby nie wytrzymać takiej podróży. Burr prowadził pierwszy, pokonując ulice miasta, podczas gdy ja czytałam. Kiedy jednak wyjechaliśmy na autostradę, ogarnęła go nuda i zmusił mnie, bym odłożyła książkę i zagrała z nim w coś. W kwestii gier samochodowych nie byliśmy tradycjonalistami. Pogardzaliśmy plebejską strawą w stylu Jaka To Melodia albo Alfabet Znaków Drogowych i woleliśmy tworzyć własne zabawy.

Nastawialiśmy radio na jedną z chicagowskich stacji, która puszczała muzykę country, i zabawialiśmy się w Moje Serce w Poniewierce. Słuchaliśmy pierwszego wersu ballady i prześcigaliśmy się w wymyślaniu dalszego ciągu, który musiał się rymować i być możliwie jak najbardziej obsceniczny. Potem śpiewaliśmy go głośno, by zagłuszyć prawdziwy tekst. W końcu przekrzykiwaliśmy się nawzajem do zachrypnięcia, śmiejąc się przy tym jak wariaci. Graliśmy w to przez całą drogę, aż do granicy stanu Indiana, kiedy zaczęliśmy gubić fale.

Burr wyłączył radio i wskazał tablicę z napisem „Indiana wita", która pojawiła się przed nami.

– I oto jest – powiedział. – Gotowa?

W jego rodzinie istniała pewna tradycja związana z podróżami samochodem. Burr i ja jeździliśmy wspólnie kilka razy do Wisconsin, a raz byliśmy w Detroit na ślubie naszego przyjaciela, nie było to więc dla mnie nic nowego. Kiedy zbliżyliśmy się do znaku, Burr oderwał jedną rękę od kierownicy i spojrzał na mnie.

– Wiesz, że to trochę zwariowane, prawda? – powiedziałam, ale też uniosłam rękę.

Obróciłam się na fotelu, a Burr zerkał za siebie przez ramię.

– Do widzenia, Illinois! – wrzasnęliśmy melodyjnie, machając uniesionymi rękami, kiedy przekraczaliśmy granicę stanu. Potem spojrzeliśmy przed siebie i nie przestając machać, znów wrzasnęliśmy: – Witaj, Indiano!

– Możemy się zmieniać za kierownicą na granicy każdego stanu – zaproponował Burr.

– Nie minęła nawet godzina. Daj spokój, cieniasie.

– No dobra. To zagrajmy w Ogniste Gacie – powiedział i spojrzał na mnie z ukosa, trochę przebiegle. Wyczułam podstęp. – Zaczynam pierwszy. Twoja kuzynka przymierza sukienkę w sklepie. Wychodzi z przymierzalni, wygląda jak czołg i pyta: „Czy w tej sukience wyglądam grubo?". Co odpowiadasz?

– Czy to moja kuzynka Clarice, czy Gruba Agnes?

– Załóżmy, że to twoja kuzynka Gruba Agnes.

– Wtedy odpowiem, że nie. – Wzruszyłam ramionami.

– Mam cię! – wykrzyknął Burr.

– Nie, nie „mam cię". Nie skłamałam – odparłam. – Sukienka może sprawić, że będzie wyglądała źle, ale nie grubo. Gruba Agnes i tak jest potężna, nieważne, w co by się ubrała.

– No dobra. A gdyby to była Clarice, a sukienka by ją pogrubiała?

– Nie ma tak, oszuście – zaprotestowałam. – Nie wolno już wprowadzać zmian. Teraz moja kolej.

Graliśmy przez jakiś czas, wymyślając hipotetyczne sytuacje i obserwując na przemian, jak próbujemy uniknąć wyjawienia przykrej prawdy i nie zostać złapanym na kłamstwie. Burr wymyślił tę grę podczas podróży do Detroit. Stworzył ją częściowo po to, by sprawdzić i zbadać, jak działa mój system niemówienia kłamstw, ale okazała się również zabawna. Zresztą zauważyłam, że taka gra przypuszczalnie pomaga mu zdobywać nieocenione umiejętności, z których może korzystać na co dzień jako prawnik. Graliśmy przez ponad godzinę i przerwaliśmy tylko na chwilę, by zjechać do przydrożnego baru, przed jedenastą, bo później nie wydawano śniadań. Zawsze uwielbiałam obżerać się w samochodzie.

Kiedy wróciliśmy na trasę i udało nam się przekopać przez wielką torbę pełną gorącego jedzenia, sięgnęłam do tyłu po koc i poduszkę. Założyłam jedną z czapeczek bejsbolowych Burra i opuściłam daszek na oczy.

– No dobra, ostatnia runda – powiedziałam. – Twoja dziewczyna...

– Moja śliczna dziewczyna – wtrącił Burr.

– Właśnie. Twoja przecudna dziewczyna mówi: „Kochanie, czy zrobisz mi przysługę?".

– Och, ach.

– „Och, ach" w rzeczy samej. A ty odpowiadasz: „Oczywiście kotku".

– Dlaczego miałbym tak powiedzieć, nie pytając, co to za przysługa?

– Z dwóch powodów – zaczęłam tłumaczyć, otulając nogi kocem. – Po pierwsze, ona jest przecudna. Jak już ustaliliśmy.

– Powiedziałem „śliczna" – poprawił Burr.

– Lepiej przejdźmy do drugiego powodu. A po drugie, taki jest mój scenariusz. Zatem jest przecudna i prosi cię o przysługę, a ty odpowiadasz: „Oczywiście kotku, zrobię dla ciebie wszystko, co zechcesz". Wtedy ona mówi: „Wiem, że ukrywasz przede mną jakąś straszną tajemnicę, i chcę, żebyś mi powiedział, co to takiego".

– Zakładając, że coś ukrywam – ustalił Burr. – Bo taki jest twój scenariusz.

– Oczywiście.

– Jasne. Mówię: „Nie powiem ci".

– Mam cię – powiedziałam i naciągnęłam głębiej czapkę Burra, zasłaniając oczy.

– To, że jej nie powiem, nie znaczy, że kłamię.

– Ale obiecałeś, że wyświadczysz jej przysługę, więc odmawiając odpowiedzi, kłamiesz.

– Przebiegłe – stwierdził Burr. – A więc mówię jej, o co chodzi. Jeśli przestanie mnie kochać z powodu jednego mrocznego sekretu, nie jest dobrą dziewczyną. Chyba że jest to coś w stylu Jerry'ego Springera, jak „naprawdę jestem kobietą" albo „sypiam z twoją matką".

– Ale i tak zdobywam punkt, bo nie udało ci się nie powiedzieć kłamstwa.

– Jak to? Przecież nie skłamałem.

– Racja – odparłam. – Właśnie. Powiedziałeś prawdę, ale to nie to samo co nie powiedzieć kłamstwa. A to musisz zrobić, żeby wygrać.

– Niech się nad tym zastanowię.

Burr włączył cicho muzykę. Zamknęłam oczy, ale mój mózg pędził z prędkością stu czterdziestu kilometrów na godzinę. Chociaż byłam zmęczona, nie mogłam przestać się zastanawiać nad kłamstwem, które byłoby na tyle dobre, by skierować Rose Mae Lolley w inną stronę. W najlepszym wypadku moje kłamstwo powinno sprawić, że zrezygnuje ona ze swoich poszukiwań i wyjedzie z Fruiton. W każdym razie nie mogłam dopuścić, aby zbliżyła się do Clarice. Jedynym wyjściem było wymyślenie kłamstwa, które powstrzymałoby Clarice i Buda od rozmów z Rose, jednak zdecydowanie bardziej wolałam okłamywać Rose Mae niż najsympatyczniejszych członków mojej rodziny.

– Już wiem – odezwał się Burr. – Jedynym wyjściem jest spór natury semantycznej. Mogę przyjąć, że przysługa jest czymś, co się wyświadcza, i odmówić odpowiedzi na podstawie założenia, że odpowiedź na pytanie nie jest przysługą. Mogę powiedzieć, że wciąż jestem skłonny wyświadczyć obiecaną przysługę, ale nie kwapię się z odpowiedzią na pytanie. Mogę jej powiedzieć, że skoro chciała informacji zamiast działania, powinna była zapytać: „Czy odpowiesz na moje pytanie?”.

– Znakomicie, panie radco. – Opatuliłam się kocem jeszcze ciaśniej.

– Leno, gdybym poprosił cię o przysługę, odpowiedziałabyś mi na pytanie? – spytał łagodnie Burr.

Zerknęłam na niego spod opuszczonego daszka. Nie odrywał oczu od drogi, ale był poważny. Powinnam była się domyślić, że mój scenariusz może zaprowadzić nas na niebezpieczny obszar.

– No to sobie pospałam. – Usiadłam prosto i zdjęłam czapkę. – Właśnie ten moment wybrałeś, żeby zapytać, czy mam jakąś mroczną tajemnicę, o której chciałabym porozmawiać? Teraz, podczas tej piekielnej wycieczki, kiedy jestem w takim stresie, że w każdej chwili może pęknąć mi serce?

– Rozejm. – Burr uniósł rękę. – Cofam pytanie. Świadek może odejść. Masz ochotę prowadzić na następnym odcinku? Jeśli nie, możesz spać, ja cię wyręczę.

Burr zapadł w drzemkę, a ja prowadziłam, słuchając radia. Obudziłam go, kiedy przyszedł czas, by pożegnać Indianę i przywitać Kentucky. Był przesądny na tym punkcie i wiedziałam, że gdybym przekroczyła granicę stanu, nie budząc go, by sobie pomachał, jego głowa eksplodowałaby na miejscu. Usiadł zaspany i spełniliśmy nasz geograficzny rytuał. Zjechałam na stację, by zatankować i dokupić jedzenia, a potem prowadziłam aż do miejsca, gdzie powiedzieliśmy adieu stanowi Kentucky i powitaliśmy Tennessee.

– To najgłębsze południe, na jakie kiedykolwiek się zapuściłem – stwierdził Burr. Zastąpił mnie za kierownicą, ale wciąż nie mogłam spać. Siedziałam, gapiąc się bezmyślnie przez okno.

Kiedy stało się oczywiste, że nie mam zamiaru drzemać, Burr zaczął grę w Co Mam w Kieszeniach, która wypełniła nam całą drogę do Nashville. Był to również nasz wynalazek, w który grywaliśmy, jeżdżąc samochodem, i czasem w leniwe zimowe popołudnia, leżąc przed kominkiem w jego kawalerskim mieszkaniu. Zadaniem każdego z nas było wymyślenie długiej, zawiłej opowieści. Burr kończył swoją zazwyczaj pierwszy. Kiedy już ułożył całą fabułę, opowiadał mi połowę historii i opisywał cechy postaci, tak bym wiedziała, kto jest kim. Cały dowcip polegał na tym, że zawsze opowiadaliśmy swoje historie od końca. Tak więc Burr przedstawiał wszystkie wydarzenia w odwrotnej kolejności, dopóki nie dotarł do połowy. Wtedy przerywał opowieść i pytał: „Co mam w kieszeniach?".

Musiałam uważnie słuchać, a on musiał opowiedzieć mi historię o tak nieoczekiwanym zakończeniu, abym potem była w stanie odtworzyć jej pierwszą połowę. A nawet nie tyle była w stanie, ile była zmuszona. Zakończenie powinno bowiem wynikać z tego, co wydarzyło się na początku.

Nigdy nie udało mi się pociągnąć historii tak, jak on ją sobie wyobrażał. Trzymał w zanadrzu pięć zwrotów akcji i zdobywał punkt za każdy, którego musiałam użyć, by dotrzeć do początku. Jeżeli udało mi się znaleźć narracyjny wątek otaczający jeden z tych zwrotów, to ja zdobywałam punkt. A jeżeli powiedziałam coś, co było sprzeczne z jego opowieścią, przerywał mi i musiałam się cofnąć. Kończyłam pierwszą połowę, a wtedy Burr ujawniał ukryte zwroty akcji. Potem ja opowiadałam mu swoją historię.

Po rozegraniu trzech rund prawie minęliśmy Nashville. Byłam już tak zmęczona, że świat zaczynał jawić mi się surrealistycznie w przygasającym świetle. Krawędzie przedmiotów, które widziałam kątem oka, zbiegały się i rozmywały. Miałam prowadzić na ostatnim etapie podróży, gdyż w nocy widziałam znacznie lepiej niż Burr, ale nie wyobrażałam sobie, jak tego dokonam.

– Myślę, że powinniśmy się zatrzymać na noc – powiedziałam. – Nie spałam zbyt dobrze, bo prześladowało mnie widmo tej podróży, i boję się, że teraz mogłabym wpakować nas do rowu. Wynajmiemy sobie pokoje w hotelu, a ostatni etap przejedziemy rano. Zadzwonię do ciotki Flo. Będzie jej wszystko jedno. Woli raczej, żebym była dzień później, niż gdzieś się rozbiła.

– Oczywiście, skarbie – odparł Burr.

– Nie odwlekam twojego spotkania z nimi – wyjaśniłam. – Jestem naprawdę zbyt zmęczona, by prowadzić.

– Nie oskarżam cię o nic. Wiem, że nie palisz się do tego spotkania. Ale skoro jesteśmy ze sobą na serio, kiedyś muszę poznać twoją rodzinę.

– Przecież tam jedziemy, prawda? – warknęłam w odpowiedzi.

– Tak, ale nie udawajmy, Leno, że wybraliśmy się w tę podróż z powodu mnie i tego, czego chcę. Działają tu inne czynniki – stwierdził, nie odrywając oczu od drogi, po czym dodał: – A może twoja rodzina cię zaskoczy. Kiedy już mnie poznają, może uda nam się zmienić ich nastawienie.

– Pewnie – roześmiałam się. – Tak by się mogło stać, gdyby to był jakiś serial komediowy. I to tylko w wyjątkowo naiwnym odcinku. Daj spokój, Burr. To jest rzeczywistość. Ludzie to nie automaty, do których wrzucasz ćwierćdolarówkę, naciskasz na nos i dostajesz ulubiony batonik. Ludzie nie działają w ten sposób. Oczywiście na zasadzie przyczyny i skutku, ale to nie jest przewidywalne.

– Nie sądzisz więc, że jakieś traumatyczne czy przyjemne wydarzenie może spowodować zmiany w czyimś życiu? Nie wierzysz w objawienia czy olśnienia?

– Myślę, że ludzie doznają objawień przez cały czas. Zazwyczaj są one bezwartościowe. Może w dwóch procentach przypadków ktoś decyduje się zmienić jakiś aspekt swojego postępowania. To jak z Pawłem na drodze do Damaszku. Oto mamy zatwardzeńca z obsesyjną rządzą sprawowania kontroli, który lubi hulanki i prześladuje chrześcijan. Bóg powala go, oślepia i udziela mu reprymendy. Wtedy on przestaje szykanować chrześcijan. Ale poczytaj sobie jego pisma. Nie przestał być zatwardzeńcem z obsesyjną żądzą sprawowania kontroli. Zmienił postępowanie, ale nie wierzę, by ludzie byli zdolni zmienić swoją naturę. To, co mi się przytrafia, jeszcze bardziej utrwala mój charakter.

Burr nic na to nie odpowiedział.

– Przy następnym zjeździe jest Courtyard – odezwał się po kilku minutach. – Odpowiada ci?

– Może być, jeśli ty płacisz – odparłam. – W przeciwnym razie jedźmy do Red Roof.

– Zapłacę – powiedział.

Burr zameldował nas w przylegających do siebie pokojach i udał się po nasze bagaże, ja tymczasem zadzwoniłam po obsługę. Byłam zbyt zaspana, by iść na kolację. W milczeniu zjedliśmy kanapki, siedząc w pokoju Burra, a potem poszłam do siebie. Pokoje miały typowy hotelowy standard. Dwa podwójne łóżka i wiszące nad każdym z nich reprodukcje obrazu Moneta *Lilie wodne*.

Po całodniowym siedzeniu w samochodzie czułam się lepka, wzięłam więc prysznic, wyszorowałam zęby i uczesałam mokre włosy. Potem przebrałam się w miękki podkoszulek i spodenki, które zabrałam ze sobą do spania. Wybrałam łóżko stojące najbliżej drzwi, które łączyły nasze pokoje. Zostawiliśmy je uchylone. Burr palił u siebie światło, pewnie czytał. Piekły mnie oczy. Opuściłam powieki, ale wciąż nie mogłam zasnąć.

Wstałam i otworzyłam drzwi, wychylając się zza framugi. Burr siedział na łóżku po stronie dzielącej nas ściany, oparty o stertę poduszek podłożonych pod plecy. Łóżko nie było jeszcze rozścielone, Burr spoczywał na kołdrze, ale był ubrany w biały podkoszulek i spodnie od piżamy w homary, którą dostał ode mnie na Gwiazdkę.

– Słyszę, jak się tu wiercisz – powiedziałam.

Burr odłożył książkę na stolik nocny i poklepał wolną połowę swojego łóżka.

– Jeśli nie możesz spać, chodź tu ze mną porozmawiać. Słyszałem, jak tam rozmyślasz.

Położyłam się obok niego na plecach, a on otoczył mnie ramieniem.

– Słyszałeś, o czym rozmyślam? – Położyłam głowę na jego piersi.

– To nie tyle myśli, ile zmartwienia – odparł. – Słyszałem, jak zgrzytają ci biegi. Denerwujesz się moim spotkaniem z twoją rodziną?

– Oczywiście, że tak. Nie rozmawiamy na ten temat. O tym, że ja jestem biała, a ty czarny.

– Bo to jest fakt – powiedział Burr. – A oto kolejny fakt: mój samochód to chevrolet blazer. Też nie poświęcamy wiele czasu na roztrząsanie tego tematu.

– To dlatego, że ten fakt nie pociąga za sobą żadnych konsekwencji poza dobrym serwisem gwarancyjnym. Byle nie był potrzebny. Ale teraz, Burr, jedziesz poznać moją rodzinę. Samo to, że chcesz ich poznać, już o czymś mówi. O nas, o tym, dokąd zmierzamy.

– Pytasz, jakie są moje zamiary, pani Fleet? – Burr wyszczerzył zęby w uśmiechu.

– Tak – roześmiałam się. – Myślałam o tym wieczorze, kiedy się pokłóciliśmy i omal ze mną nie zerwałeś. Spodziewałam się wtedy, że oświadczysz mi się podczas kolacji. Czy bardzo się myliłam?

Przyglądał mi się w milczeniu, a potem obrócił poduszkę i zsunął się z niej. Leżał obok mnie, twarzą w twarz, oko w oko.

– Tak. Miałem taki zamiar – powiedział.

– Więc czemu tego nie zrobiłeś? – spytałam. Roztaczał zapach pasty do zębów Crest, spod którego przebijała ciepła woń jego ciała.

– Kiedy planowałem cię o to zapytać, myślałem, że powiesz „tak". Ale słuchając, jak męczysz się ze swoją ciotką, zdałem sobie sprawę, że nie wiem, co odpowiesz. Zawsze unikasz tych drobnych gestów, które świadczą o przywiązaniu. I zacząłem się zastanawiać, skąd przyszło mi na myśl, że wykonałabyś ten największy.

Rozważałam jego słowa przez chwilę. Sięgnęłam w głąb skrawka wolnej przestrzeni, jaka znajdowała się pomiędzy nami, i odnalazłam jego rękę.

– Gdybyśmy się pobrali, wszystko potoczyłoby się inaczej. Chociaż jak dla mnie niekoniecznie. Jeśli chodzi o moją karierę na uczelni, połowa nie zwróciłaby na to uwagi, a druga połowa przyklasnęłaby nam, traktując nasz związek jako deklarację polityczną.

– Tacy są biali ludzie – powiedział Burr. – A tymczasem wśród czarnych akademików połowa miałaby to gdzieś, a druga połowa postrzegałaby cię jako sukę na pokaz, która uzurpuje sobie prawo do miejsca czarnej kobiety.

– Musiałabym być ładniejsza, żeby kwalifikować się do miana pokazowej suki – roześmiałam się znowu. – Mieć dłuższe nogi i sztuczne rzęsy. I może sztuczne cycki. Albo w ogóle jakieś cycki.

– Jesteś wystarczająco ładna, żeby być moją suką na pokaz – zapewnił Burr. – Leno, kocham cię, ale załóżmy przez chwilę, że miłość to nie wszystko. Spójrz na to z szerszej perspektywy. Jesteśmy tego samego wyznania, mamy te same poglądy polityczne, obydwoje nie jesteśmy rozrzutni, chcemy mieć co najmniej dwoje dzieci i przyjaźnimy się ze sobą. To wszystko eliminuje osiemdziesiąt procent kłótni prowadzących do rozwodu, do jakich mogłoby między nami dojść. A kiedy tylko się przekonasz, jak boski jestem w łóżku, pozostałe dwadzieścia procent też pójdzie precz. I to są sprawy, które wypełnią nasz dom. A to, co poza domem? Nie myśl o tym. Już to przerabialiśmy. Możemy zaryglować drzwi i opuścić zasłony. Będzie trudniej, jeśli się pobierzemy. A jeszcze trudniej, jeśli będziemy mieć dzieci. Ale dopóki to pozostanie poza naszym domem, będzie dobrze. Jesteś tego warta, nawet jeśli nie urodziłaś się nubijską boginią.

Wtuliłam się w niego i otoczyłam ramionami, kładąc mu głowę na piersi.

– Jesteś taki mądry i zawsze mówisz dokładnie to, o co chodzi.

– Brawa dla mnie. A teraz zmykaj do swojego łóżka, bo zaraz rzucę się na ciebie i okryję niesławą, zanim dojdzie do oficjalnych oświadczyn.

Jego słowa przypomniały mi pewną historię, którą żona pastora w Possett opowiedziała wszystkim dziewczętom podczas nabożeństwa z okazji rozpoczęcia ósmej klasy. Byłyśmy na nim obie z Clarice. Bohaterka tej historii, piękna dziewica, baptystka, zaręczyła się z młodzieńcem, również baptystą. Chłopiec cały czas nalegał, aby mu się oddała, chociaż wiedział, że robi źle. Nie mógł jednak nic na to poradzić, ponieważ był chłopcem, rządziły nim genitalia i nie był odpowiedzialny za swe czyny.

Dziewczyna zatem, jak każda przyzwoita baptystka, postanowiła wziąć na siebie odpowiedzialność za czyny ich obojga. Niezłomnie mu odmawiała i pozwalała się dotykać tylko poniżej kolan albo powyżej ramion, jak wszystkie córki baptystów uczone są od urodzenia.

Noc przed ślubem poszli na wzgórze, by popatrzeć na gwiazdy, a on znów zaczął nalegać. „Cóż, ślub jest jutro"

– pomyślała dziewczyna i oddała mu się. Następnego dnia ojciec poprowadził ją między rzędami ławek, ale przy ołtarzu nie było pana młodego. Zamiast niego czekał drużba, który na głos i w obecności wszystkich odczytał list. „Nie mogę poślubić kurwy, która uprawia seks poza więzami małżeństwa. Myślałem, że jesteś kimś lepszym". Dziewczyna zemdlała, a całe jej życie legło w gruzach.

Opowieść ta wywarła na mnie wtedy ogromne wrażenie. Nieustannie powtarzałam ją sobie w myślach. Zdrada. Publiczne upokorzenie. „Nigdy, nigdy – ślubowała dziewczyna, która potem pieprzyła się przez całą drugą klasę. – Nie, nigdy nie będę uprawiała seksu przedmałżeńskiego". A taki był oczywiście pieprzony cel żony pastora.

Następnej nocy, kiedy Clarice i ja leżałyśmy już w łóżkach, nie mogłam zasnąć, bo wciąż rozmyślałam o tej historii. Widziałam siebie jako pannę młodą stojącą samotnie w białej sukni, podczas gdy całe Possett wysłuchuje czytanego na głos listu. Widziałam siebie, jak chwiejnym krokiem próbuję wyjść z kościoła, a wszyscy zebrani wstają i kamienują mnie na śmierć.

– Nie mogę sobie nawet wyobrazić, jakie to musiało być straszne – wyszeptałam, ale było to kłamstwo. Tak naprawdę wyobrażałam sobie tę scenę raz za razem z sobą w roli głównej.

– Ta dziewczyna miała szczęście – powiedziała Clarice.

– Szczęście? – spytałam.

– Och, mój Boże, oczywiście, wielkie szczęście. A gdyby z nim tego nie zrobiła? Gdyby rzeczywiście go poślubiła i odkryła to dużo, dużo później, mając już dzieci i żadnej swobody działania?

– Co odkryła?

– To, że on jest człowiekiem zdolnym wyrządzić coś tak podłego osobie, którą podobno kochał – wyjaśniła Clarice.

Opowiedziałam tę historię Burrowi, ale pod koniec prawie mnie nie słuchał. Wąchał moje włosy, a jego dłonie zaczęły mnie dotykać i zgubiłam wątek. Chwyciłam go za ręce i trzymałam je między nami. Byliśmy bardzo blisko siebie.

– Odejdź, diable – powiedziałam.

Burr stęknął jak niedźwiedź, a potem uwolnił z mojego uścisku jedną z rąk i wskazał wymownie na drzwi do mojego pokoju. Nie ruszyłam się jednak z miejsca. Moje ciało przyciśnięte mocno do niego, było zmęczone, wiotkie i spokojne. Czułam się uległa jak rozgrzany wosk. Pomyślałam: „Dlaczego nie teraz, nie tutaj, w momencie, który sama wybrałam”. Gdybym się na to zdecydowała, taka spokojna i wyciszona, nie doszłoby do niczego poza miłością i grzechem.

Burr miał rację, mówiąc, że istnieje inny powód tej wyprawy do domu. Dostał, czego chciał, ale było to drugorzędne w moich planach. Byłam w drodze do Possett i planowałam tam skłamać, zatem mój układ z Bogiem można było uznać za zerwany. Oswobodziłam jego rękę, objęłam go ramionami i pocałowałam, wtulając się w niego, miękka i uległa.

Wypowiedział moje imię, być może jako przestrogę, prosto w moje usta, ale przerwałam ten pocałunek.

– Naprawdę masz jakieś pytania? – zapytałam. – Naprawdę masz w tej chwili ochotę na jakąś rozmowę?

Pocałował mnie i potraktowałam to jako zaprzeczenie. Zaczęłam błądzić dłońmi po jego ciele i oplotłam go nogami. Wtedy coś się w nim przełamało, wsunął rękę pod moją talię i objął, mocno przyciskając do siebie.

Poruszał mną i czułam siłę w napinających się pod jego wilgotną i rozgrzaną skórą mięśniach.

Podniosłam na niego wzrok. Chciałam zostać przy nim, chociaż czułam się senna i osłabiona, jakbym była pół kroku w tyle, kiedy on zaczynał napierać. Była taka rozkosz w jego cieple, które mnie otaczało, a potem wypełniło, rozkosz z jego rozkoszy, a ponad wszystkim to poczucie bezpieczeństwa, jak gdyby on szalał niczym sztorm wokół mnie, a ja leżałam spokojnie w oku cyklonu, poruszając się wraz z nim, bezboleśnie żywa i obecna.

Potem leżeliśmy przez jakiś czas, patrząc na siebie z uroczystą powagą w świetle lampki nocnej. Wreszcie Burr wyciągnął rękę i zgasił światło. Zamknęłam oczy i prawie natychmiast zapadłam w sen.

Rozdział 6

Ostatni tydzień lata przed rozpoczęciem drugiej klasy liceum we Fruiton High spędziłam przed telewizorem. Kiedy szkoła znów się zaczęła, wiedziałam, że będę musiała się zobaczyć z Jimem Beverlym. On będzie się przechadzał korytarzem, obdarzając wszystkich promiennym uśmiechem, a ja będę wietrzyła jego woń w każdym zakamarku budynku. Nawet oddalona od niego o setki kilometrów, nie mogłam oprzeć się wrażeniu, że chodzi gdzieś po świecie, wciągając i wydychając powietrze, i być może świetnie się bawi, torturując zwierzęta albo bijąc dzieci.

Świat, w którym istniał Jim Beverly, był nieprzerwaną kaskadą bezbarwnych dźwięków przesuwających się obok mnie, podczas gdy poranny talk-show ustępował miejsca czterogodzinnemu blokowi seriali. Gorączkowe dyskusje na temat miłości i zdrady były niczym jednostajny szum, który litościwie otulał moje myśli. Pewnego ranka, kiedy leżałam w milczeniu na dywanie, zdarzyło mi się unieść otępiałe spojrzenie ku niebu i zaparło mi dech. Ten widok wybił mnie z telewizyjnego transu. Mieniąc się cudownymi barwami, spacerował po suficie na sześciu kosmatych odnóżach lśniący i gruby ojciec wszystkich karaluchów Alabamy.

Kiedy w Chicago ktoś mówi: „Ojej, karaluch!", oznacza to, że właśnie zobaczył małego, schludnego robaczka, który przebiera nóżkami po dywanie. W Alabamie te same słowa oznaczają coś zupełnie innego.

Nigdy nie widziałam karalucha z Alabamy, dopóki mama i ja nie przeprowadziłyśmy się tam, by zamieszkać z ciotką Florence, wujem Brusterem i Clarice. Byłam jeszcze dzieckiem. Drugiej nocy pod ich dachem poszłam do znajdującej się w holu łazienki, aby umyć zęby. Zapamiętałam, że wcześniej ściany łazienki zdobiła dziecięca tapeta w małe, grubiutkie dinozaury, które zażywały kąpieli w wypełnionych pianą wanienkach. Domyślałam się, że ciotka Florence położyła tę tapetę, kiedy na świat przyszedł Wayne. Miała tylko trzy podstawowe kolory i była bardzo chłopięca. Jednak podobnie jak jego pokój, również ściany łazienki zostały ogołocone ze wszystkiego, co mogłoby się kojarzyć z Wayne'em. Pokrywał je teraz kojący róż, jak w szpitalu dla nerwowo chorych, a zasłonę prysznica w dinozaury zastąpiła plastikowa, różowa płachta. Na podłodze leżał dywanik w jasnoróżowe, niebieskie i żółte paski, który kształtem przypominał tropikalną rybę. Drobniutkie, białe kafelki na podłodze wyglądały jak rzędy kwadratowych zębów, wyszorowanych tak agresywnie, że fuga między nimi była prawie tak samo biała.

Otworzyłam szufladę obok umywalki i zobaczyłam, że Clarice ma pastę do zębów Angel Gel. Była to nowa na rynku pasta dla dzieci. Moja matka w czasach, kiedy jeszcze kupowała pasty do zębów, zawsze wybierała zwykły, stary crest. Wycisnęłam na szczoteczkę sporą dawkę bladoróżowej, opalizującej pasty Clarice.

Moją uwagę przykuł duży, czarny kształt, który pojawił się na ręczniku. Kiedy spojrzałam na niego, sprężył się i wystrzelił w moją stronę, wydając brzęczący mechaniczny odgłos. Wylądował na mojej szczoteczce do zębów.

Rozdziawił paszczę, która rozdzieliła się na cztery części, i oderwał kąsek mojej różowej pasty do zębów.

Gwałtownym ruchem odrzuciłam szczoteczkę i wszystko zaczęło się rozgrywać w zwolnionym tempie. Patrzyłam, jak szczoteczka koziołkuje w powietrzu i upada, a stworzenie uczepione jej końca odrywa się od włosia, rozpościera skrzydła i zbliża się do mojej głowy.

Z wrzaskiem wybiegłam na korytarz i w taki właśnie sposób poznałam karalucha z Alabamy, zwanego również palmetto. Od tego momentu zaczęłam darzyć go pełną mrocznej pasji nienawiścią. Każdego lata drżałam na samą myśl, że coś takiego może mnie dotknąć podczas snu albo przebiec mi po stopie, kiedy idę po schodach.

Ten, którego zobaczyłam na suficie salonu, miał jakieś dziesięć centymetrów długości i zwisał dokładnie nad moją twarzą. Zerwałam się gwałtownie i pobiegłam do kuchni. Miałam cały dom dla siebie. Wuj Bruster właśnie roznosił listy, a ciotka Florence pracowała w wielkim ogrodzie warzywnym, gdzie spędzała prawie każdy ranek. Działo się to, jeszcze zanim ciotka wpadła na pomysł, by wprawić zamek do szafki, gdzie były przechowywane lekarstwa, więc zabierała mamę ze sobą do ogrodu, żeby mieć ją na oku.

Clarice opalała się na podwórku. Chciała, żebym się przyłączyła do niej, ale ja wolałam tkwić w domu, blada i spocona pod trzema warstwami czarnego ubrania.

Na lodówce ciotka Florence przechowywała zielony pojemnik z trującym specyfikiem o nazwie Martwy Karaluch. Zawsze wyznawałam teorię, że karaluchy z Alabamy są zorganizowane. Że te otrute biegną do domu, by tam w trakcie konania zostały zjedzone przez swoje rodziny. A dzieci biorą małe kęsy, posilając się na tyle, by móc stawić czoło temu, co zabiło tatusia. Ale na Martwego Karalucha nie było mocnych. To była okrutna trucizna. Z umieszczonego na opakowaniu ostrzeżenia wynikało, że same opary powodują ślepotę, a płyn może rozpuścić ludzkie ciało. Gdyby ciężarna kobieta znalazła się w odległości piętnastu metrów od miejsca, w którym rozpylono ten środek, prawdopodobnie urodziłaby dziecko z czułkami i chitynowymi skrzydełkami.

Biegiem wróciłam do salonu, uniosłam pojemnik i opryskałam potwora. Zadrżał, skulił się i spadł na podłogę. Nie przestawałam pryskać na niego, podczas gdy on biegał, zataczając coraz mniejsze kręgi. Nasączyłam trucizną cały dywan. Pokój wypełniła chmura o mdłym zapachu palonego cukru. Karaluch nie przestawał jednak pełzać w kółko. Jego ruchy były nieskładne, słaniał się jak tandetna nakręcana zabawka. Umierał powoli i zanosiło się, że potrwa to długo.

Zdjęłam but, by dokończyć dzieła ręcznie, ale nie byłam w stanie go rozgnieść. Wzbudzał moją litość i zaczęłam czuć wyrzuty sumienia za to, co mu zrobiłam. Miał w sobie tyle woli życia, ale już żadnych szans. Był zatruty od środka i z zewnątrz jak ja, tylko że jemu lepiej wychodziło przebieranie łapkami. Ogarnęła mnie młodzieńcza melancholia i wyciągnęłam się na podłodze tuż obok niego, chcąc dotrzymać mu towarzystwa aż do nieuchronnego końca jego zmagań.

Tam właśnie znalazła mnie Clarice. Leżałam na podłodze i przyciskając but do piersi, kołysałam się i pochlipywałam. Clarice roztaczała woń oliwki dla niemowląt i atmosferę rozdrażnienia. Trąciła mnie lekko stopą z pomalowanymi na różowo paznokciami.

– Arlene, kiedy to się skończy?

Pomogła mi wstać i zaciągnęła do naszego pokoju. Wyszła na moment do łazienki, skąd przyniosła zmoczony w chłodnej wodzie ręcznik, którym obmyła mi twarz. Łagodnie uwolniła but z mojego uścisku i wcieliła się w rolę księcia z bajki, rozsznurowując go i wsuwając mi z powrotem na nogę. Po raz kolejny okazując mi troskę, Clarice pozostała spokojna i delikatna, ja zaś pociłam się i pociągałam nosem, wydalając obrzydliwe ciecze wszystkimi otworami i porami skóry.

Pozwalałam jej sobie usługiwać, ale jedna połowa mnie pragnęła wczołgać się pod łóżko, a druga miała ochotę ją uderzyć. Byłam jak człowiek, który omal nie spłonął w pożarze. Po kilku miesiącach wciąż wzdraga się na widok zapałek, tymczasem wszystkich to już nudzi. Każdy chciałby zapalić spokojnie papierosa, a tu ostrożnie z ogniem. Bo Pan Trauma tego nie lubi.

– Nie wiem, jak pójdę do szkoły w poniedziałek – powiedziałam. – Clarice, on tam będzie.

Clarice była właśnie zajęta naciąganiem i zawiązywaniem moich sznurowadeł.

– Ustaliłyśmy, że jeszcze to przemyślisz. – Jej głos był opanowany i rzeczowy. – To się nie wydarzyło. A on jest w ostatniej klasie. Przetrwasz jeszcze ten rok, a potem on odejdzie.

– On mnie zobaczy. Będzie na nas patrzył, a wie o mnie wszystko.

Uniosła wzrok znad mojego buta i spojrzała na mnie, mrużąc oczy.

– On nie wie... nie wie... – Obniżyła głos do jadowitego szeptu: – Kurwa! Nic o tobie ani o mnie.

Byłam tak zszokowana, słysząc, jakie słowo wydostało się z jej pięknych różowych usteczek, że przestałam się mazgaić i zaczęłam naprawdę jej słuchać.

– To był twój wybór, Arlene – powiedziała spokojnym i stonowanym głosem. – To ty powiedziałaś, że to się nigdy nie wydarzyło, a ja się zgodziłam, bo nie miałam pojęcia, co jeszcze można by zrobić. No i dobrze, to był niezły pomysł, ale teraz musisz wcielić go w życie. Nie możesz mówić, że nic się nie stało, a potem chodzić po ścianach, pokazując, że owszem, stało się. Czy teraz mówisz, że to się stało i muszę odtworzyć to, co wymazałam z pamięci, snuć się bezczynnie po domu i pomagać ci prześmierdnąć do reszty i pielęgnować urazy?

– Nie – wyszeptałam. – To się nigdy nie wydarzyło. Nawet nigdy nas tam nie było. Uzgodniłyśmy to.

– Więc zabieraj dupę w troki. Ale już. Marsz pod prysznic. Bo śmierdzisz jak po ekshumacji. I włóż coś czystego. Coś, co będzie miało jakiś kolor. A potem wybierzemy się do sklepu i wydamy wszystko, co mama nam dała, na mundurki szkolne.

– Na co wydamy? – spytałam.

– Na mundurki, bałwanie – powiedziała. – Ładne, nie to, co stare służbowe koszule taty przefarbowane na czarno i włożone jedna na drugą. Gdybym cię nie znała tak dobrze, pomyślałabym, że rozkoszujesz się tym dramatem. Koniec z tym. Będziemy jadły precle z serem i spotkamy wszystkich przyjaciół, a ty będziesz się uśmiechać i zachowywać jak człowiek. Jeżeli cię na to nie stać, jeżeli będziesz się snuć po sklepie jak duch, wszystko się zmieni. Nie pójdę jutro do szkoły i nie będę udawać, że wszystko jest w porządku, dopóki wszystko naprawdę nie będzie w porządku. – Jej głos przybierał na sile i stawał się coraz wyższy. – Więc zrób tak, żeby było w porządku. Teraz. Albo przyznaj, że nie jest. Bo nie możesz oczekiwać, że będę się starała za nas obie, podczas gdy ty nurzasz się w smutku i cierpisz. Musisz mi pomóc. Musisz pomóc mi coś z tym zrobić. Muszę być tą doskonałą, promienną dziewczyną, która jest wiecznie szczęśliwa, ale nie dam rady sama, Arlene.

Trzęsła się. Po raz pierwszy dostrzegłam rysę na jej gładkim wizerunku i zdałam sobie sprawę, że błędnie ją osądzałam. Zachowywała się tak, ponieważ uzgodniłyśmy, że to się nigdy nie wydarzyło, i ten pogodny blask, jaki niezmiennie roztaczała, był niczym innym, jak aktem woli.

– Pójdę pod prysznic – oświadczyłam. – Zrobię tak, żeby było dobrze.

I tak zrobiłam. Zrobiłam dokładnie to, co powiedziała. Kiedy ciotka Flo i mama weszły do domu, niosąc kosz pełen pomidorów, miałam na sobie długą, kwiecistą spódnicę, dopasowaną do niej bluzeczkę i sandały. Miałam czyste i uczesane włosy, błyszczyk do ust i tusz do rzęs. Clarice też się przebrała i obie siedziałyśmy przy kuchennym stole.

– Cześć wam – powiedziałam. – Może wybrałybyśmy się do sklepu?

Mama układała pomidory w równym rządku na kuchennym parapecie i nawet nie uniosła wzroku, za to spojrzenie ciotki było pełne słabej i nieufnej nadziei.

Uniosłam kąciki ust i wyszczerzyłam zęby. Florence zdarła z głowy kapelusz od słońca, cisnęła go na kuchenny blat i potrąciła mamę, biegnąc w pośpiechu po kluczyki do samochodu.

Kiedy znalazłyśmy się w centrum handlowym, gdzie ciotka nie mogła nas usłyszeć, Clarice powiedziała:

– Nawet nie wiesz, jak musiałam się starać przez całe lato, żeby mama dała ci spokój. Wcisnęłam mojej drogiej mamusi tyle kłamstw! Powiedziałam, że rozmyślasz o jednym chłopcu, a jemu podoba się inna dziewczyna i dlatego ona dokucza ci, kiedy tylko wyjdziesz z domu... Aż dziwne, że język nie stanął mi kołkiem albo nie spalił się na popiół.

– Przepraszam, że ci nie pomagałam.

– Pomagasz mi teraz. A to jest wiele warte.

Ujęłyśmy się pod ręce i poszłyśmy trwonić pieniądze ciotki Florence. Im bardziej udawałam, że wszystko jest w porządku, tym stawało się to łatwiejsze. Siedziałam przed pulpitem sterowniczym mojego mózgu i obserwowałam siebie udającą Arlene. A właściwie nie do końca Arlene, raczej drugą Clarice. Promieniejąc, witałam się ze wszystkimi jej przyjaciółkami.

Kupiłyśmy ubrania, które wybrała Clarice, i przymierzałyśmy dziwkarskie stroje, których jej matka nie pozwoliłaby nawet przynieść do domu, a tym bardziej włożyć, i chichotałyśmy przy tym jak prawdziwe dziewczęta. Kiedy byłyśmy już gotowe, by zadzwonić po wujka Brustera, który miał po nas przyjechać, potrafiłam się uśmiechać jak dobrze wytresowana małpka i w pełni automatycznie odpowiadać na pytania o moje wakacje. Byłam zszokowana, jakie to łatwe. Zaskakujące, że Clarice doszła do tego przede mną. Z historycznego punktu widzenia to ja zawsze byłam lepszą kłamczuchą.

Szłyśmy w stronę baru, gdzie znajdowały się automaty telefoniczne, i wtedy go zobaczyłam. Jim Beverly siedział w towarzystwie kilku innych piłkarzy i wszyscy opychali się meksykańskim żarciem, robiąc przy tym dużo hałasu. Zachowywali się po prostu jak chłopcy, ale cała scena wydawała mi się złowieszcza i przerysowana na pokaz. Ich gesty były powolne i wyolbrzymione, a głosy wrzaskliwe, ale niewyraźne. Docierała do mnie głośna paplanina i wybuchy ochrypłego śmiechu, jednak nie miałam pojęcia, o czym rozmawiają. Zwolniłam, ale Clarice trzymała moje ramię w żelaznym uścisku, zmuszając mnie, bym nadal szła.

Musiałyśmy ich minąć, idąc do telefonu. Mogłyśmy zatoczyć koło, ale przypuszczalnie Clarice pomyślała, że to byłoby zbyt oczywiste. Przeszłyśmy więc obok nich. Clarice miała zaciśnięte szczęki i zadarła podbródek. Komuś obcemu mogłoby się wydawać, że wcale nie zwraca na nich uwagi, ale jej oczy pałały żarem. Wydawały się sztuczne. Wyglądały jak martwy, obcy element osadzony w jej pięknej, dumnej twarzy. Byłam przy niej jak szkielet. Tak jakbym nie miała skóry, która mogłaby zmiękczyć mój surowy, szeroki uśmiech, jakbym nie miała ścięgien ani mięśni i moje kości klekotały i chrzęściły, kiedy stawiałam kroki.

Kiedy mijałyśmy to hałaśliwe towarzystwo, jeden z chłopców, a był to Bud, uniósł rękę i powiedział: „Cześć, Clarice". Paru innych, a wśród nich Jim Beverly, też podniosło dłonie. Jeden z nich zawył: „Clariiiiiiice".

Uśmiechając się, skinęłyśmy głowami gwałtownie jak marionetki i szłyśmy dalej. Pociemniało mi przed oczami. Gdyby w barze znajdowała się jakaś inna dziewczyna, pewnie bym jej nie zauważyła. Wśród stolików i krzeseł niczym lampy żarowe błyszczały oczy chłopców, wszystkie wlepione w Clarice, która kroczyła dumnie, plastikowa i obojętna. Chwilę później byli już za naszymi plecami. Czułam, że ich spojrzenia śledzą moją kuzynkę, unoszą się i suną w powietrzu, byle tylko zbliżyć się do niej. I wtedy doznałam nagłego olśnienia. Wiedziałam, jak to wynagrodzić, jak powetować sobie całe lato. Jak wynagrodzić wszystko. Musiałam chronić Clarice. Musiałam być jej tajemniczym rycerzem.

Weszłyśmy do holu, gdzie stał rząd automatów telefonicznych. Czułam, że wszystko jest w porządku. Znów znalazłam się przed pulpitem sterowniczym mojego mózgu i patrzyłam, jak Arlene i Clarice przekopują torebki w poszukiwaniu drobnych. Najgorsze już minęło. Spotkałam Jima Beverly'ego i ani nie zapadłam się pod ziemię, ani też nie użyłam plastikowego widelca z Taco Bell, by wydłubać mu oczy.

Tylko cały jeden rok szkolny dzielił mnie od momentu, w którym miałam rozbić mu głowę butelką, była to więc raczej tymczasowa ulga niż ozdrowienie. Jednak w tym momencie zdawało mi się, że czuję lekki posmak cudu.

Od piłkarskiej gromadki odłączył się Bud i ruszył śladem Clarice. Wszedł do holu, zanim któraś z nas zdążyła wygrzebać jakieś pieniądze na telefon.

– Dzwonicie po transport? – zapytał.

– Tak. Już po zakupach – odparła Clarice, uśmiechając się do niego. Jim Beverly pochodził z Fruiton, jak większość jego kompanii, ale Bud był jednym z nas. Dzieciakiem z Possett. Znałyśmy go od podstawówki. Clarice wskazała na stertę toreb leżącą u naszych stóp. – Jesteśmy kompletnie spłukane i szczęśliwe jak cholera.

– Podwiózłbym was, ale jeszcze przez cztery miesiące mam uczniowskie prawko. Tato przyjedzie po mnie koło piątej. Moglibyśmy was podwieźć do domu, żeby zaoszczędzić waszym starym jeżdżenia.

Przywołałam na twarz wielki, sztuczny uśmiech i już kręciłam głową, ale Bud patrzył na Clarice. A ona przytaknęła.

– To bardzo miłe, Bud. Zadzwonię tylko do domu i powiem im o tym.

Zaczęła z powrotem przekopywać torebkę, ale Bud podsunął jej pełną garść drobniaków. Clarice wygrzebała tyle, by starczyło na telefon, i uśmiechnęła się do niego kokieteryjnie. Przysięgam, na Boga, ona się do niego mizdrzyła.

– Clarice, jest dopiero piętnaście po czwartej. – Trąciłam jej stopę, ale zignorowała mnie i sięgnęła po słuchawkę.

– Cześć, Arlene – odezwał się Bud, jak gdyby dopiero w tej chwili mnie zauważył.

– Wszystko załatwione – powiedziała Clarice.

Odwiesiła słuchawkę i uśmiechnęła się do Buda. Wyłącznie do niego. W pierwszej klasie Bud grał w szkolnej reprezentacji i wyglądał, jakby w ciągu lata urósł kolejne dziesięć centymetrów. Spędzał wakacje u swoich dziadków w Missisipi, a potem wyjechał na obóz sportowy, nie widziałyśmy go więc w kościele.

– Chodźcie, postawię wam colę i poczekamy – powiedział.

Jeszcze mocniej trąciłam stopę Clarice. Przejść obok Jima Beverly'ego to jedno, ale jeżeli myślała, że usiądziemy obok niego przy stoliku, by mogła poflirtować z Budem Freemanem, to chyba postradała rozum. A poza tym z Budem Freemanem? Cóż jej przyszło do głowy? Bud zawsze zachowywał się niezwykle uprzejmie, taki typ, któremu można by powierzyć własną siostrę, ale nie był najlepszą partią.

A poza tym w wieku sześciu lat zjadł robaka. Widziałyśmy, jak to zrobił. Zjadł go w całości. I nikt go do tego nie prowokował ani nie zmuszał, po prostu miał taki głupi pomysł. A teraz Clarice posyłała mu tak słodkie spojrzenie, jakby chciała go pocałować w te usta, które zjadły robaka. Tym razem kopnęłam ją w kostkę. Wpadłam w panikę, bo naprawdę sprawiała wrażenie, jakby się nad tym zastanawiała. Clarice spojrzała na mnie.

– Nie chce mi się pić – powiedziała. Bud kiwnął głową, wyraźnie przybity, ale ona szybko dodała: – Arlene i ja miałyśmy ochotę na lody w Baskin-Robbins, ale nie chciało się nam dźwigać tych wszystkich toreb. Mógłbyś nam pomóc?

113

Och, jaka ona była cwana. Baskin-Robbins znajdował się na przeciwnym końcu centrum handlowego. Wymyśliła dla nas drogę ucieczki, prosząc mężczyznę, aby poniósł jej rzeczy, co stanowiło wyraźną oznakę romantycznego zainteresowania. Miała go również zamiar naciągnąć na słodki przysmak do lizania – przysmak miłości, jak nazwałaby go Jane, przyjaciółka Clarice.

Bud, naprężając potężne muskuły, pozbierał nasze pakunki, podczas gdy Clarice zerkała na jego ramiona, udając kobiecy podziw, on dał się chyba na to nabrać. Ruszyliśmy z powrotem w stronę baru. Bud prowadził, Clarice wyprzedziła mnie, by iść obok niego, a ja powlokłam się ich śladem.

Jim Beverly wciąż tam siedział w otoczeniu kolegów z drużyny i pochlebców. Nie odrywałam oczu od Clarice i tym razem było mi łatwiej. Pomyślałam optymistycznie, że za każdym razem będzie jeszcze łatwiej, aż przestanę go w ogóle zauważać. Aż przestanie w ogóle istnieć. Teraz jednak moje oczy z własnej woli zerkały w bok, by go zobaczyć. Obserwował Clarice, wpatrując się w jej tyłek. Odwróciłam wzrok.

W Baskin-Robbins Bud kupił trzy lody i zjedliśmy je, siedząc na ławeczce obok kwietnika z paprociami. Bud i Clarice flirtowali już na całego, a ja dla zabicia czasu obserwowałam ludzi. Głównie chłopców. Chłopców, którzy włóczyli się grupkami, i takich, którzy snuli się w pojedynkę, albo chłopców towarzyszących matkom na zakupach. Żaden z nich nie zauważył, że na niego patrzę. Kiedy wchodzili na naszą orbitę, każdy bez wyjątku był zajęty gapieniem się lub ukradkowym zerkaniem na Clarice. Nawet mężczyźni. Zauważyłam, jak mężczyźni z żonami i dziećmi zamierali na widok Clarice, która potrząsała lśniącymi włosami albo śmiała się z czegoś, co powiedział Bud.

Ja również patrzyłam na nią. Chciałam zobaczyć to, co widzieli oni. Wiedziałam, że jest piękna. Zawsze była niebywale piękna. Ale starałam się spojrzeć na nią tak jak mężczyźni. Próbowałam myśleć jak Jim Beverly. Dostrzegłam wtedy, jak bardzo jest delikatna. Miała wciąż dziecięce usta w kształcie łuku Amora, prześliczne, ale jakby nie jej. Takie usta miało każde ładne dziecko. Była taka miękka. Odniosłam wrażenie, że bardzo łatwo można by ją uformować.

Nie miała żadnych ostrych krawędzi, wyrazistych punktów ani kątów. Nie miała niczego, co mogłoby zatrzymać oko, tylko gładkie łuki, które płynnie przechodziły w następne krągłości. Z jej dziecinnych policzków wzrok ześlizgiwał się na szyję, spływał po zaokrąglonych ramionach i wysokich piersiach aż do wcięcia w talii i po rozkloszowanych biodrach zsuwał się ku długim, złocistobrązowym nogom. Jej skórę pokrywał delikatny meszek. Miała jedwabisty, bezbronny wygląd i przy byle stłuczeniu łatwo nabawiała się siniaków.

Rozejrzałam się. Jeden z wielu mijających nas chłopców zatrzymał się nieopodal i obserwował Clarice. Wciąż ktoś się jej przypatrywał. Zdawało mi się, że tak było zawsze, lecz dotąd nie zwracałam na to uwagi. Znałam tego chłopca. Jeszcze jeden dzieciak z Possett, który chodził do naszej klasy, ale tylko dlatego, że musiał powtarzać rok. Nie był głupi ani leniwy. Miał raka. W pewnym momencie choroba przestała się rozwijać i stał się cud. Pamiętam, że kiedy przyszedł do naszej klasy, był łysy jak kolano. Szczupły, drobny, miał niezdrową cerę i oczy, które wydawały się zbyt głęboko osadzone. Clarice znajdowała się poza jego ligą i zdawał sobie z tego sprawę. Pożerał ją ukradkowymi, łapczywymi spojrzeniami.

Wstałam, wrzucając do kosza resztki lodów, i podeszłam do niego.

– Cześć, Walter – zagadnęłam.

Spojrzał na mnie jak ktoś, kogo przyłapano na gorącym uczynku.

– Cześć, Arlene. – Cofnął się o krok.

– Skończyłeś szesnaście lat, prawda?

– Tak – odpowiedział.

– To świetnie. A masz samochód?

– Tak. Znaczy nie mój. Jeszcze nie. Ale tata pozwolił mi go dzisiaj wziąć. – Nawet kiedy stałam tak blisko, że omiatałam oddechem jego twarz, on wciąż gapił się łapczywie na Clarice. Widocznie nie umiał się powstrzymać.

Więc go powstrzymałam. Powiedziałam coś, co musiało zadziałać.

– Może pokazałbyś mi ten samochód? Jeżeli z tyłu jest dużo miejsca, moglibyśmy to zrobić.

Spojrzał na mnie i potrząsnął głową. Widziałam, że próbuje odgadnąć, o jakie „to" mogło mi chodzić. Na policzki wystąpił mu krwisty, szczery rumieniec.

– Arlene, nie powinnaś mówić takich rzeczy – odezwał się w końcu. – Nie powinnaś w ten sposób żartować. Jesteśmy przecież baptystami.

– Nie żartowałam – odparłam, pocierając machinalnie grzbietem dłoni jego rozporek. Coś wyprężyło się pod moim dotykiem. Poczułam ruch, jakby rozprostowywała się zaciśnięta pięść. Cofnęłam rękę, ale wciąż czułam wzburzenie, które przenikało dreszczem moją skórę.

Walter zapomniał, że jesteśmy baptystami. Wziął mnie za rękę i poprowadził w stronę bocznego wyjścia.

– Clarice, Walter pokaże mi szybciutko swój samochód. Zaraz wracamy – zdążyłam krzyknąć, kiedy mijaliśmy ławki.

– Spotkajmy się na zewnątrz – odpowiedziała. – Tato Buda będzie tu za dwadzieścia minut.

Wypadliśmy pędem na parking i Walter zaciągnął mnie do samochodu. Praktycznie dotarliśmy tam biegiem. Boczny parking był pełny, Walter uruchomił więc silnik i przejechaliśmy na tyły centrum handlowego, gdzie zaparkował obok kontenera na śmieci. Siedzieliśmy w milczeniu przez piętnaście długich sekund. Walter patrzył na mnie z nadzieją i przestrachem w oczach. Czułam, że moja twarz jest pozbawiona wyrazu. Siedząc przy pulpicie sterowniczym mojego mózgu, obserwowałam, jak Arlene szykuje się, by przelecieć Waltera Fiercy'ego.

– Walterze, jesteś prawiczkiem? – zapytałam.

Pokręcił głową. Obydwoje wiedzieliśmy, że kłamie.

– Jesteś pewien?

– Jestem pewien – skłamał, po czym dodał z nadzieją w głosie: – A ty?

– Nie – odparłam, a on znów się zarumienił. Po jego minie widziałam, że mi wierzy i wie, że ja nie wierzę jemu. Mogłam czytać w jego myślach, ale dla niego byłam jak zamknięta księga.

– No to chodź – powiedziałam. – Skoro obydwoje wiemy, co robić, i w ogóle.

Wzdrygnął się na moje słowa. Patrzyłam na niego, jakbym chciała go sprowokować, by coś zrobił, cokolwiek, byle nie siedział z założonymi rękami, wlepiając we mnie maślane oczy. Nie wiedział, od czego zacząć, a ja nie mogłam pozwolić, by ugrzązł, dopóki panowałam nad nim i całą sytuacją, a między nami coś jeszcze iskrzyło.

Przecisnęłam się na tylne siedzenie, a on poszedł za moim przykładem.

– Masz coś? – zapytałam. Wyglądał na zmieszanego.

– No wiesz, coś, w razie czego.

Zaświtało mu w głowie i wygrzebał z portfela prezerwatywę, którą nosił tam chyba od dwunastego roku życia. Pomogłam mu ją założyć i zrobiliśmy to. Nie trwało długo i nie bolało mnie zbytnio. Byłam sucha jak wiór, a brak zainteresowania nie pozwolił mi się rozluźnić, ale kondom był nawilżany. Moją uwagę przykuła grobowa powaga Waltera i jego absolutna koncentracja. Miał zamknięte oczy i zdawał się cierpieć z powodu jakiegoś wewnętrznego dramatu, który nie miał ze mną nic wspólnego, a właśnie teraz wydobyłam go na światło dzienne.

Kiedy obudziłam się następnego ranka, w moim łóżku było pełno krwi. Zobaczyłam to i nieświadoma niczego wpadłam w panikę. Myślałam, że mnie uszkodził i nigdy nie będę mogła mieć dzieci. Albo że dostałam krwotoku i umrę od grzesznego seksu, a co gorsza, lekarze powiedzą ciotce Florence, co mnie zabiło. Dopiero potem zdałam sobie sprawę, że to tylko mój nieregularny okres, który pojawił się o tydzień za wcześnie. Wtedy poczułam wobec Waltera niejaką pobłażliwość, a także wobec wszystkich chłopców. Walter nawet mi się nie podobał, ale byłam ogromnie wdzięczna, mogąc tak szybko się przekonać, że jego zabytkowa guma spełniła swoje zadanie.

Kiedy tylko Walter skończył, zepchnęłam go z siebie i popatrzyłam na zegarek. Do spotkania z Clarice dzieliły mnie tylko cztery minuty. W pośpiechu przygładziliśmy ubrania i Walter zawiózł mnie przed główne wejście, gdzie czekali już Bud i Clarice. Wszystkie nasze torby stały u stóp Buda. Wyskoczyłam z samochodu.

– To twoje auto? – zwróciła się Clarice do Waltera, spoglądając pytająco na ogromną sylwetkę sedana pana Fiercy'ego.

– Mojego taty – odpowiedział jej Walter. Zauważyłam jednak, że patrzył na nią inaczej. Jego spojrzenie ześlizgnęło się po niej, jakby pokrywał ją teflon. Była już dla niego jak zamknięte drzwi, bo właśnie przeleciał dziewczynę bliską jej prawie jak siostra. Teraz zaczynał marzyć o innych ładnych panienkach. Zdałam sobie sprawę, że mnie obserwuje.

– Co jest? – spojrzałam na niego, unosząc brwi.

– Zadzwonię do ciebie później, Arlene.

– Po co? – zapytałam.

– Pomyślałem, to znaczy ja tylko... – zająknął się. Teraz Bud i Clarice również patrzyli na niego. – Pomyślałem, że moglibyśmy razem ćwiczyć w laboratorium. Na chemii.

– Och. Wybieram biologię.

– No tak, cóż – powiedział. – No to w porządku.

Ruszył gwałtownie i odjechał, zalewając się rumieńcem.

– Podobasz się Walterowi Fiercy'emu jak cholera. – Clarice trąciła mnie łokciem w bok.

– Cóż, ale on mi nie. – Wzruszyłam ramionami. I na tym się skończyło.

Od tej pory każdy z chłopców, którego sprowadziłam na manowce, stawał się obojętny na Clarice. Przyznaję, że była to pokrętna logika, ale wtedy dawała mi złudzenie kontroli. To tak, jakbym chroniła ją w jedyny sposób, jaki potrafiłam. I przyznaję również, że takie poczucie władzy powodowało uzależnienie.

W niedługim czasie miałam wszystkich chłopców z mojej klasy, jednego po drugim i w takiej kolejności, jaka mi odpowiadała. Zatracali się we mnie, podczas gdy ja twardo stąpałam po ziemi. Każdemu z nich skradłam chwilę, w której byłam całkowicie sobą, a on rozpływał się, a wraz z nim jego człowieczeństwo. Z każdym stawałam się sobą na coraz dłuższą chwilę. Ta Arlene, w którą zamieniłam się pod wpływem Clarice, gdy znalazła mnie zapłakaną nad martwym karaluchem, ta cwana i zarozumiała dziewczyna traciła coś z siebie, zaliczając każdego z tych chłopców. Byłam jak bateria, która ładowała się ich energią.

Aż do chwili, w której miałam na tyle siły, by iść na szczyt wzgórza za Jimem Beverlym i jakąś głupią szczeniarą, której nawet nie znałam. Aż do chwili, w której go zabiłam.

Uważam, że pieprzenie się z tymi chłopakami przynosiło efekty. Nigdy nie powiedziałam, że to było zdrowe.

Rozdział 7

Obudziłam się, leżąc w zgięciu ramienia Burra, roznegliżowana do samych majtek i zawstydzona, z hotelowym prześcieradłem podciągniętym pod samą brodę. Cyfry na zegarze stojącym obok łóżka wskazywały, że jest dopiero po piątej, ale Burr też już nie spał. Kiedy poczuł, że się ruszam, wyciągnął ramię spod mojej głowy i oparł się na łokciu, przyglądając mi się w mdłym świetle. Nie był ani trochę zakłopotany. Miałam ochotę zostać tam, gdzie byliśmy, w tym hotelu, jakby nie było żadnych krewnych, którzy czekali, aby poddać mnie wnikliwej analizie, ani przeszłości, która powracała, by mnie zniszczyć.

Usiadłam, gwałtownie podciągając prześcieradło pod brodę.

– O cholera! – wrzasnęłam. – Burr, zapomniałam wczoraj zadzwonić do domu, żeby powiedzieć, że zatrzymujemy się na nocleg.

– Miałem ci przypomnieć. – Burr klepnął się w czoło. – Jesteśmy spóźnieni jakieś osiem godzin. Twoja mama będzie się martwić.

– Mama to nic. Ciotka Florence na pewno już coś roztrzaskała. Daj mi telefon.

– Nie będą jeszcze spać?

– Wszyscy są już na nogach. – Pokręciłam głową. – Ciotka Flo wyszła do ogrodu, o ile nie snuje się po domu, prosząc Boga, żeby zesłał na mą głowę ognisty deszcz.

Burr obrócił się w stronę stolika i włączył lampkę. Potem przetoczył się z powrotem, trzymając telefon, który oparł sobie na piersi. Podniósł słuchawkę i wyciągnął w moją stronę. Wzięłam ją od niego, ale wstrzymałam się z wybieraniem numeru. Burr rozciągnął się na łóżku obok mnie, odziany w samo tylko prześcieradło. Miał długi tułów, szerokie ramiona i wąskie biodra. Wyglądał idealnie, kiedy tak odpoczywał. Cholera, on w ogóle był idealny.

Zauważył, że patrzę na jego ciało, i uśmiechnął się szeroko. Znów oparł się na łokciu i umieścił telefon na łóżku pomiędzy nami. Poruszył brwiami, robiąc lubieżną minę.

– Dlaczego nie zadzwonisz później? – zapytał niskim, natarczywym tonem.

– Zachowuj się – powiedziałam surowo. – Posłuchaj, Burr, musisz być cicho. Jak nieboszczyk. I żadnych takich numerów, jakie pokazują w telewizji. Przysięgasz?

Burr uniósł trzy palce jak harcerzyk i skinął głową.

– Problem w tym, że nie wiem, co jej powiedzieć.

– Powiedz jej prawdę. – Wzruszył ramionami.

– Jesteś naćpany? – krzyknęłam.

– Chodziło mi o to, żebyś powiedziała jej, że zatrzymaliśmy się, bo byliśmy zbyt zmęczeni, by jechać. Nie musisz mówić swojej ciotce, pobożnej baptystce z Południa, prawdy, całej prawdy i tylko prawdy.

– Racja – przyznałam i sięgnęłam po telefon.

– Dlaczego czuję się, jakbym znowu był w liceum? – Wyszczerzył zęby w uśmiechu. – Strach, że mama odkryje, co robię.

– Ty też jesteś baptystą, Burr – odparłam zirytowana. – Też nie powinieneś uprawiać seksu przedmałżeńskiego.

Chcesz, żebym zadzwoniła do twojej mamy, żony pastora, i opowiedziała jej, co robiliśmy tej nocy? Wiesz doskonale, że to grzech...

– Ludzie grzeszą, Leno – przerwał mi Burr. Usiadł i wziął mnie za rękę. – Zakochani ludzie grzeszą co niemiara. To Bóg stworzył seks. Wie, jak to działa. Nie zapominaj, że wierzymy również w odpuszczenie grzechów.

– Ale nie wtedy, gdy popełniamy je celowo. Nie możesz po prostu powiedzieć: „La, la, la, to jest to, co lubię robić, i zawsze mogę otrzymać potem rozgrzeszenie". Jest taki moment, Burr, taki moment, w którym dokonujesz wyboru, i jeśli wybierzesz coś, co uważasz za złe, jak się potem możesz z tego wycofać?

– Leno, wciskasz mi tu jakąś zapyziałą, popieprzoną teologię. Jestem skłonny siedzieć tutaj z tobą nago w łóżku i dyskutować o zbawieniu, ale tylko jeżeli spojrzysz mi w oczy i powiesz szczerze, że nie bzykałaś się ze mną aż do ostatniej nocy wyłącznie dlatego, iż jesteśmy baptystami.

Odwróciłam wzrok, próbując cofnąć rękę, ale Burr nie chciał jej puścić.

– Kiedy pierwszy raz cię pocałowałem, zerwałaś się z sofy jak oparzona i powiedziałaś: „Mówiłam ci, że żyję w celibacie?". Nie chciałaś o tym rozmawiać. I wciąż nie jesteś na to gotowa. No i dobrze, ale nie udawajmy, że tego nie ma. Coś, o czym nie mówisz, jest między nami, w tym łóżku, i ważne jest, bym powiedział, że o tym wiem.

Unikałam jego spojrzenia. Pokręciłam głową, ale wciąż trzymałam go za rękę.

– Nigdy cię nie okłamałam, Burr – powiedziałam. – Ani razu.

– I obydwoje wiemy, ile to jest warte – odparł, ale wciąż się uśmiechał. Szarpał mnie za rękę tak długo, aż spojrzałam mu w oczy. – Nie jesteś kłamczuchą, ale jesteś na tyle przebiegła, by zostać adwokatem. Nie martw się. Znalazłaś faceta, który potrafi czytać kodeks podatkowy i od dwóch lat spotyka się z dziewczyną żyjącą w celibacie. To wymaga nie lada cierpliwości. Nie mam cienia wątpliwości, że potrafię wziąć cię na przeczekanie. I ani trochę nie wątpię, że chcesz być moją dziewczyną.

Pokiwałam głową. Potem podniosłam słuchawkę i wybrałam numer. Ciotka Florence odebrała telefon, zanim zdążył przebrzmieć pierwszy dzwonek.

– Arlene? – zapytała.

– Cześć, ciociu Flo.

– Dobrze się czujesz?

– Tak. Jestem...

– Jesteś ranna?

– Nie, nic nam nie jest. Ja...

– Zaczekaj, proszę – powiedziała i usłyszałam, jak odkłada słuchawkę na blat i woła moją matkę. Mówiła na tyle głośno, by mieć pewność, że usłyszę każde słowo. – Gladys? To twoja córka. Dzwoni, żeby ci powiedzieć, że nie żyje, trafiła do piekła i chce, żebyś umoczyła palec w wodzie i zwilżyła jej język, bo cierpi katusze w płomieniach. Na pewno nie żyje i jest w piekle, bo jak inaczej wytłumaczyć to, że nie pokazała się i nie zadzwoniła do ciebie, żeby jej własna matka nie wyrwała sobie wszystkich włosów ze zmartwienia. Tak mi przykro, że jest w piekle, ale dobrze, że przynajmniej mają tam telefony.

– Pozdrów ją ode mnie. – Usłyszałam dobiegający z oddali głos mamy.

Florence podniosła słuchawkę i powiedziała gniewnym głosem:

– Twoja matka... cię pozdrawia.

– Też ją pozdrów – poprosiłam.

– Mogę tylko przypuszczać – powiedziała Florence – że dzwonisz, aby odwołać swój przyjazd, a robisz to tak późno, bo zabrakło ci odwagi czy ogłady, żeby powiedzieć o tym wcześniej i oszczędzić nam zgryzoty.

– Nie, ciociu Florence, przyjedziemy. Mamy już za sobą połowę drogi. Burr nie widzi zbyt dobrze, żeby prowadzić w nocy, a ja czułam się tak zmęczona, że musieliśmy zatrzymać się w hotelu. Z tego przemęczenia zapomniałam zadzwonić i poszłam spać.

– Domyślam się, że Burr to twój chłopak. Ten chłopak, którego obiecałaś przywieźć?

– Tak. Burr jest moim chłopakiem.

– Hmm – mruknęła ciotka. – Więc będziecie dzisiaj później?

– Tak, proszę pani – przytaknęłam, jakbym miała dwanaście lat.

– Zatem kiedy, jeżeli w ogóle, pokażecie się tutaj, to wiesz, mam nadzieję, że on będzie spał na sofie, a ty w swoim starym pokoju.

– Tak, ciociu. Albo jeśli wolisz, wynajmiemy sobie pokoje w Holiday Inn we Fruiton.

– Możecie zatrzymać się tutaj. – Ciotka Florence wzięła głęboki oddech. – A teraz, jak przypuszczam, nie pozostaje mi nic innego, jak zacząć oczekiwanie od początku.

– Dojedziemy dzisiaj, obiecuję.

– Dopóki was nie zobaczę, nie uwierzę! – odrzekła ciotka.

– Dojedziemy – powtórzyłam.

– A tak swoją drogą, co to za imię Burr? Brzmi niewiarygodnie. Czy ten Burr ma jakąś pracę, czy uczy się w tej twojej szkole?

– Jest prawnikiem. To jego nazwisko. Nazywa się Burroughs.

– Arlene, czy dzisiaj się zobaczymy?

– Tak, proszę pani.

– No to lecę naprzeciw.

– Dobrze, proszę pani.

Rozłączyła się.

Wypuściłam z siebie urywany strumień powietrza
i delikatnie odłożyłam słuchawkę. Burr zabrał telefon
i postawił go z powrotem na stoliku. Przy okazji wyłączył
lampkę i opadł ciężko plecami na łóżko.

Wciąż siedziałam, przyciskając prześcieradło do piersi.

– Burr – odezwałam się – mam nadzieję, że wiesz, że
ostatnia noc to było jednorazowe wydarzenie. To był
chyba zły pomysł, ale to zrobiliśmy i nie żałuję, i nie wi-
nię ciebie. Ale nie zacznij sobie wyobrażać, że będziemy
teraz dokazywać, kopulując cały czas jak króliki.

– W porządku. – Burr wyciągnął ręce, chwycił mnie za
ramiona i przyciągnął do siebie, obracając się na bok tak,
że leżeliśmy twarzą w twarz. Pocałował mnie i był to poważny pocałunek, pełen zaangażowania.

– Powiedziałam coś – przypomniałam, kiedy oderwał
usta od moich, by zaczerpnąć powietrza. – Nie wyobrażaj
sobie.

– Nie wyobrażam sobie – odparł. – Po prostu cię cału-
ję. A ty jesteś naga.

Odsłonił zęby w szelmowskim uśmiechu i znów zbliżył
głowę do mojej, obracając mnie na plecy i zasypując moją szyję gorącymi pocałunkami. Czułam, że ściąga ze mnie
prześcieradło.

Leżałam pod nim, trochę spięta i ostrożna, ale nie wykonałam żadnego ruchu, by wysunąć się i wstać. Powinnam była to zrobić, jednak coś mnie powstrzymywało,

zresztą teraz już naprawdę rozwiązałam swoją umowę z Bogiem. Byłam w drodze do Possett, planowałam okłamać Rose Mae, ale nic tak naprawdę się nie dokonało aż do ostatniej nocy. Pakt został zerwany i nie mogłam tego odwrócić, mówiąc teraz „nie".

– Kiedy tylko opuścimy ten pokój, koniec z tym.

– Oczywiście, kochanie – zamruczał Burr prosto w moje usta.

Moje przyzwolenie wydawało mi się wyraźne, ale Burr, mistrz wędrujących dłoni, i tak nie marnował czasu. Jego wolna ręka błądziła w uświęconej przez baptystów bezpiecznej strefie, pomiędzy moimi ramionami a pasem, aż wreszcie zamarła na biodrze. Przypuszczalnie był zaskoczony tym, że znalazł majtki, które włożyłam w nocy. Objął mnie ramieniem i podał mi rękę, obracając ją tak, że grzbiet jego dłoni spoczywał we wnętrzu mojej.

– Połóż ją tam, gdzie chcesz – powiedział.

Pocałował mnie znowu i zdałam sobie sprawę, że zaprasza mnie do gry, która zawsze towarzyszyła nam podczas pieszczot. Była to gra, w której jego ręce błądziły, a ja kontrolowałam je, kierując tam, gdzie było bezpiecznie. Ale tym razem było na odwrót. Burr położył rękę, którą wciąż trzymałam, na moim biodrze. Przeniosłam ją na pierś. Pozostała tam przez chwilę, a potem zsunęła się w neutralną strefę ramienia.

Sterowałam nim, umieszczając jego rękę w tych wszystkich miejscach, do których często broniłam mu dostępu, poświęcając na to tak wiele czasu i energii. Tym razem nie potrafiłam się temu oprzeć. Fakt, że mogłam sprawić, by jego wielkie ręce robiły to, co chciałam, i znalazły się tam, gdzie je skierowałam, działał jak afrodyzjak. Zamknęłam oczy.

Burr leżał spokojnie obok mnie, nie wykonując żadnych ruchów poza tymi, które znajdowały się pod moją kontrolą. Kiedy mnie dotykał, rozluźniałam chwyt, aż moje palce spoczęły na jego dłoni tak lekko jak na planszy spirytystycznej. Nie wiedziałam już, czy to on kieruje mną, czy ja nim. Potem nie miałam już wątpliwości, że on mną, i zacisnęłam mocno dłoń na jego nadgarstku, lekko wbijając paznokcie. Jego duże ciało było nieruchome i niewinnie spokojne, ale ręka się poruszała i nie powstrzymywałam jej. Wbiłam mocniej paznokcie w jego nadgarstek i wtedy doszłam. Zdumiona otworzyłam szeroko oczy.

Napierając na jego dłoń, czułam jej ruchy na sobie i w sobie. To też było zaskakujące, że było mi tak dobrze, kiedy wślizgiwał się we mnie powoli wraz z ostatnią falą spazmów ekstazy.

Oplotłam go uściskiem, a on spojrzał na mnie i uśmiechnął się.

– Nie patrz z takim zdziwieniem – powiedział. – Myślę, że powinnaś za mnie wyjść.

Zanim zdążyłam odpowiedzieć, chwycił mnie za biodra, przycisnął mocno do siebie i wtulił twarz w moje długie włosy. Zastygliśmy w bezruchu.

Potem obrócił się na plecy, pociągając mnie za sobą, i leżałam na wpół rozciągnięta na jego piersi. Miał senne i rozmarzone oczy, które odpływały za przymrużonymi powiekami.

Mocno wbiłam podbródek w jego klatkę piersiową i od razu spojrzał na mnie.

– Niedługo musimy jechać – oznajmiłam.

– Nie ma jeszcze szóstej. – Zamknął oczy i zasnął. Leżałam obok niego całkiem przytomna, czując, jak jego zapadające w sen ciało robi się ciepłe i ociężałe.

– Burr – wyszeptałam, ale nie odpowiadał. – Wyjdę za ciebie.

Odczekałam całą minutę, ale nadal milczał, więc wiedziałam, że naprawdę śpi.

Postanowiłam powiedzieć mu to, kiedy się obudzi. Powiedzieć mu, że wyjdę za niego, bo go kocham. I taka była prawda. Ale równocześnie prawdą były jeszcze inne sprawy. Docieraliśmy już do Alabamy. A tam nie obowiązywało przedawnienie morderstwa. Wiedziałam to z książek Burra. Z tych samych książek wiedziałam również, że czystym szaleństwem jest powrót do miejsca zbrodni. A będąc w Alabamie, bezbronna i udręczona, mogłabym niechcący mu o tym powiedzieć.

Prawda była taka, że strasznie chciałam wygadać mu się przypadkiem. Gdybyśmy się pobrali, byłabym spokojna, wiedząc, że jako mój mąż nie mógłby świadczyć przeciwko mnie. Będąc moim chłopakiem, mógłby zostać do tego zmuszony.

Zanim poznałam Burra, nigdy nie chciałam o tym mówić. Nie chciałam nawet powiedzieć Clarice, która miała z moim motywem wiele wspólnego i kryła mnie w momencie, kiedy to robiłam. Nie miałam ochoty zwierzyć się ciotce Florence czy wujowi Brusterowi, a tym bardziej mamie. Nie czułam potrzeby wyznań przed pastorem ani też nie ciągnęło mnie, by podzielić się tym sekretem z jego stukniętą na punkcie dziewictwa żoną. Nie chciałam dyskutować na ten temat z Bogiem, chociaż oczywiście Bóg wszystko widział.

Kiedy brałam udział w seminarium poświęconym mitologii greckiej, czytałam o królu dotkniętym klątwą, który swoją tajemnicę powierzył rzece. Od tej pory, kiedy tylko zawiał wiatr, trzciny szeptały: „Król Midas ma ośle uszy". Zasłużył na to. Był idiotą.

Ale w dniu, w którym zdałam sobie sprawę, że kocham Burra, dotarło do mnie również, iż chcę mu to wyjawić. Gdzieś w głębi duszy też byłam idiotką, ale chciałam wyszeptać mu to wszystko przy zgaszonym świetle, osłaniając jego uszy dłońmi. Wiedziałam, jak zacząć.

„Alabama ma swoich bogów – powiedziałabym. – Wiem o tym, bo zabiłam jednego z nich".

Wyobrażałam to sobie w formie gry. Burr i ja gramy w Co Mam w Kieszeni, tym razem na serio. Zaczynam od końca, od samego morderstwa. Opowiadam mu o wyprawie na szczyt wzgórza i o butelce. Potem przechodzę do motywu, mówiąc, ile znaczyła dla mnie Clarice i jak chroniłam ją przed tym, co do mnie dotarło. Potem opowiadam mu o mrocznym lecie, które spędziłam, pocąc się w domu ubrana na czarno i szlochając nad karaluchami. Opowiadam mu o wszystkich tych chłopcach, począwszy od Waltera Fiercy'ego, którego zaliczyłam na tylnym siedzeniu sedana jego ojca, podczas gdy Clarice jadła lody i zakochiwała się w swoim przyszłym mężu. Od ponad roku powtarzałam tę część mojej historii, czekając na moment, w którym mogłabym wreszcie opowiedzieć ją Burrowi. Przećwiczyłam drugą odsłonę tych wspomnień do perfekcji, znałam ją słowo po słowie.

Zatrzymałabym się w połowie, a Burr musiałby mi zrelacjonować początek. To powinno być łatwe dla doradcy podatkowego o romantycznym zamiłowaniu do prawa kryminalnego. „No i co mam w kieszeniach?" – zapytałabym, sygnalizując, że pora, by teraz on przejął narrację. Burr nieźle sobie radził w tej grze, a przecież dużo bym mu ułatwiła. Mój motyw, katalizator moich działań, chociaż niewypowiedziany, przewija się w końcowej fazie opowieści. Starannie utkałam swoją część, istnieje więc tylko jedno miejsce, od którego mógłby zacząć.

Burr opowie mi swoją część w sposób, w jaki zawsze to robił. Nigdy nie zaczynał od: „Pewnego razu". Lubił układać fakty w uporządkowanym szeregu, jak gdyby zmierzał do przedstawienia argumentu koronnego. Wyobrażałam go sobie, ubranego w stalowoszary garnitur, jak przemawia do pustej sali sądowej. Nikogo prócz mnie, sędzi i świadka zarazem.

„Fakt pierwszy: Jim Beverly zrobił ci jakąś wielką krzywdę pod koniec pierwszej klasy w liceum we Fruiton.

Fakt drugi: kiedy byłyście w pierwszej klasie, ciotka Florence nie pozwoliła tobie i Clarice umawiać się z chłopakami, chyba że na randkę szłyście we dwie.

Fakt trzeci: Jim Beverly był w tej szkole bogiem, a Clarice boginią. Jeżeli miałby się z kimś umówić, to właśnie z Clarice. Wlokłaś się za nimi przez wzgląd na zasady, przypuszczalnie w towarzystwie jakiegoś chłopaka, który był winien Jimowi przysługę i wcielił się w rolę twojego partnera.

Hipoteza pierwsza: twój partner chciał zmyć się wcześniej, ciągnąc cię z sobą, jak ukartował to Jim Beverly. Ale ty, nad wyraz czuła i opiekuńcza wobec Clarice, którą otaczałaś niemal boską czcią, nie chciałaś jej zostawić.

Fakt czwarty: jak już widzieliśmy na Wzgórzu Lizania, Jim Beverly nadużywał alkoholu, a kiedy wypił za dużo, stawał się brutalny i seksualnie natarczywy.

Hipoteza druga: Jim zaczął agresywnie dobierać się do Clarice w jakimś ustronnym miejscu. Zostałaś tam tylko ty, bo twój partner się ulotnił, jak wspomnieliśmy w hipotezie pierwszej. Próbowałaś jej bronić, obie stawiłyście mu czoło. Doszło do przemocy, polała się krew. Przypuszczalnie Jim Beverly uderzył Clarice, która upadła na plecy. Być może, upadając, trafiła w coś głową. Mogła przez to stracić przytomność. W każdym razie zostałaś sama, ty kontra Jim Beverly. A wtedy walka się zmieniła, prawda Arlene?

A to prowadzi nas do wniosku, czyż nie tak, Arlene?".

Tu moja fantazja utknęła, ponieważ prawdziwy Burr nigdy nie nazywał mnie Arlene. Nawet w wyobraźni nie nakłoniłabym go, by wypowiedział swój wniosek na głos. Czasami udawało mi się zobaczyć jego usta w ruchu, jak układają się w słowa: „Jim Beverly cię zgwałcił". Ale nigdy nie usłyszałam jego głosu.

Mój fantom Burr patrzył na mnie wyczekująco, unosząc brwi. „Po prostu to powiedz". Nawet w moich marzeniach Burr był sobą. Potrafił czekać cierpliwie przez cały rok, aż to powiem. I był idealistą, który wierzył, że powiedzenie tego może zmienić wszystko na lepsze. Czyż nie tak, Arlene?

Najpierw powiedzieć to jemu. Krok pierwszy z dwunastu, czy jakoś tak. Potem chodzić na spotkania dla pokrzywdzonych kobiet. Mówić o tym częściej. Tak przyjemnie o tym mówić, bo czymże jest zabójstwo śmiertelnego wroga, skoro on cię zgwałcił. I kiedy powtórzyłabym to dostatecznie wiele razy, zjednałabym sobie wybaczenie, a wiedziałam lepiej niż ktokolwiek, że wybaczenie natychmiast prowadzi do uzależnienia.

A skoro raz bym zaczęła, jak mogłabym przestać? Teraz nie byłam w stanie o tym mówić. Musiałabym się rozpłakać. Tarzać się po podłodze, jęcząc i szlochając. Powtarzać to raz za razem, bez tygodnia przerwy, aż stałoby się to moją pokutą, oczyszczeniem jak w greckiej tragedii. Jeszcze więcej płakać. Zadzwonić do mamy i wykrzyczeć: „Popatrz, co się stało, kiedy ty łykałaś tabletki uspokajające i bałaś się fasoli w puszce". Teraz była to broń. Mogłam powiedzieć o tym mężczyźnie, który nie ustąpił mi miejsca w zatłoczonym autobusie w akcie nikczemnej skruchy za swoją odrażającą płeć. Teraz to była metoda. Wystarczyło powiedzieć: „Jim Beverly mnie zgwałcił".

Powtarzać to, dopóki nie nastąpi całkowita odnowa. Lena morderczyni? Nie! Arlene ofiara! Powtarzać to w kółko jak niekończącą się mantrę, bo to sprawia, że czuję się o wiele lepiej i mogę przejść nad tym do porządku dziennego. A potem iść do telewizji i opowiedzieć, jak sobie z tym wszystkim dałam radę, bo tego w rzeczy samej dokonałam. Jestem Arlene, małą, chudą, rozczulającą ofiarą, a nie Leną, atrakcyjną, wykształconą i pewną siebie... morderczynią. Nie, jeśli to powiem. Wówczas będę automatycznie rozgrzeszona, pokrzywdzona, zgwałcona i święta. Dla Leny ma znaczenie to, że Arlene czuje się lepiej. Jeśli tylko powiem: „Jim Beverly mnie zgwałcił", zyskam prawo ofiary do wiekuistego rozgrzeszenia.

Pierdolę to. Nie mam prawa kupić sobie tak taniego i łatwego odpuszczenia. Chciałam, aby to Burr zapewnił mnie o nim jako adwokat mojego sumienia. Aby wysłuchał moich tłumaczeń, wybaczył mi i kochał mnie, ale nie namawiał na tę podróż.

Nigdy bym tego nie powiedziała, ponieważ nigdy nie kłamię. A powiedzenie: „Tak, zabiłam go, ale Burr, on mnie zgwałcił, on mnie zgwałcił", oznaczałoby, że to ja tu jestem ofiarą. A to nie była prawda. Nie jestem ofiarą. Chcesz znaleźć ofiarę? Zadaj sobie pytanie o to, kto nie żyje. Arlene ofiara jest kłamstwem, a kłamstwa pozostawmy prawnikom.

No dobra, w porządku. Przyznaję, że miałam zły okres. Ale wiesz, co naprawdę sprawia, że czuję się lepiej, Burr? Powiem ci, co poprawiło mi samopoczucie. To, jak poszłam na szczyt wzgórza i roztrzaskałam mu głowę, kiedy śpiewał, uciszając go na zawsze.

Nigdy tego nie powiedziałam. Nie powiedziałam, że mnie zgwałcił. Ale nareszcie teraz, w szarej aurze świtu, w bezpiecznej ciszy, po tym, jak Burr został moim kochankiem, po tym, jak sprawił, że przeżyłam pierwszy orgazm, wyobraziłam sobie, że mi to powiedział. Spał twardo obok mnie, a we śnie jego kanciasta twarz nabierała miękkich kształtów.

– Co mam w kieszeniach? – wyszeptałam do niego.

Opowiedziałam mu wszystko, poruszając wargami w bladym świetle, powoli i cicho, formując każde słowo, ale nie pozwalając wymknąć się żadnemu dźwiękowi.

„Alabama ma swoich bogów – zaczęłam. Jeszcze jedna wprawka, ponieważ wiedziałam, że zbliża się dzień, kiedy zagramy w tę grę na poważnie. Patrząc na jego uśpioną twarz, przeprowadziłam nas obydwoje przez tę opowieść aż do ostatniego zdania. – W porządku, uważam, że pieprzenie się z tymi chłopakami przynosiło efekty. Nigdy nie powiedziałam, że to było zdrowe".

W mojej wyobraźni Burr roześmiał się, słysząc te słowa. Wiedziałam, że tak by zrobił, zawsze tak robił, a ja starałam się doprowadzać go do śmiechu. A potem nieskazitelny w swoim stalowoszarym garniturze mój wyimaginowany Burr zgodził się w końcu przemówić do mnie.

„Jasne, jasne, wiem – powiedział. – Znienawidziłaś Jima Beverly'ego. Zranił cię, był niebezpieczny. Napastował Clarice, a kiedy próbowałaś ją bronić, zgwałcił cię. Był złym człowiekiem. Oczywiście należało go zabić. Był wcieleniem zła i cię zgwałcił". Potem uśmiechnął się do mnie, pewien, że zgarnął wszystkie punkty w naszej grze. Był pewien, że zobaczył, co mam w kieszeniach, pewien, że wygrał.

Uśmiechnęłam się do niego, unosząc ręce jak pokonana i milcząc, bo nie byłam jeszcze gotowa, by skłamać.

Prawda była taka, że mój wyimaginowany Burr nie zdobył wszystkich punktów. Było coś, co przeoczył. Mój ostatni mały sekret.

Burra i Jima Beverly'ego łączyło swoiste braterstwo. Byli jedynymi mężczyznami, których kiedykolwiek kochałam.

Rozdział 8

Byłam przypuszczalnie jedyną dziewczyną w pierwszej klasie, której nie pociągał Jim Beverly.

Początkowo Clarice również sprawiała wrażenie niewzruszonej, ale co głupsze dziewczęta niemal omdlewały na jego widok, jakby przechodził obok nich cały zespół Duran Duran wciśnięty w jedną parę lewisów. Mnie to nie brało. Nie był błyskotliwy ani specjalnie przystojny. Według mnie był uderzająco brzydki – miał krótkie, pałąkowate nogi, małpią twarz i wypukłą klatkę piersiową, a wszystko to wieńczyła krótko przystrzyżona kępka jasnych, dziecinnych włosów. Nie ulegałam zbiorowej namiętności do futbolowych półgłówków.

Nie miałam wtedy dość hormonów, aby czuć namiętność do kogokolwiek. Chciałam mieć chłopaka, ale chyba tylko po to, żeby inne dziewczyny mogły mi zazdrościć. Nie dostrzegałam wówczas żadnej innej przyczyny.

Młodsza o rok od reszty mojej klasy, jeszcze nie rozkwitłam. Jedyną moją krągłością był mały, wypukły brzuszek, pozostałość z dzieciństwa. Ciotka Florence nazywała mnie Panną Kijanką, jakby to było moje imię.

Dom Marzeń Barbie już mnie nudził, ale nie dostałam jeszcze pierwszego okresu. Chłopcy byli dla mnie tajemniczymi, odległymi istotami, ale jednocześnie marzyłam o rubinowej szmince. Mama w roztargnieniu dała mi swoją, kiedy poprosiłam, ale ciotka mi ją zabrała, twierdząc, że moje usta wyglądają jak dupa pawiana. Potem Florence i Clarice zabrały mnie do centrum handlowego, gdzie kupiły mi różowy puder i błyszczyk do ust oraz sportowy biustonosz z najmniejszą miseczką. Tymczasem mama mieszała całkiem już wystygłą kawę, patrząc nieobecnym wzrokiem gdzieś ponad moją głową, a z jej lewego oka sączył się bezbarwny płyn.

Clarice rozkwitała jak tulipan. Chyba jej tego zazdrościłam. Ale nie bardzo. Jakże mogłam być zazdrosna, kiedy ona była dla mnie taka miła i traktowała inaczej niż wszyscy? Nie śmiałabym nawet marzyć, by kiedykolwiek stać się taką jak Clarice. Zresztą ona była wysoka, a ja drobna, ona była dojrzewającą blondynką, a ja ciemnowłosym chudzielcem, ona otwarta i towarzyska, a ja cicha i tajemnicza. Clarice była lubiana, a ja wyglądałam przy niej jak wystraszony skorupiak. Byłam jak uprzykrzony natręt na każdej z dublowanych randek, jak martwa mucha pływająca w przepięknej wazie z zupą, której na imię Clarice.

A do tego ona miała to, czego posiadanie nie mieściło się nawet w mojej wyobraźni. Piersi. Tajemnice. Prawdziwą matkę. Ponieważ nie wyobrażałam sobie, że mogłabym żyć jak Clarice, nie mogłam jej znienawidzić. Nie mogłam.

Postanowiłam za to znienawidzić Rose Mae Lolley.

Potrafiłam sobie wyobrazić, że jestem taka jak Rose Mae Lolley. Chodziłam za nią tam i z powrotem po korytarzach liceum we Fruiton. Wiedziałam, którędy chodzi na lekcje, na długo przed tym, jak sama potrafiłam trafić do właściwej klasy bez sprawdzania rozkładu zajęć. Snułam się jej śladem, próbując naśladować sposób, w jaki chodziła. W domu, kiedy nikt nie widział, ćwiczyłam jej miny, jak tę mówiącą „łowię każde twoje słowo, przystojniaku", kiedy to przechylała głowę na prawo, mrużyła fiołkowe oczy i wykrzywiała wargi, udając skupienie.

Po jakichś trzech tygodniach, kiedy nabrałam przekonania, że jestem niezauważalna jak sam James Bond, raz straciłam ją z oczu w długim korytarzu wypełnionym ławkami i szafkami. Ostrożnie szłam dalej, wiedząc, że dzielą nas dwa zakręty od klasy, gdzie miała mieć kolejną lekcję. A wtedy ona wyskoczyła spomiędzy dwóch rzędów szafek i stanęłyśmy na wprost siebie. Oko w oko.

Syknęła, wypuszczając powietrze przez zęby niczym kot, i zmierzyła mnie wzrokiem od stóp do głów.

– Przestań mnie śledzić, ty mała wariatko – wyszeptała złowrogo.

Potem dźgnęła mnie z całej siły kościstymi palcami, obróciła się na pięcie i odeszła. Przez kilka dni miałam na ramieniu fioletowożółty ślad, który kształtem i ubarwieniem przypominał bratka. Lizałam go w ciemności, kiedy Clarice już spała.

Zanim Clarice przyszła do pierwszej klasy, Rose Mae Lolley przewyższała pod względem urody co najmniej pięciokrotnie każdą uczennicę tej szkoły. Byłam jednak do niej podobna. Troszeczkę. Była drobna i nosiła długie, ciemne włosy – jak ja. Poza tym coś nas jeszcze łączyło. Ona też była półsierotą. Plotka głosiła, że jej ojciec miał słabość do piwa i bynajmniej nie ubiegał się o tytuł Najbardziej Statecznego Rodzica. Ale na tym moje urojone pokrewieństwo z nią się kończyło.

Byłam zbudowana z samych kości i rozebrana do naga nieodparcie kojarzyłam się z kurzym embrionem. Rose Mae Lolley mimo drobnej sylwetki miała dziewczęce biodra, które kołysały się powoli i hipnotycznie z każdym jej krokiem. Przy jej wątłych ramionach wysoko osadzone spiczaste piersi wydawały się większe niż w rzeczywistości. Długie, wysmukłe kończyny poruszały się jak w wodzie, a ciemne i połyskliwe niczym futro z norek włosy, zebrane w gruby, prosty snop, opadały poniżej linii ramion. Miała pełne usta o nieprzyzwoitym wyglądzie i wielkie oczy, które wyjaśniały pochodzenie słowa „przejrzystość". Dzięki pełnym gracji ruchom jej ciało zdawało się niemal bezkostne.

Uśmiechała się niespiesznie, mówiła powoli i wszystko robiła jakby w zwolnionym tempie. Mogło to być po części spowodowane jej ostrą anemią. Rose Mae Lolley miała taki niedobór żelaza, że lekarz wystawił jej zaświadczenie na stałe zwalniające ją nawet z przebierania się na gimnastykę. Jakkolwiek jej ospałe ruchy były pełne wdzięku.

Jim Beverly nazywał ją Rose-Pop.

Była jego dziewczyną, odkąd tylko trafili do tej szkoły, a teraz zaczynali wspólnie przedostatnią klasę. Chociaż była nikła nadzieja. Dziewczęta z drugiej klasy rozpowiadały nie bez złośliwej satysfakcji młodszym koleżankom w łaźni, że w ciągu ostatniego roku zrywali ze sobą cztery razy. Za każdym razem Jim Beverly spotykał się przez kilka tygodni z inną dziewczyną. Rose Mae w ogóle nie umawiała się na randki. Nie byli trwałą parą, jak ciągle powtarzały dziewczyny z drugiej klasy. Rozstawali się z wielkim hukiem, a jemu wpadała w oko jakaś inna.

Porzucałam te łazienkowe pogaduchy, nie przejmując się ani trochę Jimem Beverlym, i szłam zaczaić się w miejscu, które, jak było mi wiadomo, Rose Mae musiała minąć w drodze na kolejną lekcję. Przestałam ją śledzić, jak mnie prosiła. Nie moja wina, że chadzała akurat tamtędy, gdzie mnie zdarzało się znaleźć.

Ta obsesja, jaką miałam na punkcie Rose Mae Lolley, to nie była miłość, z całą pewnością. To była namiętność. Czułam, jakby w moim wnętrzu buszowało jakieś zwierzątko, co było niemal rozkoszne. Zazdrość wobec Rose Mae Lolley była najpłomienniejszym uczuciem w moim życiu.

Nawiedzały mnie fantazje. Wypadek samochodowy. Moja matka i pijany ojciec Rose Mae w feralnej podróży i plama oleju na drodze.

Nadjeżdżają z przeciwnych stron. Przywieram kurczowo do siedzenia pasażera. Proszę matkę, by przystanęła, błagam ją, ale ona kołysze się półprzytomnie, nie zdając sobie sprawy, z jak niebezpieczną prędkością jedzie. Rose Mae Lolley siedzi w samochodzie z pijanym ojcem. Widzimy się nawzajem i wiemy, co zaraz nastąpi, a wtedy samochody wpadają w poślizg i pędzą wprost na siebie. Nasze oczy spotykają się na ułamek sekundy przed zderzeniem. „Och, nie! – Usta Rose poruszają się bezgłośnie. – Och, nie, nie, nie!". Potem rozlega się huk.

Moje ciało roztrzaskuje przednią szybę, sunie po zgniecionej blasze maski, poturbowane i rozharatane. Przebijam z impetem szybę tamtego auta, po czym ranna i konająca ląduję w objęciach Rose, której ojciec zadbał przynajmniej, by zapięła pasy. Rose Mae Lolley i ja, twarzą w twarz, okaleczona i połamana leżę na niej jak długa. Z jej ust czerpię powietrze, by wydać ostatnie tchnienie.

Krwawię mocno i obficie. Ogarniam wszystko klarownym spojrzeniem i mam wizję jak umierająca święta. Widzę duszę mojej matki, smużkę białej pary wymykającą się z jej ciała. Kotłuje się w powietrzu jak ryba, która próbuje płynąć pod prąd, ale w końcu zostaje nieubłaganie wessana pod ziemię. Widzę, jak dusza ojca Rose Mae przegrywa taką samą szamotaninę. I wciąż nie odrywam wzroku od twarzy Rose. Mam nadprzyrodzoną zdolność widzenia panoramicznego. Widzę wszystko. Czuję, jak moja dusza wyślizguje się ze swojej doczesnej przystani. Oczy Rose Mae robią się coraz szersze.

Jest cała i zdrowa. W oczach wzbierają mi łzy, bo wszystko jest takie niesprawiedliwe. Ona jest suką i sknerą, która ma wszystko. Ja nie mam nic. I teraz umieram, samotnie, pomijając jej obecność, a ona postrzega mnie jako odrażającą kupę pokiereszowanego mięsa, która powalała ją krwią. Moja dusza się buntuje. Nie chce odlatywać i z całych sił walczy, by wrócić do uszkodzonej powłoki.

Ale to ciało jest martwe i bezużyteczne, moja dusza więc kieruje się instynktownie do najbliższego źródła ciepła. Wnika głęboko w ciało Rose Mae Lolley, która jest tak zaskoczona, tak nieprzygotowana, że jej dusza zostaje wypchnięta niemal natychmiast. Jest brudnoszara i tak bezpostaciowa, że ani się nie wznosi, ani nie opada, tylko znika jak rozwiany dym.

Potem spoglądam pięknymi, przejrzystymi oczami na przygniatające mnie zwłoki i spycham je z siebie.

Ale na tym nie koniec. Przystojni strażacy wydobywają mnie z kłębowiska poskręcanej blachy, używając pneumatycznych nożyc. Dostaję niespodziankę po zapijaczonym ojcu w postaci miliona dolarów z polisy na życie. Clarice bierze mnie za rękę i mówi: „Nareszcie przyjaciółka, która może się ze mną równać”. A potem triumfalny powrót do domu. I oczywiście w mojej fantazji nie mogło zabraknąć Jima Beverly'ego. Zazwyczaj stał obok mnie podczas szkolnych uroczystości organizowanych na moją cześć i szeptał mi do ucha: „Ale się teraz zmieniłaś, Rose-Pop. Jesteś taka słodka i urocza. Wcześniej chodziłem z tobą, bo byłaś ładna i taka łatwa, ale teraz! Dostał mi się cały pakiet”.

Najważniejszy był jednak sam wypadek. Moment, który przeżywałam raz za razem, gdy Clarice już spała, a ja leżałam w łóżku i oblizywałam miejsce, gdzie kiedyś miałam siniaka podobnego do bratka.

W październiku Jim Beverly i Rose Mae znów ze sobą zerwali. Jim zaczął łazić za Clarice, ale ona w tym czasie spotykała się regularnie z chłopakiem z drużyny baseballa, przygruchał więc sobie wesołą, rudą drugoklasistkę imieniem Dawna. Umówił się z nią na trzy randki, a potem znów wrócił do Rose.

Dawna nie była już taka radosna po tym, jak ją porzucił. Nie przypominam sobie, żebym widywała ją wtedy często. Prawie całkowicie zrezygnowała z ulubionych w kręgach młodzieżowych imprez. A być może tylko postrzegałam to w ten sposób, patrząc z marginesu sceny towarzyskiej. Byłam tam tylko dlatego, że zabierała mnie ze sobą Clarice. I dlatego, że ciotka Florence wymogła, abym do ukończenia szesnastego roku życia towarzyszyła wszędzie Clarice. Chodziłam więc do kina, na mecze i na wszystkie przyjęcia wraz z nią oraz jej przyjaciółmi i miałam długi szereg adoratorów, którzy byli winni tę przysługę chłopakowi Clarice.

Robiło się coraz chłodniej i patrząc, jak Clarice porządkuje naszą zimową garderobę, nagle zdałam sobie sprawę z faktu, że nigdy nie widziałam Rose-Pop nago. Nikt nie widział, chyba tylko Jim Beverly. Przez całą jesień chodziła w długich spódnicach i jedwabnych bluzkach z bufiastymi rękawami. Widząc te lekkie i przewiewne tkaniny, nikt nie miał wątpliwości, że to strój na ciepłą pogodę. Zresztą i tak okrywał ją od stóp do głów.

Teraz, kiedy nadeszła zima, Rose Mae zmieniła swój wygląd. Wkładała obcisłe swetry i czarne legginsy, które przylegały do jej gibkiego ciała niczym druga skóra. Poza twarzą, dłońmi, a czasem szyją nigdy nie widziałam jej skóry. Kiedy chodziła w spódnicy, wkładała matowe rajstopy, unikając odsłonięcia choćby skrawka ciała. A dzięki lekarzowi i rzekomej anemii nie musiała nawet się rozbierać do ćwiczeń. Zaczęłam się zastanawiać, czy aby nie kupuję kota w worku w moich fantazjach. A jeśli jej ciało pokrywają blizny po oparzeniach? Albo wrzody? Albo jasnoczerwone plamiste znamiona, z którymi nago wyglądałaby jak łaciaty kucyk?

Nie mogłam zasnąć bez fantazji, tak byłam od nich uzależniona. Zasypiałam, wyobrażając sobie, że żyję w ciele Rose Mae, ale kiedy już spałam, wszystko stawało się przerażające. Rozpinałam bluzkę Rose Mae jej palcami, aby odkryć, że moje nowe sprężyste cycuszki to foliowe torebki wypełnione wiśniową żelatyną i upchnięte w miseczkach stanika. Pierś Rose Mae okazywała się tak gładka i płaska jak u chłopca. Zdzierałam biustonosz i mym oczom ukazywały się dwie płytkie blizny, jak gdyby jakieś łapy o długich pazurach wydarły moje piersi, a wtedy budziłam się zlana potem i spanikowana.

Musiałam to sprawdzić. Tylko jak? Ta dziewczyna nigdy nie zdejmowała ubrania. Z jednej strony zastanawiałam się nad obserwacją jej domu, ale taki pomysł brał w łeb ze względu na logistykę. Musiałabym mieć czym dojechać do Fruiton i z powrotem do domu. Potrzebowałabym jakiejś kryjówki. Lornetki lub aparatu. A na dodatek mógłby mnie zastrzelić jej pijany ojciec. Modliłam się, aby Rose dostała rolę w szkolnym przedstawieniu, gdyż wtedy mogłabym podpatrzyć ją w szatni. Przeklinałam ją za to, że nie jest cheerleaderką jak wszystkie inne rozchwytywane panienki, bo nie mogłam podglądać jej ukradkiem, kiedy wkłada swój kostium.

W końcu udało mi się, prawie przez przypadek. Rose miała przerwę na lunch dziesięć po jedenastej i codziennie w otoczeniu stadka kumoszek wstępowała do żeńskiej toalety, gdzie wszystkie stroszyły fryzury i poprawiały makijaż, zanim siadły do stołu ze swoimi chłopakami. Wypatrywały stóp pod drzwiami kabin i jeżeli nikogo nie było, pindrząc się, raczyły się pospiesznie złośliwymi ploteczkami.

Zakradałam się tam przed nimi. Ukrywałam się w jednej z kabin i kucając na muszli klozetowej, mogłam obserwować Rose Mae przez szczelinę w drzwiach.

Pewnego dnia tak się guzdrała, że rozległ się dzwonek i wszystkie jej koleżanki poszły. Kiedy drzwi się zamknęły za nimi, Rose odczekała chwilę, a potem nachyliła się z właściwą sobie powolną gracją, by po raz kolejny zlustrować stopy. Skamieniałam w bezruchu, bojąc się zdradzić swoją obecność najlżejszym dźwiękiem.

Rose odwróciła się do lustra i podniosła bluzkę. Wstrzymałam oddech. Zobaczyłam odbicie jej bladego brzucha, który był pokryty czarnym wzorkiem i wyglądał jak ciasto marmurkowe. Wpatrywałam się w jej tułów, usiłując odnaleźć sens w tym, co widzę. Potem wytężyłam wzrok i wszystko stało się jasne.

Patrzyłam na siniaki. Świeże, czarne siniaki pokrywające te starsze, fioletowoniebieskie, spod których wyzierały te prawie wyblakłe, żółtomusztardowe. Największy z nich, który wyglądał jak całkiem nowy, miała o dołu pleców, po lewej stronie sterczących bezbronnie kości kręgosłupa. Powolnym ruchem uniosła bluzkę jeszcze wyżej, aż zobaczyłam jej piersi schowane w białym bawełnianym staniku. Był pozbawiony koronek i emanował dziewiczą skromnością. Rose delikatnie odciągnęła w dół jedną z miseczek. Jej pierś wyglądała jak sczerniały pączek róży obramowany purpurą.

Czułam, jak w gardle wzbiera mi krzyk, który lada chwila wydostanie się na wolność, ale w tym momencie za drzwiami dały się słyszeć głosy dziewcząt. Rose upchnęła z powrotem pierś w biustonoszu i gwałtownym szarpnięciem obciągnęła bluzkę, krzywiąc się z bólu. Był to najszybszy ruch, jaki kiedykolwiek widziałam w jej wykonaniu, i natychmiast pojęłam, skąd bierze się ten niezmiennie powolny wdzięk, którego tak jej zazdrościłam.

– Clarice, Jim Beverly bije swoją dziewczynę – wyszeptałam tej nocy w półmrok, który oddzielał nasze wąskie łóżka.

– Och, śpij już – odparła. – Nie bije.

– Rose Mae Lolley uniosła dzisiaj bluzkę w toalecie. Ona wygląda jak jeden chodzący siniak.

– Dlaczego musisz tak dramatyzować i od razu wyciągać wnioski? – powiedziała Clarice z irytacją w głosie.

– To nie tak. Widziałam ją. On ją stłukł na kwaśne jabłko.

– On tego nie zrobił! – Clarice uniosła się na łóżku i popatrzyła na mnie.

– Skąd to wiesz?

– A jak ty możesz tego nie wiedzieć? Wszyscy wiedzą. Jim Beverly jej nie bije. Ojciec Rose Mae jest nędznym alkoholikiem i to on ją tłucze, kiedy sobie popije.

Clarice opadła z powrotem na poduszki. Usiadłam i spojrzałam na nią. Miała szeroko otwarte oczy i gapiła się w sufit.

– Nie miałam zamiaru cię wkurzyć. Myślałam...

– Gdzie tam. Nie myślałaś. Ty rozsiewałaś plotki – powiedziała, ale jej ton złagodniał. Obróciła się na bok, zwinęła w kłębek i opierając głowę na dłoni, spojrzała na mnie. – Wybacz, że mnie poniosło, ale mam nadzieję, że tego nie rozgadywałaś.

– Nie – zapewniłam. – Powiedziałam tylko tobie.

– Przepraszam, że na ciebie nakrzyczałam. Nie chciałam, żebyś tak mówiła, bo ja myślę o nim na swój sposób. To znaczy jak na mój rozum postrzegam go jako kogoś bardzo wartościowego. Może nawet jak jakiegoś bohatera.

– O Boże! – Wlepiłam w nią wzrok. – On ci się podoba!

– Cicho – zganiła mnie, ale też usiadła, wsunęła kolana pod koszulę nocną i objęła się rękoma. – Coś ci powiem. To plotka, ale i tak ci powiem, tylko nie rozgaduj tego, jasne? – Mierzyła mnie surowym wzrokiem, dopóki nie przytaknęłam. – No dobra. W zeszłym roku Jim i ojciec Rose się pobili.

– Tak na serio?

– Jak najbardziej. Jim odprowadził ją po randce, a jej ojciec chodził pijany po podwórku i chciał ją zbić. Jim nie pozwolił mu jej uderzyć, a ojciec Rose tak paskudnie wykręcił mu ramię, że Jim przesiedział dwa mecze na ławce. Grał wtedy w reprezentacji juniorów, ale zawsze.

– Kompletnie oszalałaś na jego punkcie – uznałam. – I trzymałaś to w tajemnicy przede mną.

– Ależ skąd – odpowiedziała i obie zapadłyśmy w milczenie, ponieważ do tej pory nie sądziłam, że Clarice mogłaby kiedykolwiek mnie okłamać. – No dobra, nawet jeśli tak zrobiłam, to nie mówiłam ci o niczym, bo to działo się tak powoli, że niczego nie zauważyłam. A potem czułam się skrępowana. Wszystkie dziewczyny szaleją za nim z powodu tej głupiej piłki. Ale nie dlatego mi się podoba. Podoba mi się, bo jest inny niż ci wszyscy chłopcy z drużyny. Trzyma się jednej dziewczyny i stara się jej bronić, nawet przed jej ojcem. I nie pije jak cała reszta. Albo pije bardzo rzadko, bo tego nie lubi. Może to niewiele, ale podoba mi się, zwłaszcza kiedy pomyślę, że mogłabym naprawdę pokochać chłopaka takiego jak on, który traktowałby mnie w ten sposób.

– Potrafi przesadzić z piciem – powiedziałam. – Pamiętasz tę imprezę na Halloween u Missy Carver? Tak się zalał, że wybił pięścią okno w salonie jej mamy i wyrwał kilka rododendronów.

– Wiem, co zrobił. Byłam tam. – Clarice była znów rozdrażniona.

– Więc to nie plotki. Obie to widziałyśmy.

– Wiesz, jacy są chłopcy. – Wzruszyła ramionami. – No dobra, czasami się upija, ale tylko dwa razy do roku. A to działa na niego jak trucizna. Dostaje szału. Słyszałam, że po tym, jak wyszłyśmy od Missy, wdał się w bójkę z Robem Shayem i Chuckiem, a potem odjechał i tak rozwalił corollę swojego ojca, że ledwie przypominała samochód. Rose zerwała z nim przez to, pamiętasz? Zaraz potem zaczął umawiać się z tą Dawną. Kiedy tylko Rose usłyszy, że był pijany, zaraz się rozstają. Potem on jest taki zrozpaczony, że nie trzeźwieje, dopóki ona nie wróci do niego. Ona zawsze wraca, a wtedy on przestaje. No i widzisz, jest jeszcze coś, co potrafi dla niej zrobić, chociaż wszyscy jego koledzy z drużyny piją cały czas i szajba im odbija.

– Nie mogę uwierzyć, że zakochałaś się w nim i mi o tym nie powiedziałaś.

Zapanowała cisza.

– Podziwiam go trochę, to wszystko – odezwała się w końcu. – A zresztą, nie powinnyśmy plotkować. Idź spać.

Tak też uczyniłam. Zasnęłam jak dziecko, bo znów wróciły fantazje, w których miałam swoje miejsce. Teraz wiedziałam, jak odegrać tę rolę. Moje nowe ciało było posiniaczone, ale zły człowiek, który mi to zrobił, zginął w wypadku.

Jednakże po rozmowie z Clarice moje fantazje zaczęły się zmieniać. Wypadek samochodowy już nie obchodził mnie tak bardzo jak to, że jestem Rose-Pop, dziewczyną Jima Beverly'ego. Czy nawet nie tyle samą Rose-Pop, ile dziewczyną w jej typie. Piękną dziewczyną, którą chłopak taki jak on kocha tak, by się o nią bić.

W szkole nie śledziłam i nie obserwowałam już samej Rose Mae Lolley. Patrzyłam teraz, jak ona i Jim Beverly są razem. Patrzyłam też, jak przygląda im się Clarice. Pochłaniała ich ledwie dostrzegalnymi spojrzeniami. Była subtelna. Ktoś, kto nie zwracałby na to uwagi, łatwo mógłby przeoczyć, jak nieustannie im się przyglądała. Ktoś, kto słabiej znał Clarice, nigdy by nie dostrzegł, jaka robiła się czujna, ilekroć Jim Beverly znajdował się w pobliżu.

Zauważyłam, że w stosunku do szkolnych kozłów ofiarnych nigdy nie był tak okrutny jak inni chłopcy z drużyny. Kiedy był w pobliżu, oni też przestawali się tak zachowywać. Tak jakby sama jego obecność wystarczyła, aby ich powstrzymać. Zauważyłam, jaki był troskliwy dla Rose Mae. Zawsze delikatnie obejmował jej wątłe ramiona i nigdy nie tarmosił jej w żartach.

Widziałam to wszystko, ponieważ Clarice to widziała. To ona zmieniła sposób, w jaki go postrzegałam. Odtąd nie był już dla mnie fikcyjnym bohaterem, w którym podkochują się dziewczęta z pierwszej klasy. Stworzony przez nie obraz zarozumiałego futbolisty wywoływał we mnie odrazę. Tak właśnie odmalowywała go Clarice, ale takiego mogłam go pokochać.

W moich snach pojawiał się jako chłopiec, którym byłby, pozbawiony zadziwiającego talentu do miękkiego lądowania w ramionach swoich wielbicielek. Nie był ani na tyle przystojny, inteligentny czy zabawny, by mogło mu to zjednać popularność. Był po prostu słodki. Słodki chłopiec z Alabamy o leniwym uśmiechu, którym potrafił

zniewolić dziewczynę. Taki, który przekonałby moją matkę, by zaczęła się leczyć i nie tłukła głową w podłogę, kiedy ma gorszy dzień. Taki, który stanąłby do walki, gdyby
ktoś go obraził. W swoich fantazjach byłam coraz mniej
podobna do Rose-Pop, a coraz bardziej do siebie. Zwłaszcza odkąd mój dziecięcy brzuszek zaczął przeobrażać się
w coś, co kiedyś miało wyglądać jak talia. Moje sutki nie
przypominały już płaskich, różowych plamek, zaczęły
pęcznieć, wydobywając piersi z niesfornego ciała.

Tej wiosny, w maju, Jim Beverly tak się zalał na jakiejś
popijawie, że podbił oko swemu przyjacielowi Barry'emu,
a kiedy ten nie chciał się z nim bić, roztrzaskał łyżką do
opon tylną szybę jego samochodu. Rose-Pop znowu z nim
zerwała. Zarzekała się, że tym razem wszystko między nimi skończone. Słyszałam, jak mówiła to swoim przyjaciół-
kom, kiedy siedziałam zaczajona w toalecie. Miała oczy
zaczerwienione od płaczu, ale w jej postawie i zaciśnię-
tych ustach widać było determinację.

Jim Beverly był wolny.

Był do wzięcia przez każdą, która by go zechciała,
a one wszystkie o niego zabiegały.

Dzień po tym, jak Rose-Pop rzuciła Jima, obudziłam
się strasznie przygnębiona. We śnie przeżywałam wciąż tę
samą fantazję. Byłam w ciele Rose i przeglądałam się
w lustrze, a jej dusza wyśmiewała się ze mnie. Wstąpiłam
w ciało Rose dzień po tym, jak rozstała się z nim na dobre, wiedząc, że już go nigdy nie dostanę.

Wlepiłam tępy wzrok w moją połowę szafy. Nigdy nie
miałam problemów z wybieraniem ubrań. Po prostu sięgałam i wyjmowałam to, co mi pasowało. Tego dnia patrzyłam jednak z niesmakiem na wszystko, co miałam,
przestępując z nogi na nogę. W końcu Clarice odsunęła
mnie delikatnie na bok i podała mi spodnie khaki z ple-

cionym paskiem i skórzane mokasyny. Potem wyłowiła z szuflady czekoladowobrązowy pulower ze złotymi akcentami, wręczyła mi go i stała, patrząc markotnie w swoją połowę szafy tak długo, że zdążyłam się umyć, przebrać i zjeść śniadanie, zanim ona dotarła do łazienki.

Przez całe przedpołudnie wiedziałam dokładnie, w którym miejscu szkoły przebywa Jim Beverly, chociaż ani razu go nie widziałam. Tak jakby znajdująca się w mojej głowie mapa radarowa, której długo używałam do śledzenia Rose-Pop, została przełączona na inny kanał. Był on na niej czerwonym punkcikiem, który przesuwał się wzdłuż południowego korytarza, podczas gdy ja zaglądałam do swojej szafki, robiłam doświadczenia w laboratorium biologicznym, przysypiałam na matematyce, przebierałam się na gimnastykę albo kręciłam po bibliotece.

Kiedy podczas lunchu przeciskałam się przez szkolną stołówkę o krzykliwie turkusowych ścianach, zobaczyłam Clarice, która siedziała w towarzystwie swojej niesmacznie wyzywającej przyjaciółki Janey. Clarice zazwyczaj siedziała na podium, gdzie jadały starsze klasy, bo tam miała swojego chłopaka, ale dziś wraz z Janey zajęły miejsce na dole, przy jednym z długich stołów. Przy stole, którego Clarice była ozdobą, szybko robiło się ciasno, wzięłam więc tacę z lazanią i galaretką, po czym w pośpiechu ruszyłam w jej stronę.

– Zerwałam z Justinem – powiedziała, kiedy usiadłam koło niej, i lekko wzruszyła ramionami. Miała mocno zaróżowione policzki i zauważyłam, że jest ubrana w obcisły, lekki sweter, który zwykle wkładała do kościoła.

– O tak. Clarice jest teraz na wydaniu – odezwała się Janey. Potem zmrużyła oczy i dodała: – Zgadnij, kto jeszcze jest na wydaniu, i zgadnij, o mój Boże, kto tu właśnie idzie.

Patrzyła ponad ramieniem Clarice, a ja wiedziałam, że to on, dzięki swojej wyimaginowanej mapie radarowej czułam, jak się zbliża do naszego stolika. Bijący od niego żar przypiekał mi skórę na plecach. Clarice jeszcze raz wzruszyła ramionami, spokojnie i od niechcenia, ale jej oczy pałały blaskiem.

Nie mogłam wytrzymać i obróciłam głowę. Zobaczyłam go, jak kluczy, przeciskając się przez tłum dziewcząt, które ustawiały się na jego drodze niczym sidła. Omijał je wszystkie, idąc w stronę Clarice jak wycelowany w nią pocisk.

Miejsce obok Clarice zajmowała Janey, Jim Beverly usiadł więc przy mnie, okrakiem na ławeczce jak na koniu.

– Drogie panie – powiedział – znajdzie się tu miejsce dla uchodźcy?

– Oczywiście – wybełkotała Janey, wdzięcząc się, ale on nie zwracał na nią uwagi. Patrzył nade mną, zwracając się wprost do Clarice.

Obdarzyła go uśmiechem i zaczęła bawić się włosami, okręcając je wokół palca.

– Dla uchodźcy? – spytała.

– Taa – wyjaśnił Jim Beverly – jestem uchodźcą z wojny złamanych serc. Może nawet ofiarą.

– Zostałeś ranny? – dociekała Clarice. – Powinnam dać ci medal za rany?

– Biedactwo. Pokaż mi, gdzie boli. – Janey wychyliła się desperacko zza Clarice, a jej głos brzmiał jak kwintesencja dziwkarskiego złego smaku. – Mogłabym cię tam pocałować.

Jim Beverly zbył ją przelotnym spojrzeniem i półuśmiechem.

– Tak. Ja i Rose-Pop to już przeszłość. – Uśmiechnął się ponuro.

Siedząc pomiędzy nimi, czułam się jak ściana, która dzieliła Pyrama i Tysbe.

– Słyszałam – powiedziała Clarice. – Ja zerwałam z Justinem, więc wiem, jak się czujesz.

– Słyszałem – odparł Jim. – Pomyślałem, że moglibyśmy być razem. Pielęgnować nawzajem swoje rany. Wypłakiwać się sobie w rękaw. Coś w tym rodzaju.

Pomyślałam gorzko, że Clarice tak wzrusza ramionami, jakby chciała odrzucić je od tułowia.

– Nie należę do tych, co płaczą nad rozlanym mlekiem – zripostowała, a ja w tym momencie wstałam gwałtownie, zasłaniając ich, jedno przed drugim.

– Pozwólcie, że zejdę wam z drogi – burknęłam.

Clarice uniosła na mnie zmieszany wzrok.

– Przepraszam, Arlene – powiedziała. – Nie chciałam być niegrzeczna.

Ja jednak wyrywałam się już z ciasnej przestrzeni, próbując uwolnić nogi spomiędzy ławki i stołu, nie dotykając przy tym Jima Beverly'ego. Stałam już poza ławką i właśnie sięgałam po tacę, kiedy Jim objął mnie ramieniem w talii i pociągnął z powrotem w dół. Przysiadłam na jego kolanie i z zaskoczenia zaniemówiłam.

– Zostań tu, narwańcu – powiedział. – Nie chciałem wyjść na dupka.

– Tak, to naprawdę było chamskie z naszej strony – dodała Clarice.

– Nie jestem wściekła – zdołałam wykrztusić.

Moje gardło było jak zaklajstrowane. Rozgrzana ręka obejmowała mnie w talii, a przez spodnie promieniowało ciepło jego nogi. Nisko, w dole brzucha poczułam tępy stłumiony wstrząs, jak gdyby jakiś szklany przedmiot został owinięty ręcznikiem i miażdżony pękał bezgłośnie.

Zaraz potem między moimi nogami popłynęła dziwna fala gorąca.

– Może podasz mi rękę, Arlene. – Ciepła dłoń na mojej talii poruszyła się. Powędrowała w górę pleców, zniknęła we włosach i poczułam, jak zgrubiałe palce gładzą i podszczypują mnie po karku. – Twoja siostra mówi, że nie będzie ze mną płakać nad rozlanym mlekiem, więc co twoim zdaniem powinienem zrobić?

– Kuzynka – zapiszczałam, ale on nie słuchał.

Uniósł drugą rękę i przyciskając palec do mojego podbródka, ruszał nim w górę i w dół. Otwierałam i zamykałam usta jak marionetka, a on mówił za mnie piskliwym głosem:

– O rety, Clarice! Jim Beverly podrywa cię na całego, a ty go odpychasz. Biedny, biedny Jim.

Clarice wybuchnęła śmiechem, a ja odepchnęłam jego rękę, rumieniąc się z zakłopotania. Upał w moim wnętrzu zaczął się kotłować i niczym strużka ciekłego żaru spłynął od brzucha do krocza.

– Nie powiedziałam, że nie chcę się z tobą nigdzie wybrać – sprostowała Clarice. – Powiedziałam, że nie będę z tobą płakać.

W ustach Janey zabrzmiałoby to wulgarnie, ale ton Clarice był co najwyżej lekko nieprzyzwoity i cholernie zalotny.

Wstałam gwałtownie, mając zamiar jakoś się wykręcić i zmyć, ale kiedy sięgałam po tacę, przypadkiem spojrzałam w dół. Na kolanie Jima, odcinając się od wyblakłych, niemalże białych lewisów, widniała ciemnoczerwona plama wielkości półdolarówki. Gapiłam się na nią, stojąc w bezruchu. Czułam, jak błyskawicznie ogarniają mnie płomienie i w mgnieniu oka zamieniam się w kupkę popiołu. Kiedy jednak ogień zgasł, wciąż tam stałam.

Jim Beverly pierwszy zauważył plamę na nogawce, potem dostrzegła ją Clarice. Wszyscy troje zamarliśmy przejęci zgrozą.

Nie wiedziałam, co robić. Właściwie nic nie mogłam zrobić. Modliłam się do Boga, by zesłał mi okres, i oto nareszcie mnie wysłuchał, a teraz właśnie schylałam się po tacę z lunchem, wypinając zakrwawiony tyłek w spodniach khaki na zatłoczoną stołówkę.

Jim spojrzał mimochodem w moje oczy i nie wiem, co w nich zobaczył, ale zanim zdążyłam dobiec do najbliższego oceanu, by się w nim utopić, poderwał się na równe nogi, ściągnął sportową kurtkę i zarzucił mi ją na ramiona. Sięgała mi do połowy uda. Objął mnie, by przytrzymać kurtkę i mieć pewność, że nigdzie nie uciekną.

– Może porozmawiamy o tym później, co, Clarice? – powiedział. – Teraz muszę iść z Arlene do sekretariatu.

Janey podniosła na nas puste, zdezorientowane spojrzenie. Nie mogła pojąć faktu, że Jim Beverly odchodzi od stolika ze mną, byłam więc pewna, że niczego nie zauważyła. Szybko omiotłam wzrokiem stołówkę. Nikt nie zanosił się od śmiechu ani nie pokazywał na mnie palcem.

– Chcesz, żebym... – odezwała się Clarice, ale przerwała zbita z tropu.

Jim Beverly, znów idealnie wyluzowany, jakby robił coś najbardziej naturalnego na świecie, obdarzył Clarice jednym ze swych leniwych uśmiechów.

– No to sytuacja opanowana, prawda, Arlene? – powiedział.

Przytaknęłam tępo, a on obrócił się, ciągnąc mnie za sobą. Wyprowadził mnie ze stołówki, wciąż obejmując ramieniem. Ludzie oglądali się za nami, ale byłam całkowicie pewna, że po prostu nie mogli pojąć, czemu taki pokurcz jak Arlene Fleet ma na sobie świętą kurtkę Jima Beverly'ego i chroni się w jego objęciach.

Szliśmy korytarzem w stronę sekretariatu. Zgroza i upokorzenie przeobrażały się z wolna w niemalże łzawą wdzięczność.

– Tak mi przykro – wyszeptałam. – Naprawdę mi przykro. Nie wiedziałam, że to się może stać.

– Ciii – odparł. – Zapomnij o tym. Zadzwonimy do twojej mamy, żeby po ciebie przyjechała.

– Nie musisz odprowadzać mnie do sekretariatu.

– Owszem, muszę – powiedział. – Muszę zadzwonić do mamy, żeby przywiozła mi jakieś czyste spodnie.

Poczułam, że ciemny rumieniec oblewa mi twarz, i zaczęłam znów przepraszać.

– Bardzo mi głupio, naprawdę nie wiedziałam. Ja nigdy... to znaczy, nie wiedziałam, że to się stanie dzisiaj.

– Dziecinko, nie przeżywaj tego tak strasznie. – Przycisnął mnie mocniej do siebie. – To jest to, co trenerzy nazywają NZD – niedobrze zaplanowany dzień.

– Ale ja nie mogłam zaplanować, to znaczy nigdy wcześniej nie musiałam. – Zdałam sobie sprawę z tego, co powiedziałam, i zarumieniłam się jeszcze bardziej.

– No cóż, to fajnie masz, co? Nie musisz się wstydzić. – Uśmiechnął się jak diabeł, a potem dodał cicho i lubieżnie: – Powiem ci coś w tajemnicy. Nie ty pierwsza zamieniłaś się z dziewczynki w kobietę, siedząc na moich kolanach.

Roześmiałam się, zadrżałam i opuściłam wzrok, nagle czując się dobrze. W tym momencie kochałam Jima Beverly'ego tak gorliwie, że byłam gotowa rzucić się w błoto, by mógł przejść po moich plecach i nie pobrudzić sobie butów.

Kiedy zabiłam gwałciciela, tego cuchnącego pijaka, zabiłam również tego chłopca. A ten chłopiec miał mamę, która w niego wierzyła, i dumnego ojca. Miał dwóch starszych braci i swoją Rose-Pop. Miał przyjaciół. Burr musiał poznać tę część opowieści, zanim stanąłby w mojej obronie. Arlene bestialska zabójczyni była kłamstwem, ponieważ istniał też ten drugi chłopiec. Burr musiał wiedzieć, że zrozumiałam, co zrobiłam. Wiedziałam, że nie można zabić tylko tego, co zasługuje na uśmiercenie, a pozostawić przy życiu tylko to, co piękne.

Rozdział 9

Kiedy zauważyłam wyłaniającą się przed nami tablicę z napisem „Witamy w pięknej Alabamie", ścisnęłam Burra za rękę.

– Nie jest jeszcze za późno, żeby zawrócić do domu – powiedziałam.

Burr spojrzał na mnie i zaczął chichotać.

– Żegnaj, Tennessee! – zawołał, unosząc rękę.

– Żegnaj, Tennessee – zawtórowałam.

Burr odwrócił się do przodu, kiedy samochód przeciął linię granicy stanów.

– Witaj, Alabamo! – krzyknął.

– Tak, witaj Alabamo, ty wielka zielona kurwo – powiedziałam cierpko, nie unosząc ręki.

– Wielka zielona kurwo? – Moje słowa przypadły mu do gustu i wyraźnie poprawiły humor. – Zielona kurwo?

Zaśmiewał się tak mocno, że w oczach zakręciły mu się łzy. Nacisnął przycisk i opuścił szybę po swojej stronie.

– Czołem, Alabamo, trawiasta wywłoko! – wykrzyknął przez otwarte okno.

Nie przestając się śmiać, trzymał rękę za oknem i wciąż machał. Jego śmiech był zaraźliwy i po chwili sama też chichotałam.

– Witam Szmaragdowy Stan Lekkich Obyczajów! Cześć! Przybywam, żeby wyruchać wasze białe kobiety!

– Moim wielkim czarnym kutasem – dodałam półgłosem.

– Moim wielkim czarnym kutasem! – zawył Burr. Tak bardzo zanosił się od śmiechu, że zaczynał się krztusić. Ja też nie mogłam się powstrzymać i obydwoje zaśmiewaliśmy się do łez.

– Nic nie widzę – wykrztusił Burr, po czym zwolnił i zjechał na pobocze.

Kilka samochodów ze świstem przemknęło obok nas, podczas gdy ja śmiałam się oparta na desce rozdzielczej, dopóki nie rozbolał mnie brzuch. Burr wczepił się kurczowo w kierownicę i próbował złapać oddech. Zamknęłam oczy i równomiernie wciągałam powietrze. Obydwoje zaczynaliśmy z powrotem panować nad sobą.

Przez chwilę było cicho, a potem Burr powiedział:

– Cóż to jest, do cholery?

Otworzyłam oczy. Burr spoglądał ponad moim ramieniem. Odwróciłam głowę, podążając za jego wzrokiem.

– Och, to jest gęstwa – powiedziałam, dochodząc do siebie.

– Gęstwa?

– To kudzu. Roślina jak dzikie wino. Rośnie w całej Alabamie. Pożera wszystko, co stanie na jej drodze. Pnie się, oplata i zabija.

Gęstwa, którą widziałam za oknem, okrywała rząd niezwykle wybujałych sosen. Wciąż było jeszcze widać sylwetki zarośniętych drzew. Między nimi wiły się złowieszczo liściaste macki, które szczelnie owijały każdy pień.

– Jedźmy – ponagliłam.

Burr przetarł oczy i ruszył. Na drodze nie było dużego ruchu i po chwili znów mknęliśmy przed siebie.

Prędkościomierz pokazywał, że jedziemy ponad sto dziesięć kilometrów na godzinę, ale miałam wrażenie, że pędzimy z prędkością światła, śmigając ponad wzniesieniami i ścinając zakręty. Gdzieś tam przed nami czekali Florence i Bruster, a wraz z nimi moja matka, otumaniona i uśmiechnięta jak marionetka. Byliśmy już otoczeni przez resztę mojej obłąkanej rodziny, która zamieszkiwała okolicę rozproszona w promieniu osiemdziesięciu kilometrów. W Teksasie Rose Mae Lolley obierała kurs wycelowany prosto w naszą pozycję. A gdzieś na dzikim pustkowiu Alabamy czekało na nią to, co pozostało z Jima Beverly'ego.

Obiecałam Bogu, że skończę z regularnym pieprzeniem, jakie stało się nieodłączną częścią mojego życia w liceum we Fruiton. Faktycznie, ślubowałam, że całkowicie przestanę się puszczać. Jednak mówiąc szczerze, dopóki nie pokochałam Burra, odmawianie sobie seksu było bardziej ulgą niż poświęceniem. Obiecałam Bogu, że udam się na wygnanie i nigdy nie wrócę do Alabamy. Gdyby jednak Bóg miał takich krewnych jak ja, też by przysiągł trzymać się z daleka od Alabamy.

Głównym punktem umowy była moja obietnica zaprzestania kłamstw. Wyszło na to, że złamałam te drobniejsze i mniej istotne przyrzeczenia ze względów praktycznych. Wyjazd do Alabamy potraktowałam bowiem jako marny pretekst, by się przespać z Burrem, a fakt, że to zrobiłam, usprawiedliwiał przekroczenie granicy stanu. Ale w najmroczniejszym zakątku mojego umysłu, w tym pierwotnym punkcie, z którego zawsze rozchodziły się drżenia, kiedy czarny kot przebiegał mi drogę, święcie wierzyłam, że dopóki nie skłamię, umowa będzie wciąż ważna.

W Chicago miałam szansę okłamać Rose Mae Lolley i uczciwie ją zaprzepaściłam. Siła złożonej obietnicy spowodowała, że zepsułam wszystko w najważniejszym mo-

mencie. Następnym razem nie mogłam już być tak nieprzygotowana.

Gdyby zdarzyło mi się teraz złamać tę obietnicę, gdybym bezkarnie pozwoliła sobie na jakieś pomniejsze
kłamstewko, o ileż łatwiej poszłoby mi przy spotkaniu
z Rose. Wtedy nie byłoby to już żadne wykroczenie.

Może było to pomyślne zrządzenie losu, że pakowa-
łam się prosto w objęcia ciotki Florence, dogmatycznego
wielkiego inkwizytora. Florence, która nigdy nie wyciągnęła żadnego wniosku, czekała teraz, by mnie dorwać.
Przez dziesięć lat wypytywała mnie o każdy możliwy frag-
ment mojego życia i całą tę wiedzę miała w zanadrzu.
Gdyby teraz wbiła we mnie zęby, zadręczałaby mnie tak
długo, aż bym się złamała i wyjawiła jej prawdę, całą
prawdę i tylko prawdę. Być może jednak mogłabym się
posłużyć wystudiowanym kłamstwem, moim aktem wiaro-
łomstwa, aby odeprzeć jej atak, a nawet ją rozbroić. Gdyby udało mi się okłamać Flo, Rose Mae byłaby dla mnie
pestką.

– Kochanie, gdzie jest popcorn? – spytał Burr.

Sięgnęłam na tylne siedzenie i podsunęłam mu otwartą paczkę.

– Myślę, że mam ochotę skłamać – powiedziałam.

– Sekundę, niech ten matoł nas wyprzedzi – mruknął
Burr. Facet w czerwonej toyocie przemknął z prawej strony. – To coś nowego. Jakie kłamstwo?

– Myślę, że powinniśmy powiedzieć ciotce Florence
i całej reszcie, że się pobraliśmy.

Burr trzymał paczkę z popcornem między udami
i podjadał, prowadząc samochód. Miał pełne usta i lekko
się zakrztusił.

– Dlaczego mielibyśmy to robić? – zapytał, gdy tylko
udało mu się przełknąć.

– Bo „chłopak" brzmi nieprzekonywająco. Przeciwko chłopakowi mogliby rozpętać rasistowską kampanię na całego. Za to w skali grzechów Południowego Kościoła Baptystycznego rozwód jest o wiele gorszy niż czarny mąż – wyjaśniłam. – Jeżeli wystąpimy jako małżeństwo, mogą nas obydwoje albo przyjąć, albo nie. Nie chcę dawać im takiej opcji, że akceptują tylko mnie.

Burr pokręcił głową, wyławiając z paczki kolejną garść popcornu.

– Powinienem być przygotowany na spiczaste kaptury i świst kul?

– Nie, Burr, oni nie mają ciągotek do Ku-Klux-Klanu. To pospolity, zaściankowy rasizm z Alabamy. A ciotka Florence? Jest bezwzględna. Ani odrobiny litości. Zakładając, że się mnie nie wyprze – a to bardzo śmiała hipoteza – jeśli zauważy między nami najdrobniejszą rysę, będzie w niej drążyć i zrobi wszystko, by nas od siebie oddalić.

Zaczęłam się głowić, próbując wyczerpująco przedstawić siłę Florence.

– Opowiem ci coś – odezwałam się w końcu. – Kiedy dorastałam, naszą najbliższą sąsiadką była pani Weedy. Była to wiekowa dama, bezdzietna wdowa. Ale miała ukochaną kurę imieniem Phoebe. Uwielbiała ją do szaleństwa. W całym tego słowa znaczeniu. Na punkcie Phoebe miała istną obsesję. Ilekroć moi kuzyni Wayne i Clarice odnieśli jakiś sukces i ciotka Florence chciała się nimi pochwalić, pani Weedy przerywała jej, snując długie wywody na temat najnowszych wyczynów Phoebe. Według pani Weedy Phoebe rozumiała angielski, lubiła muzykę country, miała własne poglądy polityczne i żarliwym uczuciem darzyła Jezusa. Naprawdę jednak Phoebe nie robiła nic, tylko grzebała w ziemi i srała. Po śmierci Wayne'a pani Weedy przyniosła pieczeń wołową z groszkiem i zwróciła się do ciotki Flo: „Skarbie, doskonale wiem, co czujesz. Nie wyobrażam sobie, jak mogłabym stracić Phoebe. Będę się za ciebie modlić".

Clarice mi to opowiedziała. Miała osiem lat, kiedy zginął Wayne, ale pamiętała tę wizytę pani Weedy. Widziała, że palce ciotki Flo, zaciśnięte na szklanej brytfance, robią się coraz bielsze. A kiedy pani Weedy wyszła, ciotka celowo rozluźniła chwyt, wypuszczając naczynie, które roztrzaskało się na podłodze.

Jakieś dwa tygodnie później pani Weedy straciła Phoebe. Clarice opowiadała mi, że bawiła się na werandzie i słyszała nawoływanie pani Weedy, która już całkiem ochrypła, ale Phoebe już nigdy nie wróciła. A następnego dnia ciotka Flo zaniosła sąsiadce ostrą zapiekankę z kurczaka z serem i powiedziała, jak bardzo jest jej przykro.

– Mogę przypuszczać, że ten kurczak w zapiekance był... – odezwał się Burr po długiej chwili milczenia.

– Przypuszczaj sobie, co chcesz.

– A pani Weedy zjadła zapiekankę?

– Z tego, co mówi Clarice, wylizała talerz do czysta.

– Chyba już pojadłem. – Burr wręczył mi opróżnioną do połowy torebkę. – Twarda sztuka z tej twojej ciotki.

– To nie jest wielkie kłamstwo, prawda, Burr? – spytałam.

Burr nie odrywał wzroku od drogi.

– Dziś rano spytałeś mnie, czy za ciebie wyjdę – powiedziałam, wpatrując się w paczkę z prażoną kukurydzą. – Mówiłeś poważnie?

Kątem oka zauważyłam, jak zaciska ręce na kierownicy.

– Tak, całkiem poważnie – rzekł powoli. – Czy mówisz „tak"?

– Już to zrobiłam – odpowiedziałam w głąb paczki pop-cornu. – Ale właśnie spałeś.

– Więc jesteśmy zaręczeni. Co ty na to? – Burr przerwał chwilę przyjemnego milczenia. Oderwał rękę od kierownicy i chwycił mnie za udo, tuż ponad kolanem. – Planowałem rozegrać to lepiej. Mam pierścionek. Chciałem zabrać cię do restauracji, żebyś posłuchała dobrej kapeli bluesowej, zamówić szampana.

– Myślę, że sposób, w jaki to zrobiłeś, też był całkiem niezły – powiedziałam wciąż lekko onieśmielona. – W każdym razie, skoro już się zaręczyliśmy, to nie jest nawet kłamstwo. Bardziej zapowiedź prawdy.

– To co będzie na ślubie, skoro oni mają być przekonani, że jesteśmy małżeństwem? – roześmiał się Burr.

– Och, Boże, nie. Nie chcę ślubu. Nie chcę nikogo prócz nas. Gdybym urządziła ślub, ciotka Flo zmobilizowałaby całą rodzinę jak Piątą Dywizję Piechoty. Zapakowałaby ich do wynajętych mikrobusów i wysłała do Chicago. I nie mam na myśli tylko wuja Brustera, mamy i Clarice. Odgrzebałaby wredną ciotkę Sukie i jej piekielną trzódkę. Wywlokłaby z domu starców moją cioteczną prababcię Mag, a do bagażnika załadowałaby prochy zramolałego dziadzia i Świątobliwej Babuni. A to są dopiero sami Bentowie. Zabrałaby jeszcze całe plemię Brustera. Dilla Lukeya, wuja Peachesa, Luke-Johna, Grubą Agnes i dziewięć milionów moich zdziczałych kuzynów. Wszyscy wyruszyliby do Chicago, żeby powstrzymać mnie przed ślubem. Wyglądałoby to jak zwariowany wędrowny show w stylu *Zgadnij, kto przyjedzie na obiad*. Zdecydowanie wolałabym, żebyśmy zrobili to na spokojnie, tylko my. Twoja mama mogłaby przygotować nam przyjęcie w sali przy kościele w którąś niedzielę po nabożeństwie.

– Właśnie opisałaś ślub, o jakim marzy każdy facet.
– Burr wybałuszył oczy.

Moja historia znów zaczęła mnie ponaglać. Alabama ma swoich bogów. Niczym fala omiatało mnie pragnienie, by wszystko mu opowiedzieć, wyrzucić z siebie i odzyskać spokój.

– Czy możemy to zrobić wkrótce? – zapytałam. – Naprawdę niedługo?

– Kochanie, jak dla mnie możemy nawet zaraz po powrocie do domu. Martwisz się, że zaszłaś w ciążę?

Wzdrygnęłam się, bo nawet nie przyszło mi to do głowy. W myślach zaczęłam odliczać dni.

– To niemożliwe – zaprzeczyłam. – Ale kiedy byłam dziewczyną, ciotka Florence zawsze mówiła mnie i Clarice: „Jeżeli jesteś na polu bitwy, mogą cię postrzelić".

– Zatem już wkrótce – uśmiechnął się Burr.

– Już zaraz – powiedziałam, a on skinął głową. – No i kłamiemy.

– To się wydaje trochę...

– Wiesz, w domu mojej ciotki nie przejdzie nic takiego jak seks – przerwałam mu. – Cienkie ściany. Chybabym umarła. Ale jeżeli powiemy im, że jesteśmy już po ślubie, jest szansa, że położą nas w jednym pokoju.

– Wchodzę w to. Popieram to kłamstwo.

– No więc w porządku. – Wzięłam małą porcję popcornu. – Masz włączoną komórkę? Myślę, że będzie lepiej, jeżeli zrobię to przez telefon. Upłynęło sporo czasu, odkąd ostatnio skłamałam. I może lepiej zjedź z autostrady, bo jeżeli mam to zrobić, to czuję, że będę potrzebowała więcej przestrzeni.

Burr skręcił w najbliższy zjazd. Przed nami nie było nic poza stacją Shella z przylegającym barem, z jednej strony ciągnęły się rozległe pastwiska Alabamy, a z drugiej las. Zorientowałam się, że Burr zmierza prosto na stację.

– Nie wjeżdżaj tam – poprosiłam. – Nie chcę ludzi ani hałasu silników.

Po stu metrach samochód stanął na poboczu.

– Ty też wysiądź – zwróciłam się do Burra. – Mogę potrzebować wsparcia moralnego.

Staliśmy przy ogrodzeniu otaczającym długie i wąskie pastwisko. Spacerowały po nim dwa grube kucyki i stary, zabiedzony koń. Kiedy wysiedliśmy z auta, kucyki zmierzyły nas wzrokiem i z powrotem zaczęły skubać trawę, ale koń powlókł się leniwie w naszą stronę. Było to wiekowe zwierzę o zapadniętych bokach i żółtawym umaszczeniu. Miało rzymski profil i całkowicie posiwiałą sierść wokół pyska.

Burr, chłopak na wskroś miastowy, przyglądał mu się podejrzliwie, podczas gdy ja wybierałam numer.

– Myślisz, że się denerwuje, bo tu zaparkowałem? – zapytał.

– Nie. Myślę, że po prostu widzi torebkę z popcornem – wyjaśniłam. – Już łączy.

– Arlene? – odezwała się ciotka Flo. – Lepiej, żebyś to nie była ty.

– To ja.

– Powiedziałam, że lepiej nie. Jaka wymówka tym razem? – spytała. – Kosmici uprowadzili was z powrotem do Chicago? Musieliście nieoczekiwanie wybrać się na Guam? Powiedz mi to, Arlene. Czekałam na ten telefon przez cały dzień.

Koń podszedł do ogrodzenia i przełożył łeb na drugą stronę. Burr machinalnie zrobił krok do tyłu i oparł się nonszalancko o samochód.

– Nie dzwonię po to, żeby odwołać przyjazd. Mamy jeszcze dwie godziny drogi. Może mniej.

Przechyliłam głowę i przytrzymując telefon ramieniem, nabrałam trochę prażonej kukurydzy i podałam koniowi na rozprostowanej dłoni. Zebrał ją chwytliwymi wargami. Parę kawałków spadło na ziemię i nie wiedziałam, czy tak trzęsą mi się ręce, czy to koń je strącił.

– Leno – szepnął natarczywie Burr – po co to robisz?

Zamachałam na niego, by przestał, bo nie słyszałam, co mówi ciotka Florence.

– ...nie dzwonisz z pozdrowieniami, równie dobrze mogłabyś to olać – mówiła ciotka.

Grubszy z kucyków nastawił uszu, widząc, że koń coś podjada, i ruszył kłusem w naszą stronę. Drugi pobiegł w ślad za nim. Były to dwa urocze, brązowe tłuścioszki.

– No i zobacz, co narobiłaś – wyszeptał Burr.

– Ciociu Florence, chciałam tylko zadzwonić i zanim dotrzemy na miejsce wyjaśnić, dlaczego zatrzymaliśmy się na nocleg. – Nabrałam powietrza i zrobiłam to, skłamałam, tak zwyczajnie i po prostu. – Zatrzymaliśmy się wczoraj w Tennessee, żeby wziąć ślub.

Na drugim końcu linii zapanowała cisza. Kucyki podbiegły do ogrodzenia, stanęły po obu stronach konia i próbowały go odepchnąć, łapczywie wyciągając pyski. Podałam popcorn najpierw temu grubszemu, który wyglądał na bardziej zdesperowanego. Cieszyło mnie, że znalazłam sobie taką rozrywkę. Kiedy myślałam o karmieniu kucyków, kłamstwo prześlizgnęło się przez moje usta gładko i prawie niepostrzeżenie.

– On mógłby ci odgryźć palec – szepnął Burr. – Popatrz na te zęby.

W odpowiedzi potrząsnęłam głową i omal nie upuściłam telefonu.

– Ślub – powiedziała Florence głębokim, zduszonym głosem. – Wzięliście ślub.

– Tak, w pewnym sensie – odparłam.

– No cóż. Zatem bardzo ci dziękuję, że zadzwoniłaś, by mi o tym powiedzieć. – Jej ton był przepełniony sarkazmem, który sączył się z telefonu i wyciekał prosto na mnie. – Doceniam ten komunikat z ostatniej chwili. Czy jest jeszcze coś, co chciałabyś mi podsunąć na deser? Czy na przykład twój nowy mąż będzie pierwszym w historii rodziny byłym skazańcem? A może po prostu wpadliście?

Kiedy mówiła, wytarłam o spodnie rękę, którą karmiłam konie, i chwyciłam telefon, odsuwając go trochę, żeby Burr też mógł słyszeć. Telefon komórkowy zniekształcał gromki głos ciotki Florence, który z takiej odległości brzmiał jak kwakanie rozjuszonej kaczki. Przyłożyłam aparat z powrotem do ucha.

– Nie zaszłam w ciążę, a on nie jest kryminalistą. Mówiłam ci, że to prawnik. Ale skoro już rozmawiamy, chyba powinnam cię uprzedzić, że jest czarny.

Znów przycisnęłam telefon ramieniem do głowy i rozdzieliłam porcję prażonej kukurydzy pomiędzy konia i kucyki. Na linii panowała cisza. Burr przyglądał mi się, pocierając usta dłonią.

– Co chcesz przez to powiedzieć? – odezwała się wreszcie ciotka. – Chodzi ci o to, że jest czarny? Ma czarną skórę?

– Tak. Mówiąc „czarny", mam na myśli to, że jest czarny.

Florence wzięła głęboki oddech.

– Rozłączam się – oznajmiła śmiertelnie chłodnym tonem. – Zajmę się tobą i twoim tajemniczym czarnym mężem, kiedy przyjedziecie.

– Tak, lepiej, jak się pospieszysz – odparłam. – Masz nie więcej jak dwie godziny, aby roztrąbić wszystkim, że Arlene wyszła za czarnego, żeby zrobić ci na złość. Nie chciałabym, żeby ciocia Sukie zeszła na zawał, więc lepiej ją uprzedź, zanim przyjdzie na imprezę wujka Brustera. Mamy bardzo liczną rodzinę – mogę zaproponować łańcuszek szczęścia.

– Co to ma niby oznaczać?

– Łańcuszek szczęścia – wyjaśniłam. – Jeżeli prosisz każdego, do kogo dzwonisz, żeby przekazał to kolejnym dwóm osobom, a tamci kolejnym...

– Nie wkurzaj mnie. Przewodzę Baptystycznej Lidze Kobiet i raczej wiem, czym jest łańcuszek szczęścia, Arlene. Porozmawiamy o tym później, jeżeli rzeczywiście się pojawisz ze swoim tajemniczym i niewykluczone, że zmyślonym mężem, albo i bez niego. Nie jestem głupia, Arlene. Pewnie spodziewałaś się, że powiem: „O nie, jeśli znalazłaś sobie jakiegoś czarnego męża, to nie możesz przyjechać do domu i zepsuć wujkowi jego święta, więc krzyż na drogę i zmiataj z powrotem do Chicago". Taki miałaś plan?

– Nie bądź śmieszna. Nie wymyśliłam sobie Burra. Wiesz, że ja nigdy nie kłamię.

Zamilkłam gwałtownie, ponieważ stwierdzenie, że nigdy nie kłamię, teraz samo w sobie było kłamstwem.

– Ach tak, rzeczywiście – odparła ciotka Florence. – Nie kłamiesz, dopóki masz zamknięte usta i nic nie mówisz.

Po tych słowach rozłączyła się.

– Zazwyczaj nie kłamię – rzuciłam do słuchawki, w której rozlegał się przerywany sygnał. Potem nacisnęłam czerwony przycisk i oddałam Burrowi telefon. Koń przytupywał przednią nogą, a kucyki wpatrywały się we mnie z uwielbieniem, jakie rozbudziła w nich prażona kukurydza.

– Nie ma już. Idźcie się paść, rozpieszczone bestie – powiedziałam, ale one nie rozumiały angielskiego i nadal stały przy ogrodzeniu, z nadzieją wyciągając łby. – Jestem w tym kiepska – zwróciłam się do Burra. – Od wieków nie kłamię.

Trzęsły mi się ręce. Cudzołóstwo poszło mi o wiele łatwiej.

– Wiem, kochanie – odpowiedział. Wróciliśmy do samochodu i zapięliśmy pasy.

– Nie powinnam była kłamać. Nie powinnam była w ogóle dzwonić. Dałam jej czas, żeby ustawiła snajperów na podjeździe.

Burr włączył się do ruchu na autostradzie. Włączyłam odtwarzacz i wsunęłam płytę Skip Jamesa. Byłam w nastroju do bluesa. Podkręciłam głośność i samochód wypełnił się niesamowitym falsetem Jamesa. Nie miałam ochoty na rozmowę. Burr zdawał się podchwycić mój nastrój i prowadził samochód w milczeniu, wybijając dłonią nierówny rytm na moim udzie.

Przesłuchaliśmy tę płytę dwa razy, a kiedy zaczynała się po raz trzeci, dotarliśmy do zjazdu na drogę numer 19. Ściszyłam muzykę i powiedziałam Burrowi, żeby się trzymał lewej strony.

– Gdybyśmy jechali dalej, dotarlibyśmy do Fruiton – wyjaśniłam. – Tą drogą w jakieś dziesięć minut dojedziemy do malowniczego śródmieścia Possett. Obowiązkowo należy się typowy małomiasteczkowy dowcip, więc pozwól, że powiem: „Staraj się nie mrugać".

– Załatwione.

Jadąc dziewiętnastką, przecięliśmy złożone z trzech domów centrum Possett i minęliśmy parę skupisk wiejskich domów. Potem po obu stronach drogi nie było widać niczego oprócz pól. Przejechaliśmy jakieś sześć kilometrów i przed nami pojawiły się kolejne zabudowania.

– Tam po lewej – powiedziałam. – Mijamy właśnie dom pani Weedy. Zmarła pięć czy sześć lat temu i nie znam ludzi, którzy go kupili. Za tym wielkim parkanem jest ogród warzywny ciotki Florence, a tamta biała budowla to nasz dom. Skręć w żwirową drogę. Po tym betonie dojechałbyś do szopy na tyłach ogrodu.

Dom wyglądał dokładnie tak, jak go zapamiętałam, czysty i schludny, z zielonymi okiennicami i lśniącymi drzwiami. Przed wejściem rosły wypielęgnowane krzewy hortensji. Na frontowym klombie Florence zasadziła kilka odmian kwitnących pnączy i wielkie białe kwiaty kołysały się leniwie, jakby do nas machały. Na werandzie Florence i Bruster siedzieli w dostojnych fotelach i wypatrywali naszego przyjazdu. Burr wolno przejechał po żwirowej drodze i zatrzymał się obok wiaty. Wysiedliśmy z samochodu i ruszyliśmy w stronę frontu domu.

Widząc, że się zbliżamy, wstali obydwoje. Florence miała na sobie jedną ze swych eleganckich podomek, która podkreślała jej rosłą i muskularną sylwetkę. Wuj Bruster stał za nią, podobny do wielkiego niedźwiedzia o spadzistych ramionach i łysej czaszce, którą porastały kępki siwiejących blond włosów. Wyglądał, jakby trochę przybrał na wadze.

Zaskoczyło mnie to, jak się postarzał przez te dziesięć lat, podczas gdy ciotka Florence wcale się nie zmieniła. Wstrząśnięta uświadomiłam sobie, że wyglądała na zasuszoną, wynędzniałą i starszą o dwadzieścia lat już wtedy, gdy pospieszyła nam na ratunek i przywiozła mnie i mamę do Alabamy. To śmierć mego kuzyna Wayne'a dodała jej lat, a Bruster, który był od niej starszy, teraz tylko ją doganiał.

Ciotka Florence miała zaciętą minę i groźne spojrzenie, ale jej wielkie dłonie zdradzały wszystko. Trzymała je zaciśnięte przed sobą i kościstymi palcami nerwowo okręcała obrączkę. Palce miała długie i chude niczym pajęcze odnóża, a obrączka latała swobodnie między zgrubiałymi stawami. Wuj Bruster mierzył Burra spojrzeniem zimnych, błękitnych oczu, za to Florence ledwie zerknęła na niego przelotnie. Utkwiła wzrok we mnie.

– A więc jesteś, Arlene – odezwała się, kiedy podeszłam bliżej. – Wciąż jesteś nie większa od skrzata.

Burr szedł tuż za mną i czułam się lepiej, wiedząc, że osłania mi plecy.

– Tak. Wciąż jestem sobą.

Zeszli po schodach i spotkaliśmy się na chodniku obok klombu. Rosnące tam kwiaty kiwały się tak radośnie, że miałam ochotę je podeptać i zmiażdżyć.

– To, jak przypuszczam, jest twój mąż? – powiedziała Florence. Skinęła głową w stronę Burra, nie patrząc na niego. Wciąż nie odrywała wzroku ode mnie.

– Tak, to jest Burr. To znaczy Wilson Burroughs. Burr, to moja ciocia i wujek, Florence i Bruster Lukeyowie.

– Witam panią. – Burr grzecznie się skłonił, po czym wyciągnął rękę do Brustera. – Miło mi pana poznać.

Po krótkiej pauzie Bruster ujął jego dłoń i potrząsnął nią energicznie.

– Czołem – powiedział nienaturalnie uroczystym tonem.

Stłumiłam wzbierający w gardle absurdalny śmiech. Wuj Bruster puścił dłoń Burra, który położył ją na moim ramieniu, przyciągając mnie do siebie.

– Twoja mama jest w domu i ogląda jeden z tych swoich programów – oznajmiła Florence, a jej wzrok na moment ześliznął się z mojej twarzy na ramię, gdzie Burr trzymał rękę.

– Myślę, że trzeba wejść i się przywitać – powiedziałam.

– Tak, myślę, że trzeba – potwierdziła Florence, ale kiedy postąpiłam krok naprzód, jej wielkie dłonie wystrzeliły w moją stronę, jakby miała sprężyny w ramionach. Wzdrygnęłam się, ale ona bez wahania złapała mnie i szarpnęła ku sobie. Stałam z twarzą przyciśniętą do jej mostka i czułam, jak zagłębia nos w moje włosy i wciąga powietrze. Roztaczała intensywną tłustawą woń cytryny i amoniaku, jak gdyby tuż przed naszym przyjazdem wyszorowała swe żylaste ciało przy użyciu Pledge i Mr. Clean. Ten zapach był dla mnie tak szokująco swojski i domowy, że zanim się zorientowałam, obejmowałam ciotkę i ściskałam ją tak mocno jak ona mnie.

Wypuściła mnie z objęć równie gwałtownie, a ręka Burra wróciła na moje ramię, pomagając mi zachować równowagę.

– O dziesięć lat za długo – powiedziała – ty mała gówniaro.

– Tak jest, proszę pani. – Głos mi drżał.

– Cześć, panienko – wyszeptał mi wprost do ucha Bruster, zgniatając mnie w twardym, niedźwiedzim uścisku. Zapomniałam, że zawsze zwracał się w ten sposób do mnie i Clarice.

– Arlene? – Usłyszałam głos mamy i spojrzałam ponad zwalistym ramieniem Brustera. Mama podeszła do zasłaniającej wejście moskitiery. Bruster puścił mnie i weszłam na werandę. Burr szedł tuż za mną.

Mama znacznie się postarzała. Jej drobna, śliczna twarz ugrzęzła w pomarszczonych zwałach tłuszczu, a pozlepiane w strąki włosy tak wyblakły, że stały się niemal zupełnie bezbarwne. Była ubrana w jakąś obrzydliwą czerwoną sukienkę w żółte kwiaty i zielone palmy. Z krótkich rękawów wystawały jej pulchne ramiona, które trzęsły się, kiedy klaskała w dłonie.

– To moja dziewczynka – stwierdziła, trzymając uchylone drzwi. Kiedy mijałam ją, wchodząc do domu, nieśmiało poklepała mnie po ramieniu i dodała: – Ona tu jest.

– Burr, poznaj moją mamę – powiedziałam.

– Witam panią – znów odezwał się Burr, potrząsając jej ręką.

– Flo mówiła, że jesteś prawnikiem. – Mama wciąż trzymała w uścisku jego rękę i poklepywała lekko po ramieniu.

– Tak, proszę pani – odpowiedział Burr.

– On nie mówi, jakby był czarny, prawda? – mama zwróciła się do mnie. – Chodzi mi o to, że gdybyśmy rozmawiali przez telefon, pewnie bym zgadła, że jest czarny. Ma czarny głos, ale nie mówi jak czarny.

– Mamo, on stoi koło ciebie – powiedziałam. – Trzymasz go za rękę.

– Och, słusznie. – Mama popatrzyła na Burra: – Jestem wręcz zdumiona, jak poprawnie mówisz.

Burr patrzył na nią z otwartymi ustami, nie do końca pewny, jak zareagować.

– Jestem dumny ze swej rasy – oznajmił w końcu bardzo łagodnie, posyłając mi ukradkowe spojrzenie, które mówiło, że nie stracił humoru ani cierpliwości. Jak na razie.

– Usiądźmy – wtrąciła się Florence. – Kto chce mrożonej herbaty?

Salon wyglądał tak, jak go zapamiętałam. Zapełniały go meble z lat siedemdziesiątych, ale dominowała w nim przysadzista sofa ciotki Florence. Była ciemnopomarańczowa, obita materiałem w błękitne i złote paski, a kiedy usiadła na niej mama w swej sukience, zestawienie kolorów wystarczyło, by zaczęły mnie boleć oczy.

Burr i ja zajęliśmy miejsce obok niej, a Florence i Bruster przysiedli po przeciwnej stronie stolika na krzesłach z wysokimi oparciami i welwetową tapicerką. Florence natychmiast podskoczyła i wyszła, by przynieść wszystkim herbatę, a kiedy rozstawiła już szklanki, wróciła na swoje miejsce i siedzieliśmy, przyglądając się sobie w gęstniejącej mgle milczenia.

– Nie nosicie obrączek – odezwała się Florence.

– Wiem – odparłam. – Jak już mówiłam, wzięliśmy ślub wczoraj. Taki impuls chwili.

Poczułam, jak oblewa mnie rumieniec, i ukryłam twarz za szklanką. Herbata była tak przesłodzona, że po pierwszym łyku rozbolały mnie zęby. Na powierzchni, wśród kostek lodu, unosił się smutny listek mięty.

– Mam nadzieję, że przynajmniej jesteś baptystą – zwróciła się Florence do Burra.

– Tak, proszę pani – zapewnił Burr. – Mój ojciec za życia był pastorem w kościele, do którego uczęszczamy z Leną.

Na słowo „Lena" Florence uniosła wysoko brwi, ale otrząsnęła się szybko i dalej zawzięcie naciskała.

– Południowym baptystą?

– Południowy Kościół Baptystyczny nie jest szczególnie popularny w Chicago. Jesteśmy amerykańskimi baptystami.

– Sądzę, że moglibyście jakiś znaleźć, gdybyście poszukali – stwierdziła cierpko Florence. – Południowy Kościół Baptystyczny jest wszędzie.

– Szczególnie popularny – powiedziała moja matka z rozmarzeniem, naśladując ton głosu Burra.

Chwyciłam go za rękę.

– Czy planujecie mieć dzieci? – Bruster nachylił się w naszą stronę.

– Nie wiem. Nim zaczniemy tutaj dyskutować na ten temat, wolałbym najpierw omówić go z Leną na osobności.

Ścisnęłam dłoń Burra.

– Nie będzie to zbytnio uczciwe wobec nich, prawda? – ciągnął Bruster.

Burr ścisnął moją rękę tak samo mocno, choć nie byłam pewna, czy jest tego świadom.

– Przyjmijmy, że wolałem tego nie zrozumieć – odparł Burr. – To najbardziej uprzejma odpowiedź, zważywszy na okoliczności.

– Że co? – spytał wuj Bruster.

– Nie zrozumieć – odezwała się mama, wciąż próbując odtworzyć intonację Burra. – Okoliczności.

Ciotka Florence postanowiła interweniować.

– Sissy Mack z Fruiton ma córkę, która studiuje w Wisconsin, i ona tam znalazła Południowy Kościół Baptystyczny, wiesz, Arlene? – wtrąciła się do rozmowy.

– On naprawdę bardzo wytwornie mówi – powiedziała mama.

– Cóż, chodziło się do prawniczej szkółki – odrzekł Burr z ironią, unosząc brew. – Ja umieć teraz dobrze kłapać pyskiem.

Florence, Bruster i moja matka wlepili w niego spojrzenia, w których oburzenie mieszało się z kłopotliwym niedowierzaniem. Atmosfera zrobiła się tak gorąca, że nie byłabym wcale zdziwiona, widząc, jak wstrętne pomarańczowe zasłony stają w płomieniach. Duszne milczenie przeciągało się nieznośnie i kiedy już sięgało granic wytrzymałości, drzwi otworzyły się z trzaskiem. Wszyscy poderwaliśmy się wystraszeni.

– Arlene? Arlene? – usłyszałam wołanie Clarice i jej piękny głos wdarł się do wnętrza niczym rześki powiew. Dał się słyszeć tupot wielu stóp, a potem w drzwiach pojawiła się Clarice w towarzystwie dwóch roześmianych jasnowłosych chłopców i małej, tłuściutkiej dziewczynki, która siedziała okrakiem na jej biodrze. Bujna blond fryzura otaczała twarz Clarice, która zdawała się jak zawsze emanować blaskiem. Sama jej obecność podziałała na nas jak balsam.

Zerwałam się z miejsca, a ona rzuciła się w moją stronę, jakby chciała przelecieć nad stolikiem. Kiedy biegła, niemowlę na jej rękach zaczęło chichotać, a chłopcy kłusowali tuż za nią.

– Arlene, przyjechałaś! – Przytuliła mnie ze śmiechem. – Naprawdę przyjechałaś!

Z bliska widziałam, że w kącikach jej oczu pojawiają się pierwsze kurze łapki. Widziałam, że przybrała w biodrach po urodzeniu trójki dzieci, ale to nie miało znaczenia. Była wciąż tą samą Clarice.

– Arlene, popatrz, to Bud. – Pokazała w stronę drzwi, gdzie stał jej mąż i machał wszystkim na powitanie. – A nasze dzieci widziałaś tylko na zdjęciach. To jest Pete. Petey, uściskaj mocno ciocię Arlene. To nasz najstarszy, a ten łobuz to Davey Bud, a to nasza Francie. Masz, potrzymaj ją, czyż nie jest słodziutka?

Dziewczynka nie protestowała, kiedy brałam ją na ręce, objęła mnie w pasie tłuściutkimi nóżkami i poczułam na twarzy jej pachnący mlekiem oddech.

– Ba – powiedziała, dotykając mojego nosa.

– A ty jesteś mężem Arlene, prawda? – Clarice spojrzała na Burra.

– Tak – wyjaśniłam. – To jest Burr.

Burr wstał, a ona chwyciła go za obie dłonie i uśmiechając się szeroko, spojrzała mu w oczy.

– Nie mogłam się doczekać, kiedy poznam mężczyznę, któremu udało się dogonić naszą Arlene. Musisz być niezłym biegaczem!

– Tak – powiedział Burr. Widziałam, że jeszcze go nie opuścił kąśliwy nastrój. – Moi krewniacy słyną z tego, że są dobrymi sportowcami.

– Naprawdę? Więc ty i Bud na pewno się dogadacie. W jego rodzinie jest tak samo. Jeden z jego braci gra w futbol i studiuje na uczelni sportowej.

Burr obserwował jej twarz, wypatrując oznak cynizmu, i dostrzegłam jego zaskoczenie, kiedy się zorientował, że Clarice rozmawia z nim zupełnie szczerze.

W ciągu dwóch minut od wejścia Clarice przejęła nad wszystkimi całkowitą kontrolę. Zaczęła dyrygować, zwracając uwagę na najmniejsze szczegóły. Na jej polecenie chłopcy poszli z wujkiem Brusterem nakarmić kozy. Potem nakłoniła Florence, by wtajemniczyła mnie we wszystkie rodzinne ploteczki, a był to jedyny temat, który pozwalał odciągnąć ją od dążenia do doskonałości i rozważań na temat Południowego Kościoła Baptystycznego. Clarice przysiadła na oparciu sofy i starała się usilnie włączyć moją matkę do rozmowy, jednocześnie wyjaśniając Burrowi, kto jest kim, aby mógł nadążyć za historią nieudanej rekonstrukcji stawu biodrowego babki ciotecznej Idy albo najnowszego wybryku puszczalskiej kuzynki Cindy. Bud siedział na krześle, które zwolnił wuj Bruster, i przyglądał się swojej żonie z niemym uwielbieniem. Patrzył na nią tak samo jak wtedy, gdy była dziewczyną, której kupił lody w Baskin-Robbins.

Francie z uporem próbowała wepchnąć mi do nosa swój mały paluszek, Clarice wzięła ją więc ode mnie i posadziła na podłodze. Dziewczynka wstała, przytrzymując się stolika, i zaczęła dreptać wokół niego, chwiejąc się niepewnie. Gaworzyła sobie cichutko, podczas gdy ciotka Florence nie przestawała opowiadać. Po chwili usłyszeliśmy, że wuj Bruster i chłopcy zbliżają się do frontowych drzwi. Wszyscy trzej usadowili się przed telewizorem i z odgłosów domyśliłam się, że zaczęli oglądać jakieś kreskówki.

Ciotka Florence wstała i poszła przygotowywać kolację, a mama udała się w stronę bawialni. Clarice i ja urządziłyśmy Burrowi wycieczkę po domu. Jego przednia część miała układ amfilady. Frontowy hol prowadził do salonu, a przez niego szło się do jadalni, gdzie właśnie starszy syn Clarice, Pete, nakrywał dla nas wszystkich wielki stół. Z jadalni arkadowe przejście wiodło do kuchni, a stamtąd tylnymi drzwiami można było wyjść wprost na wiatę dla samochodów. Ciotka Florence przyglądała nam się z chłodną i tajemniczą miną, kiedy obok niej przechodziliśmy.

W kuchni stał narożnik, przy którym jadało się śniadania, a obok niego znajdowały się wahadłowe drzwi prowadzące do bawialni. Wuj Bruster namówił młodszego z wnuków, by zmienił kanał, i w telewizji leciał mecz baseballa. Mama usiadła w kącie na fotelu. Miała półprzymknięte oczy i zwiotczałe, obwisłe usta. Bud przyłączył się do synów i razem z nimi oglądał mecz. Clarice syknęła do niego.

– Kochanie, przynieś ich rzeczy z samochodu – powiedziała. – Na pewno są wyczerpani.

– Sekundę. Jest dwa do dwóch – odparł Bud.

Clarice pokręciła głową z udawaną rezygnacją.

– No to weź dziecko na minutę. – Wręczyła mu Francie.

Wyszliśmy z bawialni i idąc holem, zatrzymywaliśmy się, by popatrzeć na rodzinne fotografie, którymi ciotka Florence przystroiła ścianę.

– Czy to ty? – Burr wskazał palcem na zdjęcie.

– Tak, a to mój tata. A tak wyglądała wtedy mama. Mama mówi, że będąc dzieckiem, wyglądałam jak czystej krwi Fleet. Nie mogła się we mnie dopatrzyć ani śladu Bentów.

Obydwoje z ojcem byliśmy niscy, żylaści i mieliśmy ciemne włosy. Wpatrywaliśmy się poważnie w obiektyw, robiąc identyczne, powściągliwe miny. Niemalże zanikaliśmy pod nawałem otaczających nas wysokich, jasnowłosych Bentów i Lukeyów. Mama stała po drugiej stronie ojca, piękna i krągła, trzymając go za ramię. Uśmiechała się do niego szeroko i nie zwracała uwagi na aparat.

Drzwi do pokoju, który dzieliłam z Clarice, były zamknięte. Minęliśmy je, podążając za rzędem zdjęć, na których Clarice pokazywała nam ludzi zaproszonych na przyjęcie pożegnalne wuja Brustera.

– Nie jestem pewna, czy przyjdziemy – powiedziałam, ale Clarice nie zwróciła na to uwagi, prowadząc Burra wzdłuż ściany.

Przystanęliśmy obok drzwi do pokoju ciotki Florence, na końcu hoiu, by obejrzeć ostatnie zdjęcie prababki ciotecznej Mag. Zmarszczki wokół jej ust były brązowe od tabaki.

– To pokój mamy i taty, a obok śpi mama Arlene – wyjaśniła Clarice. – Myślę, że Bud powinien tam wnieść wasze rzeczy. Arlene, twoja mama może spać w naszym starym pokoju.

Weszliśmy do sypialni mamy. Nic się w niej nie zmieniło. Żadne obrazy nie ożywiały nudnego bezmiaru białych ścian, a toaletka bez lustra stała markotnie obok szafy. Podwójne łóżko było zaścielone. Starannie zawinięte pod materac prześcieradło było śladem troskliwej ręki ciotki Florence. Drzwi szafy były zamknięte, a obok starego wyściełanego fotela na biegunach, który kiedyś należał do nieżyjącej już ciotki Niner, stał na podłodze kosz z czasopismami. Gdyby mały stolik nocny nie był zarzucony wymiętymi chusteczkami, wśród których stała opróżniona do połowy szklanka wody, nikt by się nie domyślił, że ktoś mieszka w tym pokoju.

– Gdzie jest wasz stary pokój? – zapytał Burr.

– Na początku holu – odpowiedziałam. – Za łazienką.

– Te drzwi obok bawialni? – upewnił się, a kiedy przytaknęłam, dodał: – Wprowadźmy się tam.

– Ale tam nie ma podwójnego łóżka – odezwała się Clarice.

– Upchniemy się bez problemu – powiedział Burr.

– Nie chcemy przenosić mamy – wtrąciłam równocześnie.

– W porządku. – Clarice wzruszyła ramionami. – Jeśli kiedykolwiek zdołam oderwać Buda od tego meczu, każę mu tam zanieść wasze bagaże.

– Ja zaniosę – powiedział Burr i wyszedł do holu.

Clarice chciała iść za nim, ale powstrzymałam ją, kładąc jej rękę na ramieniu.

– Muszę cię o coś spytać – odezwałam się, kiedy Burr zniknął za rogiem. – Kontaktowała się z tobą Rose Mae Lolley? Z liceum, pamiętasz?

– Nie. Ze mną nie. Bud z nią rozmawiał. Mówił, że do nas dzwoniła.

– Co Bud jej powiedział? – zapytałam odrobinę natarczywiej, niż miałam zamiar. – Wiesz coś o tym?

– Niespecjalnie. Wiesz, jacy są faceci. Nie potrafią powtórzyć rozmowy słowo w słowo. Streszczą ci wszystko w jednym zdaniu, jakby ważniejsze było koszenie trawnika. – Clarice zmarszczyła brwi zaniepokojona. Ściskałam jej ramię trochę za mocno. – Pomyślałam, że pewnie chodziło jej o zjazd absolwentów. Mija właśnie dziesięć lat. Wiem, że Bud podał jej twój adres. – Clarice dotknęła mojej dłoni. – Arlene, jej chodziło o zjazd, prawda? Rose Mae Lolley nie... – zamilkła i powtórzyła po chwili: – Jej chodziło o zjazd, prawda?

Nie chciałam jej okłamywać.

– Clarice, jej klasa skończyła dwa lata przed nami – powiedziałam.

Clarice uwolniła się z mojego uścisku. Skrzyżowała ramiona i wbiła wzrok w podłogę.

– Powinnam była do ciebie zadzwonić. Ostrzec cię. Nie myślałam o tym w ten sposób, kiedy Bud powiedział mi, że ona dzwoniła.

Nie zamierzałam drążyć z nią tego tematu, ale patrząc na jej pobladłą twarz, zrozumiałam, że nie ma już szans, by potraktować go swobodnie.

– Nie powiedziałaś Budowi? – zapytałam. – Och nie, jasne, że nie, bo gdybyś to zrobiła, on nigdy nie powiedziałby Rose Mae, jak mnie znaleźć.

Clarice z trudem przełknęła ślinę.

– Nie powiedziałam nikomu, Arlene. Ustaliłyśmy, że to się nigdy nie wydarzyło. – Podniosła na mnie wzrok, po czym dodała: – Nie patrz tak na mnie. Idę o zakład, że Burr też nic nie wie.

– Ale Bud jest twoim mężem, Clarice.

– A Burr jest twoim mężem – zripostowała.

– Niezupełnie – wyrwało mi się samo.

– O mój Boże! – krzyknęła Clarice. – Arlene, co tu się, psiakrew, dzieje? Co ty wyprawiasz? Dlaczego w ten sposób? Czy przy tobie nic nie może być normalnie, po kolei?

– Mów ciszej – syknęłam. – Powiem Burrowi. I pobieramy się. Już niebawem. Natychmiast. To jest już niemal prawda.

Clarice zaczęła szybciej oddychać i bezwiednie kręciła obrączką jak ciotka Florence w chwilach wzburzenia. Otworzyłam usta, żeby jeszcze coś powiedzieć, ale ona dała mi ledwie dostrzegalny znak głową i spojrzała ponad moim ramieniem w głąb holu.

Obejrzałam się. Na końcu holu stała ciotka Florence i trzymała moje walizki.

– Wszyscy mężczyźni w tym domu oglądają mecz – zawołała.

– Jeszcze nie skończyłam – szepnęła Clarice, kiedy odwracałam się, by pomóc Flo.

Ciotka Florence otworzyła drzwi i weszła do naszego starego pokoju, ja za nią, a Clarice przystanęła w drzwiach.

– O mój Boże – powiedziałam.

Część pokoju, którą zajmowała Clarice, wyglądała tak samo jak zawsze. Pan Królik, jej ukochana maskotka z dzieciństwa, siedział na wersalce, którą wciąż okrywała jasnozielona, kraciasta narzuta. Na półkach wciąż stały jej sportowe trofea i szkolne pamiątki, a z biurka nie zniknęły podpórki do książek w kształcie końskich głów, między którymi znajdowało się kilka starych książek Trixie Belden. Stokrotki przyklejone do zielonej lampy wyblakły, ale nikt ich nie oderwał.

Mojej połowy pokoju nie było. Przepadła bez śladu. Miejsce mojego biurka zajęła staroświecka umywalka, a tam, gdzie kiedyś było łóżko, stała maszyna do szycia ciotki Florence. Reszta należącej kiedyś do mnie przestrzeni została całkowicie spustoszona i ogołocona ze wszystkiego. Stało się dokładnie to samo, co ciotka zrobiła z pokojem Wayne'a, tyle że Wayne był martwy, a ja wciąż oddychałam.

Nie zostawiła żadnego śladu po mnie, niczego, co świadczyłoby, że kiedykolwiek tu mieszkałam. Moje książki zniknęły. Flo mogła mi je wysłać. I tę głupią wypchaną pandę, z którą spałam, będąc dzieckiem, ją też mogła mi wysłać. Zniknął stary domek dla lalek, w którym mieszkała rodzina Minkusów. Zniknął mój dyplom ukończenia szkoły oprawiony w tandetną ramkę z Wal-Martu. Mój klarnet. Moje pluszowe zwierzaki. Klasowa księga pamiątkowa zapełniona jedynie pospiesznymi gryzmołami zażenowanych chłopców, ponieważ z wyjątkiem Clarice wszystkie dziewczęta odmówiły złożenia podpisów. Wszystko przepadło. Florence zastosowała taktykę spalonej ziemi, moja część pokoju została więc opróżniona i tak wyskrobana do czysta, że nie miał prawa uchować się nawet pyłek. Zszokowana patrzyłam na Flo. Clarice stała w milczeniu za moimi plecami.

Florence położyła bagaże i spojrzała na mnie tępym wzrokiem.

– Co jest? – odezwała się. – Przecież z niego nie korzystałaś.

Rozdział 10

Dzień po tym, jak zabiłam Jima Beverly'ego, ocknęłam się tuż przed świtem. Straciłam przytomność na podwórku przed domem i leżałam wciśnięta między krzewy hortensji, tuż pod frontową ścianą. Clarice klęczała obok mnie i szeptem powtarzała moje imię. Miała na sobie jednoczęściową piżamę i chociaż było ciepło, cała się trzęsła. Zauważyłam, że okno naszej sypialni jest otwarte.

– Czekałam na ciebie całą wieczność – powiedziała. – Chyba zasnęłam. A kiedy wyszłam, żeby popatrzeć na drogę, zobaczyłam twoje nogi wystające z krzaków. O Panie Przenajświętszy, musimy cię stąd zabrać, zanim ktoś z sąsiadów zobaczy albo, uchowaj Boże, przyjedzie ten głupi roznosiciel gazet. O Boże, ale czuć od ciebie, jakbyś piła.

Czułam lepkość w ustach, jak gdyby pająki zasnuły je swoją siecią, kiedy spałam na grządce. W dłoni poczułam coś twardego i zdałam sobie sprawę, że wciąż ściskam szyjkę butelki po tequili. Kiedy usiadłam, świat zawirował, a żołądek podjechał mi do gardła.

– Arlene, no już – powiedziała Clarice natarczywym tonem. Przestała mnie tarmosić i przetarła zaspane oczy, a potem dotknęła mojego policzka. Spałam, leżąc twarzą w gliniastej ziemi, która sypała mi się na ubranie, kiedy

Clarice mnie czyściła. – Jeżeli mama poczuje, z miejsca masz przerąbane.

Złapała mnie za ramię i pół idąc, pół pełznąc, dotarłam do otwartego okna. Tam przystanęłyśmy i Clarice zaczęła otrzepywać mnie rękami, aby strząsnąć z mojego ubrania jak najwięcej ziemi. Potem złapała mnie z tyłu i podparła, a ja uniosłam tułów nad parapet, nachyliłam się do środka i wylądowałam obok biurka Clarice. Z trudem wróciłam do pionu, resztką sił powstrzymując wymioty. Clarice została na zewnątrz, by zamknąć okno i z powrotem założyć moskitierę.

Siedziałam na podłodze i pragnęłam umrzeć. Słyszałam, jak Clarice skrada się po domu. Po cichu wślizgnęła się do naszego pokoju i delikatnie zamknęła drzwi.

– Nie mów, że to butelka po alkoholu – powiedziała. – Mocny alkohol? Nie potrafiłaś nawet przełknąć piwa.

Clarice wyrwała mi narzędzie zbrodni. Próbowałam zacisnąć dłoń na butelce, ale nie mogłam zewrzeć palców. Patrzyłam, jak Clarice trzyma ją w rękach, ale byłam zbyt zamroczona, by zrozumieć, dlaczego tak mnie to niepokoi. Przestało, kiedy wsunęła butelkę pod łóżko, a przez myśl przemknęły mi słowa „odciski palców" i zdałam sobie sprawę, że nie powinna jej dotykać.

– Weź prysznic, tak zimny, jak tylko możesz wytrzymać – wyszeptała Clarice. – No idź. A jeżeli musisz rzygać, to, na litość boską, cicho.

Zrobiłam, jak mi kazała. Stanęłam pod strumieniem lodowatej wody, a po chwili opadłam na kolana i zwymiotowałam. Kiedy znów mogłam oddychać, kucnęłam, pozwalając, by zimna woda obmywała moją obolałą głowę. Nasączony tequilą mózg zaczynał dochodzić do siebie i wysyłać bezładne sygnały. Jeżeli właśnie popełniło się morderstwo, nie należy od razu wypijać jednej trzeciej butelki meksykańskiej tequili. Zwłaszcza gdy nie nawykło się do picia. Zaraz po dokonaniu zabójstwa trzeba zachować jasność umysłu.

„Zabiłaś kogoś" – odezwał się mój mózg.

Potrząsnęłam mocno głową, a świat zawirował akurat na tyle, by odrzucić tę świadomość. Nie mogłam teraz o tym myśleć. W ogóle nie mogłam o tym myśleć.

„No dobra – mózg nie dawał mi spokoju. – A co będzie, jeżeli ktoś to odkryje?".

Musiałam o tym pomyśleć. Samochód Jima Beverly'ego stał u podstawy wzgórza, a sam Jim Beverly leżał gdzieś po drugiej stronie tego samego wzgórza. Jeżeli ktoś znajdzie samochód, znajdzie również ciało.

Uczepiłam się absurdalnego pomysłu, że jeśli ktoś znajdzie ciało, może pomyśleć, że Jim spadł po pijanemu z urwiska i rozbił sobie głowę o jakiś korzeń zbliżony kształtem do butelki tequili. Wystawiłam twarz do prysznica w nadziei, że zimna woda rozjaśni mój umysł.

„Zabiłaś kogoś – myśl powracała nieustępliwie. – Ktoś tam teraz leży martwy".

– Cisza – powiedziałam na głos.

Musiałam coś z nim zrobić. Nie, nie z „nim". Lepiej było nie myśleć w ten sposób. Ten zaimek sprawił, że chciało mi się płakać i znieruchomiałam na dnie wanny. Musiałam przenieść ciało. Musiałam wrócić na wzgórze pod osłoną nocy i gdzieś je zabrać. Musiałam je pochować, albo nie, mogłam wrzucić je do zalanego kamieniołomu. W Alabamie były gdzieniegdzie kamieniołomy. Musiałam znaleźć jeden, ukraść samochód, zawieźć tam ciało, przytroczyć do niego kamienie i wrzucić do wody.

„Halo. Martwy człowiek. – Myśl znów mnie nawiedziła. – Zabity przez ciebie".

186

– Dobrze – powiedziałam na głos. – I bardzo mnie to cieszy, więc się zamknij.

Znów przysiadłam w bezruchu, słysząc własny głos, który mówi z tak silnym przekonaniem. W pewnym stopniu byłam zadowolona i było to chyba gorsze niż sam czyn. Ale równocześnie na tyle odległe, że mogłam zdecydować, którym szamponem mam umyć włosy.

Odrażająca satysfakcja zmagała się z grozą, ale gdzieś daleko ode mnie, za grubym murem alkoholowego zamroczenia i przestrachu.

– Przykro mi? – zapytałam na głos i doznałam ulgi, że gdzieś w głębi niezdrowego odrętwienia, które mną owładnęło, zrobiło mi się przykro. Nie wiedziałam, co weźmie górę, zadowolenie czy skrucha, ale wiedziałam za to, że nie jest mi na tyle przykro, by spędzić resztę życia w więzieniu, skoro mogłam coś na to zaradzić. Problem polegał na tym, że nie sądziłam, abym mogła coś na to zaradzić.

Wiedziałam, że nie zdołam przenieść ciała. Nie miałam po prostu na tyle siły, by wywlec z Krainy Karaluchów ponad siedemdziesiąt kilogramów nieżywej masy. Pnącza mogły je opłątać i trzymać. Było pod górę. Ostatniej nocy mogłam poruszyć ciało, dopiero zapierając się i odpychając je stopami. A poza tym nie leżało ono na otwartej przestrzeni. Na pewno nie dałabym rady zejść w sam środek gęsty i wytargać go pod górę. Ktoś musiałby mi pomóc.

Bud uczyniłby to z łatwością, ale nie łudziłam się, że nawet jako chłopak mojej kuzynki wykaże się tak dalece posuniętą lojalnością, aby dźwigać zwłoki. Może pomogłaby Clarice, gdybyśmy spróbowały zrobić to razem. Była wysoka i silna, jak przystało na wysportowaną cheerleaderkę. Ale jak zaoponował nie bez złośliwej uciechy mój obolały mózg, Clarice zdecydowanie sprzeciwiała się wszelkiego rodzaju zbrodniom.

Prawda była taka, pomyślałam, wstając, by odkręcić ciepłą wodę, że nie mogłam nic zrobić. Mogłam jedynie mieć nadzieję, że jeśli go znajdą, nie odkryją niczego, co prowadziłoby do mnie. Próbowałam wszystko dokładnie przemyśleć. Barry obserwował mnie, dopóki nie wsiadłam do samochodu Buda. Bud zostawił mnie w towarzystwie Clarice. Clarice kryła mnie przed rodzicami. Jeżeli Clarice zachowa milczenie, jeżeli nikt nie widział, jak zakradałam się na wzgórze, ani potem, pijanej i chwiejnym krokiem wracającej do domu, albo jeszcze później, leżącej wśród krzewów hortensji bez zmysłów Bóg wie ile godzin... Nie było sensu podążać za takim tokiem myślenia. Powinnam siąść na tyłku i żyć nadzieją, że nikt go nie znajdzie. Kiedy go znajdą, wszystko się wyda i będzie jedynie kwestią czasu, aż znajdą mnie.

Zaczęłam się modlić, szczerze i żarliwie.

– Proszę Cię, Boże. Wiem, że nie pochwalasz tego wszystkiego i jest to straszliwy grzech, no dobrze, to chyba najgorszy grzech, ale proszę, błagam Cię, Boże, nie pozwól, by ktoś go znalazł.

Wstałam i zaczęłam się myć, spłukując z siebie mdły zapach tequili i zanosząc błagania do Boga. Tarłam się zawzięcie szorstką gąbką Clarice, dopóki nie poczułam, że moja skóra jest złuszczona i wyszorowana. Umyłam włosy należącym do Clarice drogocennym szamponem Raspberry Essence zamiast moim Johnson&Johnson, który prawie nie miał zapachu. Przez cały czas składałam Bogu hojne obietnice, po cichu, ale tak gorliwie, że poruszałam ustami.

– Och, Boże, drogi Boże, skończę te wszystkie bezeceństwa z chłopcami, nie będę już więcej cudzołożyć, a jeśli pomożesz mi, Panie, już nigdy więcej nie skłamię. Będę miała najlepsze oceny, opuszczę to miasto i nigdy nie wrócę, nawet się nie obejrzę, tylko proszę Cię, Boże, spraw, żeby go nie znaleźli.

Wyszłam spod prysznica i zaczęłam się wycierać. Kiedy się kąpałam, Clarice musiała na chwilę wejść do łazienki. Moje zabrudzone i śmierdzące ubrania zniknęły, a na pokrywie sedesu leżała para czystych majtek i świeża piżama.

Zaczynałam rozumieć, co Paweł miał na myśli, kiedy kazał Tesaloniczanom „modlić się bez ustanku". Kiedy się ubierałam, kiedy łupało mnie w głowie, kiedy czułam ucisk w żołądku, a moje wnętrzności skręcały się i wywracały na lewą stronę, gdzieś głęboko w środku płynął nieprzerwany strumień błagalnych obietnic kierowanych do Boga.

Zatrzymałam się pod drzwiami łazienki, nasłuchując. Mamą się nie przejmowałam. Nie obchodziło jej, co robię. Wuj Bruster miał tak twardy sen, że gdybym wjechała ciężarówką do salonu, może przewróciłby się na drugi bok, i to gdyby akurat spał szczególnie lekko. Za to ciotka Florence była nieprzewidywalna. Z jej pokoju nie dochodziły żadne odgłosy. Idąc tak cicho, jak tylko się dało, wróciłam do naszego pokoju.

Clarice siedziała na swoim łóżku owinięta w pasie kołdrą. Światło było zgaszone, ale widziałam ją wyraźnie w mdłej poświacie, jaka wpadała przez okno.

Rozścieliła moje łóżko. Zadała sobie trud, by ułożyć w nim górkę z narzut tak, że gdyby Florence zajrzała w nocy do pokoju, istniała nikła szansa, iż nie zostałabym zdemaskowana. Zrzuciłam narzuty na podłogę i pełna wdzięczności wczołgałam się pod kołdrę. W głębi mojego umysłu wciąż przelewał się monotonny strumień zalęknionych modłów, ale moje ciało było zbyt spustoszone, bym mogła poczuć taki strach, jaki powinnam.

Słyszałam oddech Clarice, szybki i urywany. Prawie nie mogła złapać tchu.

– Przepraszam – powiedziałam, wiedząc, że to za mało.

– Gdzie byłaś? – wyszeptała Clarice surowo. – Odchodziłam od zmysłów, a ty włóczysz się i upijasz do nieprzytomności? Co się stało? Widziałaś go? Udał się twój plan? Co się stało?

W głowie zaroiło mi się od kilkudziesięciu wytrawnych kłamstw i już otwierałam usta, by je wypuścić, ale natychmiast zamilkłam. Dziesięć minut wcześniej pod prysznicem obiecałam Bogu, że nigdy więcej nie skłamię, jeżeli On mi pomoże.

– Arlene – syknęła Clarice. – Wiem, że jesteś zmęczona i sponiewierana, ale nie zaśniesz, dopóki mi nie powiesz, co się stało.

Mówiłam wolno, przed wypowiedzeniem każdego słowa sprawdzając jego prawdziwość.

– Kiedy byłam w połowie drogi na szczyt wzgórza, tamta dziewczyna, ta z pierwszej klasy, już stamtąd wracała.

To była prawda.

– Wszystko z nią było w porządku? – wyszeptała Clarice.

– Zdaje się, że tak. Chociaż była wkurzona. Był dla niej grubiański. W każdym razie poszłam na górę.

– Po co, na litość boską?

– Nie wiem.

To też była prawda.

– Siedział plecami do mnie na skraju urwiska i był tak pijany, że nie sądzę, by dał radę wstać. A za nim stała butelka tequili.

Przerwałam, by poskładać w całość drugą część historii i przedłożyć Bogu modlitwę wyjaśniającą. Powiedziałam Mu, że zatajenie czegoś nie jest równoznaczne z kłamstwem. Przez okno nie wpadł grom, by spalić mnie na miejscu, uznałam więc, że Bóg się zgadza.

– Podkradłam się do niego, tak żeby mnie nie usłyszał – mówiłam dalej. – Zakręciłam tę jego butelkę i wzięłam ją ze sobą. Popijałam sobie przez całą drogę do domu.

Wszystko to była prawda.

– Nie zorientował się, że tam jesteś?

– Nie – odparłam. – Był bardzo pijany i głośno śpiewał.

W słabym świetle dostrzegłam biały błysk jej zębów. Clarice uśmiechała się do mnie tak jak kiedyś, zanim zaczęłam robić to ze wszystkimi chłopakami, co tak ją złościło.

– Brawo – powiedziała. – Założę się, że macał dokoła, szukając tej tequili, i nie miał pojęcia, co się dzieje. Pewnie łaził na czworakach i szukał jej przez pół godziny. Ale go urządziłaś, Arlene. Naprawdę wycięłaś mu niezły numer. – Kiedy mówiła, jej uśmiech zaniknął, a głos nagle przybrał na sile i zaczął się załamywać. – Ten głupi skurwiel. Ten głupi, przeklęty skurwiel. Tak się o ciebie bałam.

Rozpłakała się.

Wyskoczyłam z łóżka i zrobiłam pięć chwiejnych kroków w jej stronę. Świat uciekał mi spod nóg.

– Posuń się – powiedziałam, wślizgując się pod kołdrę obok niej. Musiałam mówić ostrożnie i powoli, by mieć pewność, że nie skłamię. – Nie płacz, Clarice. Wiem, że zabierając tę butelkę, nie odpłaciłam mu się za to, co zrobił. Jest... był skurwielem. Pamiętam. Powtarzamy, że to się nie wydarzyło, ale obie pamiętamy. Omal mnie nie zabił. Butelka nie jest ważna. Liczy się tylko tamta dziewczyna. Wróciła stamtąd bezpiecznie.

Clarice przytaknęła, pociągając nosem.

– I przestań chlipać, bo przyjdzie tu ciocia Florence jak gniew boży i będzie chciała wiedzieć, co się dzieje.

– Myślę, że mama wyszła już do ogrodu – stwierdziła Clarice. – Jest sobota. Musiała wyjść tylnymi drzwiami, kiedy ty właziłaś przez okno, a ja byłam jeszcze na zewnątrz. Inaczej już by nas nakryła.

Zaczynałam tracić świadomość, wróciłam więc do swojego łóżka. Oczy same mi się zamykały, ale byłam jeszcze na tyle przytomna, by powiedzieć:

– Clarice? Jeszcze jedno. Nie opowiadaj o tym. Nie chodzi mi tylko o twoją mamę. Nie mów nikomu. Nie chcę, żeby ktokolwiek wiedział, że tam poszłam, zabrałam mu butelkę, że się upiłam i w ogóle, dobrze? Udawajmy, jakbym wróciła z tobą do domu.

Czułam się chora i śpiąca, a każde uderzenie serca tłukło się w mojej głowie.

– Nikomu bym nie powiedziała – zapewniła Clarice. – Och, tylko powiedziałam już Budowi.

Usiadłam tak gwałtownie, że pokój aż zawirował, a ja omal nie zwymiotowałam.

– Co? Dlaczego? – spytałam, kiedy odzyskałam już oddech i mogłam mówić.

– Nie wracałaś do domu. Chciałam, żeby Bud poszedł cię poszukać, i zadzwoniłam do niego. Wiesz, że mama założyła mu osobny telefon w pokoju, nie obudziłam więc jego starych. Przypomniał mi, że zabrałam jego samochód, dlatego nie mógł wyruszyć na poszukiwania. Mieliśmy cię szukać dziś rano, gdybyś nie wróciła.

Opadłam z powrotem na łóżko. Ściskało mnie w żołądku.

– Powiedziałaś mu, dokąd poszłam? – zapytałam. – Albo co robiłam?

– Nie, tego nie wie. To znaczy nie wie o Jimie Beverlym ani o tym, co się stało w zeszłym roku. Ale powiedziałam mu, że poszłaś na wzgórze, i mogłam też powiedzieć, kto tam był albo... Nie pamiętam dokładnie. Tak bardzo się bałam. Poproszę go, żeby nikomu nie mówił. Jeżeli to kiedykolwiek wyjdzie, powiemy, że pożyczyłam samochód Buda i odwiozłam cię do domu po randce z Barrym, bo zrobiło ci się niedobrze. I powiem Budowi, że się upiłaś i jest ci przez to głupio, dlatego ma trzymać język za zębami, albo dostaniesz szlaban na wieki.

– Nie zapomnij powiedzieć Budowi, żeby trzymał się tej wersji.

Wydawało mi się, że zamknęłam oczy na nie dłużej niż minutę, kiedy przeraźliwy hałas wdarł się do mojej skołatanej głowy.

– Wstawaj, wstawaj, panienko! – krzyczał wuj Bruster za drzwiami. – Ciocia Flo kończy robić śniadanie i wszyscy na ciebie czekamy.

Jęknęłam. Łóżko Clarice było już zaścielone, a zegar pokazywał wpół do dziewiątej. Ciotka Florence przerwała pracę w ogrodzie, żeby przygotować nasze tradycyjne sobotnie śniadanie. Po jedzeniu czekały nas różne prace domowe. Pomyślałam, że pewnie przy nich skonam, i miałam nadzieję, że stanie się to, zanim policja przyjedzie mnie aresztować.

Kiedy nie mieliśmy gości, zawsze jadaliśmy w kuchni. Wuj Bruster ukrył się za płachtą gazety, a obok niego mama oddzielała białko od smażonego jajka i ukrywała je w serwetce. Nienaruszone żółtko otoczyła płatkami, które zrobiła z połamanych kawałków herbatnika. Kiedy weszłam do kuchni, siedząca naprzeciw mamy Clarice powitała mnie przelotnym spojrzeniem, z jej miny wyczytałam, że wyglądam równie okropnie, jak się czuję. Usiadłam obok niej, plecami do ciotki Flo, która smażyła jajka na bekonie.

Półmisek wypełniony lśniącymi plastrami bekonu wydzielał ohydną woń. Patrzyłam ze zgrozą, jak wuj Bruster sięga po omacku i bierze kawałek, który znikał za gazetą. Dobiegał stamtąd gromki odgłos chrupania. Miałam ochotę wejść pod stół i zwymiotować, a najchętniej zadławić się na śmierć własnymi rzygowinami. Florence podeszła do stołu i zsunęła na mój talerz dwa jajka wysmażone tak mocno, że były niemal kruche. Jajka gapiły się na mnie nienawistnie, wilgotne i połyskujące od kropelek tłuszczu. Wpatrywałam się w nie z taką samą wrogością.

Uniosłam wzrok. Ciotka Florence wciąż stała nade mną, przyglądając mi się podejrzliwie. Pospiesznie złapałam widelec i zaczęłam przeżuwać jajko, jednak ciotka ani drgnęła, tylko patrzyła, jak jem. Znała objawy kaca, ale nie widziała ich jeszcze u mnie ani u swojej córki. Przypuszczalnie biła się z myślami, usiłując rozpoznać moją dolegliwość.

– Mamo – odezwała się Clarice – czy ja i Arlene mamy dzisiaj pielić truskawki? Albo czy coś innego jest do zrobienia? Bo chciałabym już zacząć. Umówiłam się z Budem, że przyjdę na jego trening.

Florence nie dała zbić się z tropu.

– Arlene, jesteś chora? – zapytała.

Nie odpowiedziałam. Właśnie obiecałam Bogu po raz siedemsetny, że już nigdy więcej nie skłamię.

– Tak – szybko zareagowała Clarice. – Jest bardzo chora. Ostatniej nocy Bud pojechał na bilard z Clintem, a ja wzięłam jego samochód i zabrałam ją do domu. W szkole szaleje straszna grypa żołądkowa i ona musiała się zarazić.

– Mizernie wyglądasz, panienko. – Wuj Bruster wyjrzał zza gazety.

Opuściłam głowę, dziobiąc jajko widelcem i nie przestając się modlić.

Ciotka Florence odeszła i poczułam, jakby opadł ciężar, który przygniatał mi brzuch. Z ulgą opuściłam widelec, ale po chwili znów zaczęłam jeść, bo Florence wróciła.

– Wypij to. – Postawiła lodowatą puszkę coli obok mojej szklanki z sokiem. – To uspokoi twój żołądek. Zrobię ci kilka suchych grzanek, a potem położysz się do łóżka. Bruster musi załatwić parę spraw, a ja mam dużo pracy w ogrodzie. Dasz sobie radę sama czy wolisz, żeby ktoś przy tobie posiedział?

– Poradzę sobie.

– No to świetnie – powiedziała Florence. – Clarice, możesz iść spotkać się z Budem po śniadaniu. Truskawki wyplewicie któregoś popołudnia, kiedy Arlene poczuje się lepiej.

– Biedne dziecko – rozczuliła się matka, sięgając po kawałek bekonu, by zrobionej z jajka stokrotce przyprawić łodygę. – Złapałaś to od jakiegoś chłopca?

Uniosłam na nią pusty wzrok, a wtedy Clarice rozszczebiotała się wspaniałomyślnie, zalewając wszystkich strumieniem bezsensownej paplaniny. Pociągnęłam łyk cudownie orzeźwiającej coli i powstrzymałam się, by nie przyłożyć zimnej puszki do mojej obolałej głowy.

– Zjedz. – Ciotka Florence podała mi grzankę. – To ci pomoże.

Po śniadaniu wróciłam do łóżka, ale długo nie mogłam zasnąć. Patrzyłam na łóżko Clarice i modliłam się bez przerwy. Byłam wychowywana w przekonaniu, że wiara potrafi przenosić góry, jeżeli tylko ma się wiarę jak ziarno gorczycy.

– Do cholery z górami – wyszeptałam do Boga. – Potrzebuję przenieść ciało.

Rozdział 11

Podczas kolacji Clarice trzymała wszystkich w ryzach, nie pozwalając nikomu wyłamać się z wesołej rozmowy o niczym, ale w końcu musiała wyjść, żeby położyć dzieci spać. Wtedy to zaczęła się prawdziwa zabawa w kotka i myszkę. Florence chciała zdybać mnie na osobności, ale Burr i ja nie odstępowaliśmy siebie na krok. Nawet kiedy Burr poszedł wynieść śmieci, musiałam iść z nim, aby mu pokazać, gdzie jest kontener. Stał koło mnie w kuchni, kiedy myłam naczynia, i wycierał je do sucha. Florence powiedziała mu, żeby zostawił naczynia kobietom, i chciała zagonić go do oglądania telewizji z Brusterem.

– Prawdziwi mężczyźni nie boją się prac domowych – oznajmił Burr, a Florence omal nie posłała mi pełnego aprobaty spojrzenia, ale powstrzymała się w porę, gdyż przypomniała sobie, że Burr jest czarny, a do tego zawadza jej w śledztwie. Powiedziała mu więc, że naczyń nie trzeba wycierać, bo mogą same wyschnąć na ociekaczu.

– W porządku – odparł Burr. – Będę więc płukał. Zrób mi miejsce, kochanie.

Schylił się i naparł na mnie biodrem. Podawałam mu każdy wyszorowany talerz, a on płukał go z wyszukaną starannością, a stał tak blisko, że próbując coś zrobić, wciąż trącaliśmy się łokciami. Było to tak wymowne, jakby posmarował się żywicą i przykleił mnie do swojej nogi.

Florence na moment dała za wygraną i usiadła przy kuchennym stole, wyczekując stosownego momentu. Zerknęłam za siebie i zobaczyłam, że niezłomnie mierzy mnie wzrokiem, bezskutecznie ukrywając napięcie za wystudiowanym spokojem.

Burr i ja poskarżyliśmy się na męczącą podróż i poszliśmy do dawnej sypialni Clarice zaraz po tym, jak Bruster udał się na spoczynek. Wuj Bruster zgodnie z wieloletnim nawykiem chodził spać z kurami. Mama została w bawialni i drzemała na fotelu. Florence już podała jej wieczorną dawkę pigułek i z powrotem zamknęła kredens, w którym trzymała leki. Cmoknęłam mamę w policzek i szeptem życzyłam jej dobrej nocy. Nie zareagowała. Miała na wpół otwarte oczy, ale widać było tylko białka. Florence patrzyła za nami w milczeniu, gdy szliśmy przez hol do sypialni.

Poszłam pierwsza do łazienki, wyszorowałam zęby i umyłam twarz. Potem moje miejsce zajął Burr, a ja przebrałam się w pokoju Clarice. Właśnie wciągałam przez głowę koszulę nocną, kiedy usłyszałam, jak Florence stuka do drzwi.

– Nie jestem jeszcze gotowa – powiedziałam, co pod wieloma względami odpowiadało prawdzie, chociaż byłam kompletnie ubrana.

– Tylko mówię dobranoc – dobiegło zza drzwi. – Kładę spać twoją mamę.

– Dobranoc, mamo, dobranoc, ciociu Flo – zawołałam serdecznie. Mama mruknęła coś w odpowiedzi i usłyszałam słowa Florence: – Idziemy, Gladys.

Stanęłam przy drzwiach i przyłożyłam do nich ucho, nasłuchując, jak kroki Florence niczym perkusja rytmicznie współgrają z szurającym chodem mamy. Położyłam się w łóżku Clarice i podciągnęłam sobie kołdrę pod samą brodę. Florence weszła z mamą do jej sypialni. Ściany były tak cienkie, że pomimo oddzielającej nas łazienki słyszałam kaszel mamy przypominający ostre poszczekiwanie tresowanej foki.

Po kilku minutach wrócił Burr. Miał na sobie ten sam podkoszulek i spodnie od piżamy w homary, które włożył na chwilę w hotelu.

– Woda ma tutaj śmieszny smak – stwierdził.

Ściągnął podkoszulek, wszedł na łóżko i wczołgał się pod kołdrę, by zająć miejsce przy ścianie. Był to dla mnie niezwykły widok, kiedy tak leżał półnagi obok mnie w łóżku. Spotykaliśmy się od dwóch lat i pomijając kilka letnich imprez na basenie i ostatnią noc, był zazwyczaj kompletnie ubrany. Teraz jego ciało przylegało do mnie ciasno, roztaczając woń mężczyzny i mydła Ivory. Nie byłam oswojona z jego nagą klatką piersiową, którą wciąż wieńczyła głowa mojego serdecznego przyjaciela Burra.

Czułam się świetnie, dopóki Burr nie objął mnie swymi wielkimi łapami.

– Ciasno tutaj – powiedział i obrócił mnie tyłem do siebie, a potem przyciągnął tak, że leżeliśmy dopasowani jak łyżeczki.

Kiedy mnie dotknął, napięłam plecy, a ręce i nogi zesztywniały mi w niemal automatycznym odruchu oporu.

– Rozluźnij się, Leno. Czuję, jakbym obejmował sprężynę z materaca.

– Czuję cię – odparłam. – Myślisz o tym.

Przycisnął mnie do siebie jeszcze mocniej, kładąc mi rękę na brzuchu.

– Jestem facetem. Zawsze o tym myślę. W tej chwili co najwyżej cztery czerwone krwinki dostarczają mi tlen do mózgu.

Jego słowa rozśmieszyły mnie na tyle, że chwilowe napięcie ustąpiło. Ciało Burra emanowało ciepłem i czułam we włosach jego oddech.

Położyłam dłoń na jego ręce i wtuliłam się w niego. W końcu oddech Burra stał się wolny i miarowy, a całe jego ciało rozluźnione i ociężałe. Leżałam wciąż w tej samej pozycji, przyzwyczajając się do tego, że jest tak blisko mnie, i licząc uderzenia jego serca. Przez listewki okiennic wślizgiwał się blask księżyca. Była pełnia, a moje źrenice tak się rozszerzyły od patrzenia w ciemność, że pokój wydawał mi się jasny jak w dzień. Burr poruszył się lekko, a jego ręka zsunęła mi się na biodro. Śnił. Jego ciało było przyciśnięte do mojego i czułam, że pragnie mnie nawet we śnie.

W ciszy uśpionego domu usłyszałam skrzypienie łóżka. Z początku pomyślałam, że to mama zaczyna się wałęsać, ale ciężkie stąpanie w holu wyprowadziło mnie z błędu. Drzwi sypialni otworzyły się cicho i powoli. Udając, że śpię, widziałam przez cienkie szparki przymkniętych oczu ciotkę Florence, która przyglądała się nam, stojąc w drzwiach. Stała tak dłuższą chwilę, trzy albo cztery minuty. W księżycowej poświacie jej twarz zdawała się pozbawiona wyrazu i nie miałam pojęcia, o czym myśli.

– Arlene? – powiedziała prawie niedosłyszalnym szeptem.

Nie odpowiedziałam.

– Wiem, że nie śpisz.

Trwałam w absolutnej ciszy.

– Arlene, musisz ze mną porozmawiać.

Nadal byłam cicho, udając, że śpię.

– Dziewczyno, dźwignij lepiej tyłek i chodź ze mną porozmawiać! – powiedziała nieco głośniej i Burr znów się poruszył, wydając ciche chrapnięcie. Florence znieruchomiała na moment, po czym dodała: – Ktoś, kto naprawdę śpi, nie wstrzymuje oddechu, Arlene.

Zamknęła za sobą drzwi i słyszałam, jak wraca do swojego pokoju. Długo leżałam w ciemności, patrząc na maszynę do szycia, która zajęła miejsce mojego łóżka. W pewnym momencie zapadłam w sen.

Burr i ja byliśmy już na nogach, kiedy Florence napełniła cały dom zapachem jajek smażonych na bekonie. Stary budzik Clarice pokazywał parę minut po siódmej, wiedziałam więc, że Bruster wyszedł już do pracy. Opatuliłam się szlafrokiem i odwróciłam tyłem, kiedy Burr wkładał bokserki i podkoszulek. Kiedy zerknęłam przez ramię, zobaczyłam, że śmieje się ze mnie. Odpowiedziałam mu uśmiechem, a potem ukryłam twarz w rękach.

Przez bawialnię dotarliśmy do kuchni. Florence stała przy piecyku i nawet się nie odwróciła, by na nas spojrzeć, kiedy przyszliśmy. Miała napięte ramiona i była wyprostowana, jakby połknęła kij. Wyglądała jak żywa ilustracja gniewu.

– Gdzie mama? – zapytałam.

– Ubiera się w swoim pokoju. – Florence wzruszyła ramionami. – Już jadła.

– Przyszłam się przywitać, ciociu Florence – powiedziałam. – Pójdę teraz wziąć prysznic.

– Możecie usiąść i zjeść śniadanie – odparła. – Dla ciebie, Arlene, jest prawie gotowe.

Usiadłam posłusznie.

– Jak długo podsmażasz jajka, Burr? – zapytała Florence, mówiąc w stronę okna nad kuchenką.

– Lubię lekko ścięte, jak Lena – powiedział Burr.

– Arlene lubi mocno ścięte – sprostowała ciotka.

Florence wzięła łopatkę i zdjęła dwa jajka z żeliwnej patelni. Smażyły się tak długo, że ich brzegi przypominały brązową koronkę. Zsunęła je na talerz, a obok rzuciła parę plasterków bekonu. Posypała talerz ziarnami kukurydzy, a potem tak mocno złapała sucharek, że pękł jej w palcach. Podeszła do stołu i z hukiem postawiła talerz przede mną, ale natychmiast go zabrała.

– Och, lubiła takie dziesięć lat temu. Teraz chyba wiesz lepiej ode mnie, jakie jajka lubi Arlene – powiedziała, po czym jej usta znów zacisnęły się w wąską linię.

– Wyglądają świetnie, ciociu Flo – odezwałam się.
– Lubię i takie, i takie.

Ale ona zabrała już talerz. Wyrzuciła całe śniadanie do kosza i wyjęła z lodówki cztery następne jajka. Z rozmachem wbiła je na patelnię, gdzie zaczęły skwierczeć i trzaskać na rozgrzanym tłuszczu.

– Nie przyrządzałam dla niej jajek przez dziesięć lat – oznajmiła, wybierając z patelni odłamki skorupek. – Nie zadzwoniła do mnie, żeby powiedzieć: „A tak swoją drogą, teraz lubię delikatniej smażone jajka". Jakby nie przypuszczała, że kiedykolwiek jeszcze przyrządzę jej jajko.

– Oj – mruknął Burr, unosząc brwi.

Wzruszyłam ramionami.

Siedzieliśmy w milczeniu, podczas gdy ciotka Florence znęcała się nad jedzeniem. Cisnęła je na talerze, które z trzaskiem postawiła przed nami.

– Miałam ci powiedzieć, Arlene, że możesz się położyć zmęczona do łóżka i wstrzymywać oddech, ale kiedyś będziesz musiała usiąść i porozmawiać ze mną. Teraz jednak, rozmyślając o tym, zrozumiałam, że byłam w błędzie. Wygląda na to, że żyło ci się całkiem spokojnie, kiedy ignorowałaś mnie przez dziesięć długich lat, a więc co tam kilka dni ignorancji w żywe oczy – wyrzuciła z siebie Florence, po czym wyszła tylnymi drzwiami do ogrodu.

Zerwałam się z krzesła i dogoniłam ją, kiedy była obok wiaty dla samochodów.

– To nieuczciwe, ciociu Florence. Dzwoniłam do domu w każdą niedzielę, a wiele było takich tygodni, że częściej.

Burr również wstał od stołu i wybiegł za nami. Ciotka Florence odwróciła się twarzą do mnie i mimowolnie cofnęłam się o krok. Wpadłam na Burra, który stał jak niewzruszona ściana ciepła za moimi plecami.

– Myślisz, że jesteś cwaną panienką, ale nie jesteś aż taka cwana. – Florence była tak rozgniewana, że mówiła nieskładnie. – Nie prowadzisz ze mną rozmów o niczym, Arlene, i dobrze o tym wiesz. Siedzisz tam, w tym jankeskim mieście, i zadzierasz nosa. Myślisz, że jestem ciemną babą ze wsi, ale ja was znam, wy cwane sunie. Wiem, dlaczego nie chcesz ze mną rozmawiać ani przyjechać do domu. I może jestem taka tępa, jak myślisz, bo wciąż wierzę, że nadejdzie dzień, kiedy przestaniesz mnie karać i mi wybaczysz. Ale w tym chyba też się mylę, ty pamiętliwa gówniaro.

– Wybaczyć ci? – zapytałam oszołomiona. – Ciociu Florence, nie mam pojęcia, o czym mówisz, a już na pewno za nic cię nie karzę.

– Naprawdę? – Głos ciotki był pełen niedowierzania. Przyglądała się Burrowi przez długą, straszną chwilę. – Idź odetchnąć sobie w domu. Tutaj nikomu nie jesteś potrzebna.

Odwróciła się do mnie plecami i oddaliła w stronę ogrodu, a ja tym razem już za nią nie szłam.

Ciotka Florence próbowała zapełnić tajemnicze białe plamy. Powinnam o tym wiedzieć lepiej niż ktokolwiek inny. Udawało mi się żyć tak, aby nigdy nie kłamać. Robiłam pauzę w odpowiednim momencie. A ludzie prawie zawsze dośpiewywali sobie to, co chcieli. Nauczyła mnie tego Clarice. Florence pomyślała zatem, że trzymałam się z daleka od Possett, bo byłam na nią wściekła z powodu jakiejś starej kłótni albo czegoś, co sobie ubzdurała. I cóż miałam na to zaradzić? Prawda była jedynym sposobem na to, by oczyścić jej sumienie. Przez moment oczyma duszy zobaczyłam Jima Beverly'ego, który leży w ziemi i czeka, aż Rose-Pop go odnajdzie. Odpędziłam tę wizję, potrząsając głową. Jak mogłam jej to powiedzieć? Do tej pory nie potrafiłam zwierzyć się nawet Burrowi.

– A to zażarta kobieta. – Burr zagwizdał nisko i przeciągle. – Już wiem, po kim to masz.

– Niby co? – zapytałam. – I co mam teraz robić?

– Teraz chodź na śniadanie. – Wziął mnie za rękę. – A potem pod prysznic.

Wróciliśmy do domu i zasiedliśmy przy stole. Nikt nie robił takich sucharków jak ciocia Florence. Kiedy sama przyrządzałam sobie jajka, smażyłam je na margarynie w sprayu. To śniadanie było jak słodkie okruchy dzieciństwa, które wprawiały mnie w tak rzewny nastrój, że aż ścisnęło mnie w gardle.

– Swoją drogą – zwróciłam się do Burra – chociaż siedzę tu jak idiotka, popłakując nad jajkami, nie myśl sobie, że nie widzę, jaki jesteś dobry. Mogło być tysiąc razy gorzej, gdybyś dał się sprowokować.

– To dla mnie nic nowego. – Wzruszył ramionami. – Jestem czarny od urodzenia, a w Chicago też są rasiści. Proszę cię tylko, żebyś pamiętała, co jesteś mi winna, kiedy się pobierzemy, a moja siostra Geneva nazwie cię piratką, która odebrała czarnego mężczyznę prawowitej partnerce.

– Umowa stoi – przytaknęłam.

Kiedy skończyliśmy jeść, Burr oznajmił, że zamierza wybiegać te trzy tysiące kalorii, póki ciotka Florence jest jeszcze zajęta w ogrodzie. Oddalił się w stronę frontowych drzwi, a ja wzięłam prysznic i ubrałam się. Szczotkowałam włosy w sypialni, kiedy rozdzwonił się telefon. Po sześciu dzwonkach, kiedy było oczywiste, że mama nie odbierze, sięgnęłam po słuchawkę. To była Clarice.

– Miałam nadzieję, że odbierzesz – powiedziała. – Co się dzieje, Arlene? Musimy porozmawiać.

– Właśnie miałam ostre spięcie z twoją mamą i potrzebuję trochę excedryny i rychłej śmierci. Może dałabyś radę później tu zajrzeć?

Otworzyłam górną szufladę biurka. Stare ołówki Clarice i kolorowy papier zniknęły, a ich miejsce zajęła lokalna książka telefoniczna. Wyjęłam ją i zaczęłam przerzucać kartki w poszukiwaniu hotelu Holiday Inn we Fruiton.

– Dziś po południu nie mogę. Chłopcy mają w szkole Dzień Sportu, zresztą musimy spotkać się gdzieś z dala od mamy.

Umówiłyśmy się na następny dzień w centrum handlowym we Fruiton. I tak musiałam kupić coś Brusterowi. Tak się przejęłam Burrem i Rose Mae Lolley, że zapomniałam o prezencie z okazji jego odejścia na emeryturę.

Kiedy tylko Clarice odłożyła słuchawkę, przełączyłam aparat na wybieranie tonowe i zadzwoniłam do Holiday Inn. Nikt o nazwisku Rose Mae Lolley ani Rose Mae Wheeler jeszcze się tam nie zameldował. Rose napisała w liście, że może nie dotrzeć do Fruiton przed czwartkowym wieczorem. Musiałam co jakiś czas się upewniać, abym zdążyła ją przechwycić, zanim skontaktuje się z Clarice i Budem. Poczułam ulgę, że jej nie ma. Nie przygotowałam sobie jeszcze tego cudownego kłamstwa, które miało sprawić, że Rose wyjedzie z Fruiton i przestanie szukać Jima Beverly'ego.

Potrzebowałam umysłu Burra. Gdyby mi pomógł, obydwoje moglibyśmy coś wymyślić i ułożyć plan. Gdybyśmy tylko naprawdę byli małżeństwem. Wtedy byłoby już bezpiecznie i mogłabym wszystko mu opowiedzieć.

Torba z laptopem Burra leżała w nogach łóżka. Ciotka Florence pewnie pomyślała, że to jedna z naszych walizek, i przyniosła ją wraz z innymi bagażami. Wyjęłam laptopa i położyłam na biurku Clarice. Znałam jego hasło, zalogowałam się więc i otworzyłam wyszukiwarkę. Po dwunastu minutach znalazłam stronę, z której dowiedziałam się wszystkiego, czego potrzebowałam. W Alabamie do zawarcia ślubu nie było wymagane badanie krwi, a osobom powyżej osiemnastego roku życia wydawano akt małżeństwa bez okresu uprawomocnienia.

Fruiton było zbyt blisko. Ktoś, kto znał moją rodzinę, mógł nas zobaczyć. Ale do Mobile była tylko jakaś godzina drogi. Znalazłam stronę internetową urzędu Hrabstwa Mobile. Otworzyłam kilka linków i dowiedziałam się, że ślubu może w Alabamie udzielić pierwszy lepszy notariusz. Za trzydzieści cztery dolary mogliśmy się pobrać i dostać akt małżeństwa w tym samym dniu i w tym samym budynku. Mogliśmy uzyskać dziesięć dolarów zniżki, składając pisemne oświadczenie pod przysięgą, że przeczytaliśmy i zrozumieliśmy coś, co nazywało się *Podręcznikiem Prawa Rodzinnego Stanu Alabama*. Był on dostępny w postaci pliku w formacie PDF, co oznaczało, że nie został przepisany, tylko zeskanowano go i zamieszczono w internecie.

Otworzyłam plik. Broszurka miała zieloną okładkę z liliowo-białym wizerunkiem szczęśliwej młodej pary. Obydwoje wyglądali zdrowo jak Ward i June Cleaverowie. Usłyszałam, że Burr wraca po joggingu.

– Już jestem. – Spocony i zdyszany wszedł do pokoju. – Te wzgórza omal mnie nie wykończyły. Przywykłem do biegania po płaskim. Swoją drogą, twoja mama jest na dziedzińcu przed domem. Coś tam robi. Ale co dokładnie, to już dla mnie tajemnica.

Przeszłam do pierwszej strony broszurki i zaczęłam czytać.

– Czy jest na drodze? – spytałam.

– Nie.

– Czy jest ubrana?

– Tak.

– To prawdopodobnie wszystko w porządku.

Uniosłam się na krześle, by wyjrzeć przez okno. Mama była na podwórzu, ubrana w błękitno-żółtą sukienkę i czerwone kalosze. Na sukienkę nałożyła przezroczystą obszerną pelerynę przeciwdeszczową z kapeluszem, chociaż niebo było całkowicie bezchmurne. Wlokła za sobą wielką torbę na śmieci, a w drugiej ręce trzymała szpikulec wuja Brustera do zbierania śmieci, którym zawzięcie dziobała sosnową szyszkę. Musiała ugodzić ją trzy albo cztery razy, zanim szyszka się nadziała, a wtedy wrzuciła ją do torby i rozglądając się, przeszła kilka kroków. Znalazła kolejną szyszkę i zaczęła ją dźgać.

– Ona tak ma. Ciekawe, czy ciotka nie zapomniała dziś rano zamknąć szafki z lekami. Mama czasem się do nich dobiera.

– Nie powinnaś iść sprawdzić? – Burr stał za mną i zerkał mi przez ramię na ekran.

– Jedyny klucz ma Florence, a zresztą jeśli mama coś wzięła, to już za późno. Trochę połknie, a resztę ukryje gdzieś na potem. Będziemy mieli ją na oku.

– Co to jest? – spytał Burr, nie odrywając oczu od ekranu.

– Jakaś tam broszurka przedślubna z Alabamy.

Zasadniczo broszurka głosiła, że władze stanowe niepokoją się rosnącym wskaźnikiem rozwodów i dlatego nie chcą, aby nasze małżeństwo zawarte w Alabamie się rozpadło. Chcąc uniknąć rozwodu, radził podręcznik, powinniśmy się ze sobą porozumieć. Takie porady zajmowały jakieś dwie strony.

Później broszurka zaczynała wyjaśniać w męczących detalach, co dokładnie należy robić, jeżeli porozumienie nie dojdzie do skutku i jednak zdecydujemy się na rozwód. Przewinęłam dokument, pobieżnie go przeglądając.

– Wymodziła to banda tuzinkowych prawników – stwierdził Burr.

– Frajerski układ, nie ma chętnych – zaśmiałam się szyderczo.

Przewinęłam dokument do samego końca i przeczytałam: „Wydane przez Stowarzyszenie Adwokatów Stanu Alabama kosztem 0,085 centa za egzemplarz”.

– Po co to czytasz, Leno? – zapytał Burr.

– Ponieważ Alabama twierdzi, że powinniśmy.

Zamknęłam plik i odwróciłam się na krześle przodem do niego. Burr wyprostował się i spoglądał na mnie z góry.

– Posłuchaj, co wymyśliłam. A gdybyśmy tak pojechali do Mobile i wzięli ślub już teraz? – Burr uniósł brwi, a ja zaczęłam mówić szybciej, wyłuszczając argumenty. – Powiedziałeś, że chcesz się ze mną ożenić, i to wkrótce. No to właśnie jest okazja. A jeżeli jestem w ciąży? I tak trzeba by to zrobić, więc moglibyśmy mieć to już z głowy.

Burr zmrużył oczy i przyglądał mi się w milczeniu.

– Nie – rzekł w końcu.

Czekałam, ale nie powiedział nic więcej.

– To wszystko? – spytałam. – Po prostu „nie”?

– A cóż tu można jeszcze dodać? Tak, chcę się z tobą ożenić. Nie, nie chcę jechać do Mobile, żeby odbębnić to naprędce, jakby to było zapalenie miazgi. Chcę się z tobą pobrać w kościele mojego taty, przed moim pastorem i rodziną...

– Geneva nie przyjdzie, założę się – przerwałam mu, ale on mówił dalej:

– Będzie moja matka. Sądzę, że chciałabyś, aby przyszła. Przykro mi, że masz atak paniki po swoim kłamstwie, jeżeli to jest właśnie to, ale nie tędy droga. Za kilka dni będziemy w domu. Jeżeli jesteś w ciąży, w przyszłym tygodniu i tak nie będzie tego widać. Możemy zrobić to skromnie i po cichu, tak jak chcesz. Jestem za tym. Ale nie za tym, żeby robić to pospiesznie i ukradkiem.

Patrzyłam na niego bezsilnie, a potem odwróciłam się do komputera. Zamknęłam go i starannie włożyłam do torby.

– Naprawdę tego potrzebuję, Burr – powiedziałam niskim tonem.

– Dlaczego? – zapytał.

Nie potrafiłam udzielić mu odpowiedzi.

– Nie wiem, jakie masz plany, Leno – westchnął ciężko. – Wiem, że zależy ci na jednym. Nie mam nic przeciw, że pozwalasz mi grać w swojej drużynie. Ale nie przeceniaj moich możliwości. Opowiadasz mi połowę historii, oczekując, że od razu złapię wątek. W pewnym momencie musisz mi zaufać.

– Może właśnie próbuję. Ale jak mogę ci zaufać, jeśli się ze mną nie ożenisz?

– Ożenię się. Ale nie chcę ślubu cywilnego. Nie chcę łamać serca mojej matce. I nie chcę spędzać nocy poślubnej w tym łóżku, słuchając kaszlu twojej matki. Myślę, że to zrozumiałe. A teraz idę wziąć prysznic, bo to nie czas i miejsce na kłótnię. A uwierz mi, niewiele nam brakuje.

Wyszedł z pokoju. Usłyszałam, jak drzwi łazienki zamykają się z trzaskiem i zaczyna się lać woda. Spędził pod prysznicem dłuższą chwilę. Wyszłam na podwórko i udało mi się nakłonić mamę, by wróciła do domu.

Przez resztę dnia Burr i ja byliśmy wobec siebie uprzejmi i troskliwi. Burr czytał jeden z prawniczych thrillerów, który przywiózł ze sobą. Kiedy weszłam do kuchni, by przyrządzić lunch, pociągnęłam za drzwiczki szafki z lekarstwami. Były zamknięte, ale potem zauważyłam, że ciotka Florence zostawiła klucze na kuchennym blacie. Westchnęłam. Nie ulegało wątpliwości, że mama znajdowała się pod wpływem leków. Wzięłam klucze ciotki, poszłam do jej pokoju i wetknęłam je do torebki.

Na lunch przygotowałam sałatkę z tuńczyka, a potem zagrałam z mamą w karty. Mama miała wypieki i cokolwiek zażyła, sprawiło, że była ożywiona i niespokojna. Kiedy tylko mogłam przerwać rozmowę z nią, wracałam do pokoju Clarice i dzwoniłam do Holiday Inn, ale Rose jeszcze tam nie było.

Około trzeciej ciotka Florence wróciła z ogrodu. Burr wciąż czytał. Florence tylko rzuciła okiem na zaczerwienione policzki mamy.

– Gladys, może poszłabyś po swój album. – Mama żwawo potruchtała do swojego pokoju, a wtedy Florence dodała: – Wdałam się z tobą w dyskusję i z tego wszystkiego zapomniałam schować kluczy, prawda?

Przytaknęłam i powiedziałam jej, gdzie je położyłam.

Kiedy mama wróciła, Florence spędziła resztę popołudnia, pomagając jej wklejać wycinki do albumu i próbując ją uspokoić i wyciszyć. Wuj Bruster pojawił się w domu o wpół do piątej i Florence zaczęła przygotowania do obiadu. Kiedy wszyscy zebraliśmy się przy stole w jadalni, mamę wciąż nosiło. Sztućce pobrzękiwały o talerze, mama chichotała i wierciła się na krześle, a ja miałam ochotę zerwać się i wybiec z krzykiem.

Wuj Bruster poszedł spać, a zaraz potem Burr i ja udaliśmy się do sypialni. Jeszcze raz zadzwoniłam do hotelu, ale Rose wciąż nie było. Spędziłam kolejną noc, wsłuchując się w oddech Burra i zapadając w drzemkę, podczas gdy mama i ciotka Florence chodziły po domu. Florence spacerowała z mamą po holu, tam i z powrotem, żeby wreszcie móc położyć ją do łóżka.

Następnego dnia rano wszędzie panował spokój. Mama spała jak zabita w swoim pokoju, Florence mogła więc systematycznie przetrząsnąć dom w poszukiwaniu ukrytych pigułek. Zaproponowałam pomoc, ale Florence pokręciła głową. Pozostała tak chłodna i nieobecna, że zaczęliśmy tęsknić za jej wcześniejszym natręctwem. Tuż po lunchu Burr i ja wymknęliśmy się z domu i pojechaliśmy do centrum handlowego we Fruiton. Dzwoniłam do hotelu kilka razy przed wyjściem, ale Rose jeszcze tam nie dotarła.

Przed głównym wejściem czekała już na nas Clarice z córeczką. Bud był w pracy, a chłopcy w szkole. Kąciki ust miała lekko ściągnięte w dół, ale i tak wyglądała pięknie; mogłaby uchodzić za telewizyjny wzorzec matki. Francie siedziała poważnie na jej biodrze, patrząc na mnie bladoniebieskimi oczyma, które były pomniejszoną kopią oczu Clarice. Clarice podeszła, by się z nami przywitać, i objęła mnie jednym ramieniem. Francie wykorzystała tę sposobność, by wyrwać mi kosmyk włosów.

– Czego szukamy? – spytała Clarice, wyplątując moje długie włosy z tłuściutkiej, przypominającej rozgwiazdę rączki dziecka.

– Musimy kupić prezent dla wuja Brustera – powiedziałam. – Odłożyliśmy to na ostatnią chwilę, bo pomyślałam, że mogłabyś nam pomóc znaleźć coś, co mu się naprawdę spodoba.

Clarice przełożyła dziecko na drugie biodro i ruszyliśmy na zakupy. Nieopodal wejścia znajdował się jeden ze sklepów, gdzie można było kupić różne bibeloty i pamiątki. Weszliśmy do niego. Kiedy Burr przechadzał się między regałami, oglądając futerały na wizytówki, pióra i ozdobne zestawy na biurko, Clarice pociągnęła mnie w przeciwną stronę.

– O co chodzi z tym, że nie jesteście małżeństwem? Co się dzieje z Rose Mae Lolley? Dlaczego chciała cię znaleźć? Po co naprawdę przyjechałaś do domu po tych wszystkich latach? Owszem, cieszę się, że cię widzę, ale co się dzieje, Arlene?

– Cały zestaw pytań – odparłam. – Co do małżeństwa, nie martw się o to. Pobieramy się. Tak myślę. Mam nadzieję. W przyszłym tygodniu, kiedy wrócimy do domu. Ale nie mogłam dopuścić, aby ciocia Florence pomyślała, że Burr to jakaś przelotna znajomość, i miała się czego czepiać.

– To nawet ma sens – powiedziała Clarice. – Tak czy owak, to ma sens, Arlene. Ale jeśli mama kiedykolwiek to odkryje, nie chciałabym się znaleźć w pobliżu.

– A co do Rose Mae... To jakaś mitomanka. Wyśledziła mnie w pracy...

– Pojawiła się w Chicago? – przerwała mi Clarice.

– Tak, na uczelni i w moim mieszkaniu.

– Czego chciała? – zapytała Clarice i zmarszczyła piękne brwi.

Francie wydała piskliwy okrzyk. Clarice przycisnęła ją do siebie zbyt mocno, rozluźniła więc trochę chwyt i ucałowała dziecko w główkę.

– Nie chciałam z nią rozmawiać, Clarice. Nieomal zatrzasnęłam jej drzwi przed nosem. Nie wiedziałam, że zmieni plany i przyjedzie tutaj cię szukać. – Znów to zrobiłam. Powiedziałam prawdę, ale nie całą prawdę. Nie potrafiłam się zmusić, by zwyczajnie okłamać Clarice. – Nie martw się tym, dobrze? To zwyczajna wariatka. Mówiła, że jej przyjazd do Fruiton to przede wszystkim podróż wspomnień, więc nękanie ciebie nie jest jej głównym celem. A kiedy się pojawi, możesz odesłać ją do mnie. Nic jej nie mów, nie rozmawiaj z nią, tylko pozwól mnie się nią zająć.

– Dobrze, tak zrobię. – Clarice objęła Francie drugą ręką, przytulając ją i pocierając policzkiem jej główkę. – Skoro jest szalona, nie chcę, żeby się do nas zbliżała.

– Dobrze. Zresztą nie musisz wiele robić. Poradzę sobie z nią – zapewniłam, a Clarice popatrzyła na mnie z powagą i ufnością.

Poszłyśmy odnaleźć Burra. Stał w głębi sklepu, trzymając mosiężną obcinarkę do cygar w kształcie syreny o nagich piersiach. Uśmiechając się lubieżnie, unosił muszelkę, za którą kryły się ostrza.

– Doskonałe, prawda? – powiedział, a Clarice zachichotała.

Wszyscy troje zaczęliśmy chodzić między regałami i rozmawiać. Poczułam niespodziewaną przyjemność, widząc, że ktoś w rodzinie przejawia ochotę, by poznać i polubić mojego przyszłego męża.

Francie zrobiła się grymaśna, opuściliśmy więc sklep i poszliśmy do centrum galerii. Usiedliśmy na ławeczkach w pobliżu fontanny i Clarice wygrzebała z ceratowej torby łyżeczkę i słoiczek. Nakarmiła Francie potrawką z groszku i wyciągnęła parę zabawek, cały czas z nami rozmawiając. Potem zaczęła pakować dziecięcy ekwipunek.

– Muszę odebrać chłopców o wpół do czwartej. Boże, ale ten czas zleciał. Arlene, powinnaś iść do Wolf Camera i kupić tacie nowy kieszonkowy aparat fotograficzny.

– To dobry pomysł – stwierdziłam.

– Jak się domyślam, ten prezent oznacza, że dopięłaś swego w kłótni z mamą wczoraj rano, prawda? – powiedziała Clarice.

– Co? – zapytałam, nie widząc związku.

– Cieszę się, że przyjdziecie – mówiła dalej. – Miałam taką nadzieję i wiem, że tato byłby niepocieszony, gdyby was nie było. Ostatnio mama jest bardzo drażliwa.

– Burr i ja nie wiemy, czy będziemy na przyjęciu pożegnalnym. Ale nie o to pokłóciłam się z twoją matką. Skąd ci to przyszło do głowy?

Clarice przerwała pakowanie.

– Och, nieważne. Myślałam, że mama będzie... Ojej, chyba się zagalopowałam. Naprawdę nieistotne.

Ja jednak próbowałam wszystko poskładać w myślach.

– To o tym ciotka Florence usiłowała porozmawiać ze mną na osobności? Nie chce, żebym przyszła na to przyjęcie i przyniosła jej wstyd w Quincy's Steak House? O to chodzi?

Burr położył mi rękę na ramieniu, ale strząsnęłam ją.

– Nie, Burr, poczekaj. Męczyła mnie od tygodni, wykorzystując moją matkę, żebym przyjechała na to przyjęcie, a kiedy już jestem, nie chce, żebym tam poszła. Bo co? Bo Burr? Bo z nim jestem?

– Och, Boże, ale ze mnie idiotka – westchnęła Clarice i znów usiadła. Francie wdrapała się na jej kolana i ciągnęła ją za włosy. – Tak mi głupio. Nie powinnam była nic mówić.

– Owszem, powinnaś.

214

– Leno, dlaczego tak się denerwujesz? – odezwał się Burr. – To właśnie przed tym mnie ostrzegałaś, odkąd powiedziałem, że chcę poznać twoją rodzinę.

Pokręciłam głową. W pewnym sensie czułam ulgę, wiedząc, że przyjęcie Brustera było powodem, dla którego Florence usiłowała zdybać mnie na osobności, bez Burra. Ale równocześnie byłam wściekła. Od dziesięciu lat jej unikałam i w ciągu tych dziesięciu lat Florence doszła do wniosku, że wciąż chowam do niej urazę o jakiś młodzieńczy dramat. A teraz chciała mnie ubłagać, bym nie przychodziła na przyjęcie Brustera z czarnym mężczyzną. A co z dochodzeniem? Co z wścibskimi pytaniami? Po części chciałam być pociągnięta za język, by wyrzucić to z siebie raz na zawsze, opowiedzieć wszystko komuś, kto mnie kocha, czy byłaby to Florence, czy Burr, czy obydwoje naraz.

Ale jeśli obecność Burra na przyjęciu była dla niej największym problemem, jaki miała ze mną po tych dziesięciu latach, to... to co? To przestała mnie kochać. Gdyby miało się okazać, że w rzeczywistości nie ma żadnego dochodzenia, oznaczałoby, że w ogóle mnie nie kocha. Byłam zszokowana tym, jak bardzo mnie to boli. Choć tak naprawdę nie powinnam. Florence była mi najbliższa, odkąd umarł mój ojciec, a matka postradała zmysły. I chociaż tak bardzo chciałam uniknąć jej pytań, oskarżeń i złości, to nieporównywalnie gorsze, tak naprawdę druzgocące byłoby dla mnie, gdyby nie miała pytań, pretensji i humorów.

Ale przypuszczalnie nie miała. Pozbyła się moich rzeczy i oczyściła dom z mojej obecności. Jeśli tak uparcie zabiegała, bym przyjechała do Alabamy, to zapewne dlatego, że jej ukochana Clarice chciała mnie zobaczyć. A także przez wzgląd na etykietę, żeby zachować pozory przed moją matką, która na swój sposób interesowała się życiem. Wszystkie jej bzdurne wyrzuty podparte teorią, że chcę ją ukarać, które ciążyły mi na sumieniu, były niczym innym, jak przedstawieniem odgrywanym po to, by mnie zawstydzić. Bym wstydziła się za Burra i za wszystko.

Clarice i Burr nie przerywali rozmowy, ale w zamyśleniu uroniłam część ich dialogu.

– ...może trzynaście, czy jakoś tak – mówiła Clarice. Znów stała, by móc kołysać dziecko na biodrze. – W szkole średniej było zupełnie inaczej. W naszej podstawówce i gimnazjum były niemal same białe dzieci, ale liceum było większe. Więc wziął mnie na stronę...

– Kto taki? – wtrąciłam się.

– Dziadek Bent – powiedziała Clarice.

– Ten nieżyjący, którego nazywam zramolałym dziadziem – objaśniłam Burrowi.

– W każdym razie wziął mnie na stronę i w ogóle się nie krępując, powiedział głośno, że jeśli kiedyś umówię się na randkę z czarnym chłopakiem, cała rodzina przestanie się do mnie odzywać. I taki człowiek wychowywał moją mamę. Kiedy dorastała...

– Taki właśnie był – zwróciłam się do Burra. – Z tego powodu nazywam go zramolałym dziadziem. Ale, Clarice, mnie nigdy czegoś takiego nie mówił.

– Cóż, to dlatego, że nie jesteś... no wiesz – odparła Clarice, rumieniąc się.

– Jaka nie jestem? – krzyknęłam. – No jaka?

Clarice spojrzała na mnie, zaskoczona moją wybuchową reakcją, ale przede wszystkim zakłopotana.

– Że nie jesteś blondynką. – Wzruszyła ramionami i zwróciła się do Burra. – Dziadek Bent był przekonany, że czarni chłopcy są bardziej skłonni uganiać się za...

– Blondynkami – dokończył Burr.

– No właśnie, ponieważ jesteśmy...

– Bielsze.

– Właśnie tak. – Clarice pokręciła głową. – Więc jak mama może być inna? Skoro wychował ją człowiek myślący w ten sposób w czasach, kiedy takie poglądy były normalne. Powiedziałabym więcej na ten temat, ale naprawdę muszę już iść. Spóźnię się po chłopców, jeżeli się nie pospieszę. Mam nadzieję zobaczyć was na przyjęciu taty. Myślę, że tato czuje się wyjątkowo, bo przyjechałaś do domu na tę okazję. Zwłaszcza że nie było cię od... ani słowa więcej... Boże, nie mogę nic powiedzieć, nie wkładając kija w mrowisko. To uciążliwe.

Clarice wstała i usadziła Francie na swym biodrze, po czym sięgnęła po torbę z rzeczami dziecka.

– Nie sądzę, abyśmy przyszli – powiedział Burr.

– Pierdolę to – dodałam.

– Arlene! – oburzyła się Clarice. – Licz się ze słowami przy dziecku. Ona zaczyna mówić, wiesz o tym.

– Przyjdziemy – zapewniłam. – Możemy zamówić tort albo coś w tym rodzaju? Ja i Burr naprawdę chcemy okazać zaangażowanie.

– O mój Boże! – wykrzyknęła Clarice. – Ty i mama jesteście do siebie takie podobne.

– Ani odrobinę – odparłam.

– Skoro tak twierdzisz, Arlene – powiedziała Clarice i zwracając się do Burra, dodała: – Ale ty to widzisz, prawda?

– Widzę – przytaknął.

Zmierzyłam ich wzrokiem.

– Chodźmy już – zakończyłam rozmowę.

Złożyłam ręce przed sobą, prawie mimowolnie, ale brakowało mi obrączki do okręcania wokół palca.

Rozdział 12

Wciąż modliłam się do Boga, aby ukrył ciało Jima Beverly'ego, aż w końcu zasnęłam. Obudziłam się ogarnięta paniką. Usiadłam na łóżku i zamarłam w bezruchu, a moje serce tłukło się jak oszalałe. Nie byłam pewna, czego tak się bałam, dopóki nie uświadomiłam sobie, co mnie obudziło. Jakiś hałas. Dzwonek do drzwi. Od zabójstwa nie minęły nawet dwadzieścia cztery godziny, a moje modlitwy okazały się bezowocne. Znaleźli go. A teraz przyjechali po mnie.

Wyskoczyłam z łóżka i włożyłam dżinsy oraz podkoszulek. Ze światła, jakie wpadało przez okno, wywnioskowałam, że jest późne popołudnie, a może zbliża się już wieczór. Wypadłam pędem do holu i pobiegłam do bawialni.

Siedziała tam Clarice i oglądała telewizję, więc wchodząc, położyłam palec na ustach, by ją uciszyć, nim zrobi coś, co zdradzi moją obecność. Spojrzała na mnie zdziwiona. Na jej kolanach leżał notatnik, a w ręku trzymała ołówek. Usłyszałam, że ciotka Florence otworzyła drzwi i z kimś rozmawiała. Drugi kobiecy głos. Czyżby policjantka?

Clarice oglądała jakiś głupi program kulinarny o kuchni chińskiej i całą rozmowę zagłuszała paplanina o tym, jak zawinąć kulkę mięsa w ciasto wonton. Podeszłam do telewizora i ściszyłam głos.

– ...tutaj nie wchodzić... – Dobiegł mnie głos Florence, zanim Clarice krzyknęła i pogłośniła telewizor pilotem. Syknęłam na nią jak kot i wyłączyłam odbiornik, a potem stanęłam przed nim, blokując ciałem sygnał z pilota.

– Odsuń się, Arlene – oburzyła się Clarice, a ja machnęłam ręką, aby ją uciszyć.

– ...srała na mój dywan – powiedziała ciotka Florence.

– Arlene – warknęła Clarice.

– Muszę to słyszeć – wyszeptałam zdesperowana. – Może będę musiała odejść.

– Właśnie o to mi chodzi – powiedziała Clarice. – Odejdź, bo zasłaniasz telewizor. A swoją drogą, dlaczego musisz podsłuchiwać mamę i panią Weedy?

– Panią Weedy? – spytałam. – To jest pani Weedy?

Clarice popatrzyła na mnie, jakbym była niespełna rozumu.

– Czy ty wciąż jesteś... – ściszyła głos i wymamrotała słowo „pijana", unosząc przy tym brew, aby dodać cichy znak zapytania.

Potrząsnęłam głową.

– Cóż, to tylko pani Weedy i Pippa.

Pippa była trzecią kurą pani Weedy. Greta, następczyni Phoebe, zdechła ze starości. Pippa była nowa.

– Czy możesz z powrotem włączyć mój program? – zapytała Clarice. – Chcę zrobić takie pierożki jako zadanie końcowe na pracach domowych. Wszystko sobie notuję.

W tym momencie rozpoznałam głos pani Weedy i usłyszałam jej słowa.

– Ponieważ wieści, jakie przynoszę, no cóż, mogą być straszne dla pani dziewcząt. Naprawdę straszne. Próbowałam być uczynna, ale widzę, do czego to prowadzi. A tak swoją drogą, musi pani wiedzieć, że panna Pippa jest znakomicie oswojona. Korzysta z kuwety jak kot.

– Oswojona... A co według pani miałoby być straszne dla moich dziewcząt? – spytała ciotka Florence.

– Zaginął jeden uczeń z ich szkoły – oznajmiła pani Weedy.

Napotkałam wzrok Clarice, która odłożyła pilota i wstała. Obie podeszłyśmy do drzwi prowadzących do holu, by lepiej słyszeć.

– Chłopiec z ich szkoły... O, Clarice, witaj ślicznotko, no proszę, jest też panna Arlene. Okazało się, że zaginął chłopiec z waszej szkoły. Przykro mi, że dowiadujecie się o tym ode mnie – powiedziała pani Weedy.

– Dziewczęta, wracajcie lepiej do siebie – odezwała się Florence, ale Clarice zdawała się jej nie słyszeć.

– Który? – zapytała.

– Wiem, że go znacie. – Pani Weedy zerkała błyszczącymi oczyma ponad ramieniem ciotki Florence, która niewzruszenie stała w drzwiach. Pippa kręciła się przy nogach swej pani, skrobiąc w ziemi i gdacząc. – Wszyscy go znają. Jest rozgrywającym w szkolnej drużynie futbolowej.

– Jim Beverly? – zapytała Clarice, automatycznie wyciągając rękę w poszukiwaniu mojej. Zrobiłam to samo i złapałyśmy się za ręce tak mocno, że aż bolało, ale głos Clarice brzmiał normalnie. Z ciekawością i niedowierzaniem. – Jim Beverly zaginął?

– Tak – pani Weedy przytaknęła skwapliwie. – To dlatego w całym mieście panuje takie zamieszanie. Ale nie zgadniecie, co odkryłam.

Clarice ruszyła w stronę drzwi, ciągnąc mnie za rękę. Florence ani drgnęła i chyba nawet nas nie zauważyła, stojąc w przejściu gotowa bronić domu przed wszystkimi kurczakami świata.

Clarice prześlizgnęła się obok niej i wywlokła mnie na oświetloną słabnącymi promieniami słońca werandę.

– Proszę usiąść i opowiedzieć nam o tym, pani Weedy – zachęciła, wskazując na bujany fotel. – Chce pani herbaty?

– Nie, skarbie – odparła pani Weedy, siadając. – Wiesz, mój pęcherz nie jest przyzwyczajony. Wystarczy, że napiję się odrobinkę i już po minucie biegnę do nocniczka. Pozwolisz, że ci coś opowiem, to niecodzienna historia.

Pippa zbiegła po schodach i zaczęła grzebać w trawniku. Florence stała w drzwiach nieruchomo jak słup, morderczym wzrokiem obserwując Pippę, która wydziobywała nasiona trawy.

Clarice i ja usiadłyśmy na wiszącej na werandzie huśtawce, ukrywając pomiędzy sobą nasze złączone ręce. Nie ośmieliłam się na nią spojrzeć. Na niczym nie mogłam zatrzymać wzroku. Zerkałam ukradkiem na panią Weedy, jej kurę, skamieniałą niczym słup soli ciotkę Florence i na własne nogi. Wszystko zdawało się nieruchomieć pod moim spojrzeniem, jakby świat był statycznym pokazem slajdów, które zmieniały się, kiedy opuszczałam powieki. Każde mrugnięcie odsłaniało przed oczyma mojej duszy kolejny slajd z innego pokazu. Tamta dziewczyna z pierwszej klasy i jej rozkołysany kucyk idzie na szczyt wzgórza. Jim Beverly siedzi odwrócony do mnie plecami i śpiewa, a jego nogi dyndają przewieszone nad przepaścią. Ten decydujący moment, butelka idealnie leżąca w mojej dłoni. Jim Beverly wiotki i kompletnie nieruchomy.

– Boże, błagam – wyszeptałam tak cicho, że było to zaledwie zduszone westchnienie, po czym dodałam na głos: – Czy znaleźli jego jeepa?

– Och, czy ktoś ci już o tym mówił? – Pani Weedy była najwyraźniej rozczarowana.

Ciotka Florence i Clarice zwróciły na mnie uwagę. Czułam na sobie ich palące spojrzenia.

– Nie, nie – powiedziałam spanikowana – tylko się zastanawiałam, czy zaginął sam, czy może wraz z samochodem.

Clarice ścisnęła mnie za rękę jeszcze mocniej i zamilkłam, nim zdążyłam zapytać, czy znaleźli jego ciało tam, gdzie je porzuciłam, albo czy mam jeszcze dość czasu, by uciec z miasta.

– Zabawne, że o to pytasz, bo powiem ci, że znaleziono jego jeepa – oznajmiła pani Weedy. – Ale lepiej, jak zacznę od początku.

Zdążyłam skonać kilkaset razy, kiedy pani Weedy, swoim zwyczajem powoli i czyniąc liczne dygresje na temat inteligencji Pippy, opowiedziała nam, jak to ojciec Jima Beverly'ego zadzwonił do szeryfa, kiedy syn nie wrócił na noc do domu. I o tym, że chociaż za tydzień czy dwa Jim miał skończyć osiemnaście lat, szeryf zgodził się rozpocząć poszukiwania, nie czekając przepisowych czterdziestu ośmiu godzin, bo przecież chodziło o Jima Beverly'ego, a w sobotę miał się odbyć mecz.

Rozwodziła się w nieskończoność nad przeciągającymi się poszukiwaniami, podczas gdy mój wewnętrzny pokaz slajdów rozkręcił się na całego. Rozwścieczona dziewczyna zbiega ze wzgórza. Jej krokom towarzyszy metaliczne pobrzękiwanie. Jim śpiewa. Zamach butelką. Jim pada martwy. A potem od nowa, dziewczyna znów zbiega ze wzgórza. W końcu pani Weedy przeszła do rzeczy.

– I nigdzie nie było po nim ani śladu, aż wreszcie dzisiaj, około południa, znaleziono jego jeepa.

Serce zamarło mi w piersi i czekałam, aż pani Weedy powie, że właśnie teraz ekipy ochotników przeczesują kudzu, szukając zwłok.

- Samochód znalazłby się wcześniej, ale widzicie, pierwsza natrafiła na niego policja stanowa. Znaleźli go, zanim ktokolwiek wiedział, że chłopak zaginął. Auto było rozbite i porzucone, więc odholowali je na parking strzeżony, a potem sprawdzili, kto jest właścicielem. Nie współdziałali jednak z szeryfem, który szukał Jima Beverly'ego nieoficjalnie, ze względu na mecz futbolowy, nie odczekując przepisowych czterdziestu ośmiu godzin.

- Parking strzeżony? - zdziwiła się Clarice.

- Rozbity? - zawtórowałam jej.

- Ta kura wydziobuje nasiona trawy - odezwała się Florence złowrogim tonem, ale przynajmniej nie patrzyła na mnie.

- Najpierw dokończę - powiedziała pani Weedy. - Otóż Jim Beverly najwyraźniej wyjeżdżał z miasta albo zmierzał w stronę autostrady, ponieważ samochód stał bardzo blisko wjazdu z drogi numer dziewiętnaście, nieopodal Fruiton. A w środku było pełno puszek po piwie. Aż grzechotało. Puszki po piwie Coors. Wiecie, nie jestem matką w tradycyjnym tego słowa znaczeniu, ale mam Pippę, więc zapisałam się do Stowarzyszenia Matek Przeciwko Pijanym Kierowcom. Pippa i ja uważamy, że to straszny wstyd, żeby taki młody człowiek prowadził po pijanemu. Jest zawodnikiem w drużynie futbolowej i wszyscy chłopcy biorą z niego przykład. Myślę więc, że spoczywa na nim odpowiedzialność, czyż nie tak? W każdym razie zjechał z drogi i uderzył w słup telefoniczny. Rozbił cały przód samochodu, ale mówili, że na szczęście miał zapięty pas. No i słusznie. To znaczy był pijany, i to jest straszne, ale niektórzy młodzi ludzie nie zapinają pasów. Ja mam specjalne siedzenie, do którego mogę przypiąć klatkę z Pippą, oto jak poważnie traktuję pasy bezpieczeństwa. A oni twierdzą, że podczas tego wypadku pas uratował mu życie.

– Uratował mu życie? – spytałam.

W myślach widziałam go, jak leży martwy, niezapięty żadnym pasem, a potem przerzuciłam slajd i zobaczyłam tamtą dziewczynę z pierwszej klasy. Jej rozkołysany kucyk.

– Tak, pas uratował mu życie. Ponieważ kilka godzin później policja stanowa znalazła jego jeepa i odholowała na parking strzeżony. A jego nie było w środku. Zatem musiał wysiąść i gdzieś pójść, zdrów i cały. W samochodzie nie znaleziono śladów krwi, a drzwi były otwarte, jakby ktoś pijany, wychodząc, nie zwrócił na nie uwagi.

Paznokcie Clarice wbijały się w moją dłoń, ale czułam się zaskakująco spokojna, kiedy zaczynałam wszystko rozumieć. Przecież włosy spięte w koński ogon nie wydają takich odgłosów. Słyszałam pobrzękiwanie kluczy, kiedy dziewczyna energicznie schodziła ze wzgórza. W moim pokazie slajdów widziałam dokładnie klucze w jej dłoni. Na pewno była wystarczająco rozjuszona, by wziąć jego samochód. Lepiej wziąć jego samochód niż ze wstydem prosić kogoś o podwiezienie do domu po tym, jak Jim Beverly ją upokorzył. O wiele lepiej niż powiedzieć przyjaciółce: „Chciał, żebym mu obciągnęła, jakbym była jakąś prostytutką".

Puszki po piwie były jego. Idę o zakład, że ona nie piła, ale była dopiero w pierwszej klasie, więc ile lekcji jazdy zdążyła wziąć? Mieszkała we Fruiton, zatem miejsce, w którym znaleziono jeepa, też by się zgadzało. Nie miała prawa jazdy i zabrała jego samochód bez pozwolenia, więc mogła wpaść w panikę. Może doszła do stacji benzynowej i przyjechała po nią koleżanka. Albo mama. A może przemaszerowała całą drogę tak jak ja.

– Autostop? – zapytała Clarice.

Byłam tak głęboko zamyślona, że uroniłam kawałek rozwlekłej opowieści pani Weedy.

– Wiem, że to w ogóle nie ma sensu – kontynuowała pani Weedy. – To znaczy on jest ostatnim chłopcem na świecie, który by uciekł. Zwłaszcza że dziś jest mecz. Już go stracił, bo mecz zaczął się o czwartej, a na jego miejsce wzięli tego rezerwowego Boba Duffy'ego, ale z nim nie wygramy. Ci z Everdale to nie byle kto. Ale szeryf twierdzi, że chłopak musiał uciec, bo na to wskazują zeznania. Człowiek, który widział autostopowicza, nie powiedział, że to był Jim. Ale młody człowiek, który mógł być Jimem. Ten kierowca się nie zatrzymał, tylko go zauważył. Dziwne, że ten młody nie wybierał się w stronę Fruiton. Można by się domyślać, że skoro Jim Beverly rozbił samochód, to potem chciał, żeby ktoś go podwiózł w stronę domu. Tymczasem on stał po przeciwnej stronie drogi. W każdym razie nikt nie wierzy, że Jim Beverly chciałby uciekać tylko dlatego, że wypił parę piw. No tak, miał wypadek, ale uszkodził tylko własnego jeepa. Nikt nie został ranny, nawet on sam, więc czemuż by uciekał? Nie wylaliby go ze szkoły za coś takiego, za kilka piw i rozbity samochód. Zwłaszcza że wciąż ma tylko siedemnaście lat. A dzisiaj ten mecz! Szeryf wciąż jest zdania, że to ucieczka, a nie zaginięcie.

Przesiadłam się na fotel bujany, a moje modlitwy zaczęły się zmieniać z błagalnych w dziękczynne. To mogła być tylko ręka Boga.

I Bóg nadal robił to, o co Go poprosiłam. W szkółce niedzielnej usłyszałam najnowsze potwierdzenia. Jim Beverly nie został odnaleziony. Wszyscy, łącznie z policją, byli przekonani, że osobą, która dojechała jeepem na drogę numer 19 i rozbiła go na słupie telefonicznym, był naprawdę Jim Beverly. On oczywiście nie był w stanie tego zrobić, bo leżał martwy. Nikt nie wpadł na inny trop. Nikt nie mógł go znaleźć ani wykombinować, gdzie mógł się podziać. Wszyscy szukali go tam, gdzie można by się spodziewać żywego chłopca z ciężkim kacem.

Do wieczornego nabożeństwa pocztą pantoflową rozeszły się nowe wiadomości. Okazało się, że Jim Beverly zawalił dwa przedmioty. Nie miał szans, by dostać się na studia. Straciłby stypendium. Jego przypadek został ostatecznie rozstrzygnięty. Nie uważano go już za zaginionego. Oficjalnie mówiło się, że uciekł.

Dominująca teoria była taka, że Jim Beverly, upokorzony i zamroczony alkoholem, wjechał w słup, a potem dowlókł się do autostrady i zatrzymał jakiegoś kierowcę, który zawiózł go byle dalej od domu. Dziewczyna z pierwszej klasy, nie przyznając się do przywłaszczenia auta, potwierdziła, że był mocno wstawiony i miał podły nastrój.

Zatem Jim Beverly skutecznie przepadł. Cóż, dzieje się tak z wieloma dzieciakami. A takich uciekinierów, zwłaszcza chłopców, którym brakuje kilku dni do osiemnastki i którym nagle zdarza się zaprzepaścić szanse na karierę sportową, traktuje się z wielkim pobłażaniem.

Po kilku tygodniach sprawa przycichła, zresztą było wiele innych tematów. Clarice przyglądała mi się jednak częściej niż dotychczas, a jej spojrzenie było chłodne i poważne. Żadna z nas nie sypiała spokojnie.

Spodziewałam się, że ktoś znajdzie jego ciało. Wiedziałam, że ktoś może na nie natrafić, ale mogłam tylko się modlić. Modliłam się o dwie rzeczy. Po pierwsze, o czas, by deszcz i zwierzęta zatarły wszystkie ślady mojej obecności na Wzgórzu Lizania. A po drugie, o wybaczenie, ponieważ zaczęło do mnie docierać, co zrobiłam.

Nie miałam innego wyjścia, jak cieszyć się, że ten gwałciciel nie żyje. Miałam swój sekret i czerpałam okrutną rozkosz z faktu, że starłam go z powierzchni ziemi. Byłam przekonana, że świat stał się lepszy, gdy jest na nim o jednego gwałciciela mniej. Ale wiedziałam również, że zabiłam czyjegoś syna. Prześladowało mnie zdjęcie jego ojca w gazecie, zatroskanego i poważnego. Zabiłam chłopca, który stanął do walki w obronie Rose Mae Lolley. Teraz Rose snuła się po szkolnych korytarzach, drobna i zagubiona, z czarnymi sińcami pod rozjarzonymi oczyma. Ten gwałciciel był tym samym chłopcem, który dał mi swoją kurtkę, aby ukryć ślady krwi na moich spodniach, i rozśmieszał mnie, kiedy umykałam zawstydzona.

Nikt prócz mnie nie wiedział, że Jim nie żyje, nikt więc nie mógł go opłakiwać. W mojej wyobraźni krople deszczu skapywały z grubych liści kudzu na jego twarz. Mógł tam leżeć, aż ktoś by go znalazł albo dopóki Bóg by mnie nie opuścił.

Pewnej nocy, gdy mijał już tydzień nerwowego wyczekiwania, Clarice wyśliznęła się z łóżka.

– Posuń się – powiedziała.

Obróciłam się na bok i przywarłam plecami do ściany, a ona położyła się obok mnie. Kiedy byłyśmy dziećmi, Clarice przychodziła do mojego łóżka co noc i szeptałyśmy w nieskończoność, dopóki nie zmorzył nas sen. Przestała do mnie przychodzić, odkąd przeistoczyłam się w klasową cichodajkę. Ostatnim razem, kiedy przy mnie tak leżała, też chodziło o Jima Beverly'ego. Clarice tuliła się wtedy do mnie i obie powtarzałyśmy szeptem: „To się nigdy nie wydarzyło. Tego nie było".

– Nic nie mów – nakazała. – Tylko posłuchaj. Nic nie musisz mówić. Rozgryzłam to.

Poczułam, jak jej ramię obejmuje mnie pod kołdrą, i chwyciłam ją za rękę.

– Tamtej nocy na wzgórzu, kiedy przyszłaś do samochodu Buda i poprosiłaś mnie, żebym cię kryła, a potem

227

wróciłaś pijana. Wiem, co się wtedy stało. Połapałam się, o co chodzi. Przypomniałam sobie, że zanim przyszłaś do nas, byłaś z tamtym chłopakiem.

– Tak, byłam z Barrym – odparłam. – Ale Clarice, ja już przestałam się z nimi puszczać.

– Przypomniałam sobie, że Barry pracuje w samorządzie uczniowskim. Czasami czyta poranne ogłoszenia. Powiedział ci o tym, prawda? Powiedział ci o złych ocenach Jima Beverly'ego. To dlatego zapragnęłaś iść za nim na szczyt wzgórza. To dlatego chciałaś pozbyć się Buda i prosiłaś, abym cię kryła. To był ten plan, o którym mówiłaś. Wiedziałaś, że Jim Beverly nie dostanie się na studia, że zrujnował sobie wszystko i już nie będzie taki wyjątkowy. I pomyślałaś, że skoro nie będzie już gwiazdą, Wielkim Panem Rozgrywającym, to może ktoś ci uwierzy, jeśli o tym opowiesz. Gdybyśmy obie opowiedziały, ktoś mógłby nam uwierzyć. Wiem, Arlene, że naprawdę nigdy byś o tym nie opowiedziała. Nawet między sobą nie rozmawiałyśmy na ten temat. Ale Jim Beverly o tym nie wiedział. Nie skończyło się na tym, że zabrałaś mu butelkę, prawda? Barry powiedział ci, że Jim zawalił szkołę, i poszłaś z nim porozmawiać. Blefowałaś. Powiedziałaś, że wiesz o jego stopniach, że nikt już nie będzie go kryć i że teraz o wszystkim powiesz. I to jest prawdziwy powód, dla którego wyjechał z miasta. Wykurzyłaś go. Wszyscy myślą, że uciekł, bo się wstydził zawalonych ocen i straconego stypendium. Ale ty i ja wiemy coś więcej. On nie miał za grosz wstydu. Wystraszyłaś go i dlatego uciekł. Och, Arlene, ależ ty byłaś odważna i głupia. On mógł ci coś zrobić.

Ścisnęłam jej dłoń w ciemności.

– Nie żartowałam, kiedy mówiłam ci, że już nie będę się puszczać – powiedziałam. – Obiecałam Bogu, że będę uczciwa i lepsza. Mam nadzieję, że umiesz mi wybaczyć.

Clarice objęła mnie mocniej.

– Już po wszystkim. I nigdy więcej nie będziemy o tym rozmawiać. To już skończone.

Leżałyśmy tak jeszcze przez chwilę, a spokój, jaki zapanował między nami, był jedynym, jaki udało mi się osiągnąć. Syciłam się nim, wiedząc, że może nie potrwać długo. Do zimy, może krócej. Clarice, która wszystko sobie dośpiewała, mogła poznać prawdę. To było nieuniknione, chyba że Bóg dokonałby cudu, o który tak żarliwie się modliłam.

Mogłam czuć się bezpiecznie, dopóki ktoś nie poczuje na szczycie wzgórza fetoru zgnilizny. Ale nawet wtedy może pomyśleć, że to skunks lub zdechły jeleń. Ten smród mógłby nawet działać na moją korzyść, odstraszając dzieciaki od wzgórza, a przecież nikt poza nimi tam się nie zapuszczał.

Wiedziałam jednak, że nawet gdyby nikt nie szukał źródła smrodu, dni mojego spokoju i tak są policzone. Dla gęstwy Jim Beverly był jeszcze jednym punktem oparcia dla pnączy. Mogły opleść jego kończyny, unieść go i upozować wedle własnego upodobania. Z nadejściem zimy gęstwa zrzucała grubą tarczę woskowatych liści. Wiedziałam, że w listopadzie będzie tam tylko brązowa sieć ogołoconych pnączy, które wydobędą z ukrycia to, co zostało z Jima Beverly'ego.

Rozdział 13

Burr i ja kupiliśmy aparat fotograficzny i wróciliśmy do domu ciotki Florence. Wciąż byłam lekko otumaniona. Burr zatrzymał samochód na żwirowym podjeździe.

– Może powinieneś pojechać zatankować samochód... – powiedziałam.

– A więc masz zamiar skopać cioci tyłek? Szczerze mówiąc, kochanie, jeśli ty i Florence weźmiecie się za łby, to obstawiam pół na pół.

– Chciała pomówić ze mną na osobności – przypomniałam.

Siedzieliśmy przez chwilę, patrząc na mały drewniany dom z zielonymi okiennicami. Wyglądał bardzo przytulnie w popołudniowym słońcu. Wręcz nie potrafiłam się zmusić, żeby wysiąść z samochodu i wejść do środka.

– Kto powiedział, że on nie wrócił do domu? – zapytał Burr. – Może mu się poszczęściło.

– To był Thomas Wolfe – odparłam. – I zmarł na zapalenie opon mózgowych.

– Czasami mnie przerażasz – powiedział Burr.

Odpięłam pas bezpieczeństwa.

– Ciotka Florence nie dała mi wyboru. Obdzwoniła wszystkich krewnych i ostrzegła ich, że, pożal się Boże, wyszłam za czarnego faceta. Wiesz, że to zrobiła. I założę się, że kilkoro z nich postawiło jej ultimatum. Zagrozili, że nie powstrzymają się przed żadnym z możliwych afrontów i podłych wybryków, jeżeli ośmielę się pokazać na tym przyjęciu z tobą. No i dobrze, mogłabym dać temu spokój, ale Florence wzięła ich stronę. Nieważne, co sama sobie myśli, ale powinna była mnie poprzeć.

Burr przejechał dłonią po krótko przyciętych włosach i potrząsnął głową. Na ganku pojawiła się ciotka Florence. Przystanęła i przysłaniając oczy przed słońcem, patrzyła na podjazd. Pomachała w naszą stronę.

Też jej pomachałam i zaraz poczułam się niezręcznie, bo nie byłam pewna, czy widzi mnie za szybą i pod słońce. Burr też uniósł rękę.

– Można na to spojrzeć z innej strony – powiedział. – Jeśli tam pójdziemy, zgraja niedouczonych rasistów może zepsuć przyjęcie twojego wujka. I stałoby się to z naszej winy. Wiesz, jacy oni są.

– Zgadza się – odparłam. – Ale ona i tak powinna była się za mną wstawić.

Ciotka Florence zeszła po schodach i zatrzymała się na chodniku, wciąż patrząc w naszą stronę. Znów machnęła ręką, tym razem niecierpliwie, w przyzywającym geście.

– Pozwól, że z nią porozmawiam. – Wyskoczyłam z samochodu, a Burr wycofał i pojechał drogą numer 19 w kierunku Possett.

– Dokąd on jedzie? – zawołała Florence, ale nie czekała na odpowiedź. – Mogłabyś ruszyć tyłek, Arlene? Jesteś mi potrzebna.

– O nie – jęknęłam. – Mama?

– Tak. Jak to dobrze, że wróciliście. Nie wiem, czy ona oddycha.

Ogarnęła mnie fala paniki zmieszanej z zadawnionym gniewem. Przyspieszyłam kroku i podbiegłam do werandy.

– Nie wiesz, co zażyła?

– Nie – powiedziała Florence. – Kto wie, co wczoraj zdołała ukryć.

– Gdzie ona jest?

Florence zaprowadziła mnie do bawialni, gdzie mama leżała nieruchomo na swoim ulubionym fotelu. Sprawiała wrażenie, jakby nie oddychała. Dotknęłam jej chłodnej ręki, ale nie wyczułam pulsu.

– Mamo? – odezwałam się do niej. Czułam w dole brzucha wzbierający lęk.

– Czy ona oddycha? – zapytała Florence. – Nie umiem tego rozpoznać.

– Nie wiem – odparłam. – Może lepiej wezwij pogotowie.

– Arlene, gdybym wzywała pogotowie za każdym razem, kiedy twoja mama sprawia wrażenie martwej, Bruster i ja wylądowalibyśmy w przytułku. Przyjazd ambulansu kosztuje pięćset dolarów, jeżeli uznają wezwanie za nieuzasadnione.

– Mamo? – powiedziałam jeszcze raz. Żadnej reakcji. Jej ramię było zimne, ale giętkie. Przyjęłam to za dobry znak. Przyłożyłam rękę do jej szyi i po chwili wyczułam pod palcami leniwy puls.

– Jej serce bije – zwróciłam się do Florence.

– Ale czy oddycha?

– Skąd mam wiedzieć? – Zdenerwowałam się. Nie widziałam, by jej klatka piersiowa się poruszała.

– Gladys. – Florence uszczypnęła ją w ramię. – Gladys, odezwij się.

Przekopałam torebkę w poszukiwaniu puderniczki, a potem otworzyłam ją i przyłożyłam lusterko do ust mamy. Pokryło się delikatną mgiełką.

– Oddycha – powiedziała Florence. – Myślisz, że po prostu twardo śpi? Czy powinnyśmy dać jej coś na wymioty albo napoić ją mlekiem?

– Poobserwujmy ją przez chwilę – westchnęłam. – Zapomniałam już, co robić.

Przykucnęłyśmy na podłodze po obu stronach mamy, patrząc na siebie ponad jej nogami.

– Dlaczego go odesłałaś? – zapytała Florence. – Bo miałam fochy wczoraj rano przy śniadaniu?

– Chyba bardzo chciałaś porozmawiać ze mną sam na sam, skoro zakradłaś się w nocy do mojej sypialni. Pomyślałam więc, że powinnam się zgodzić.

– Tak nagle zmieniłaś zdanie. Coś innego musiało cię do tego nakłonić.

Zanim zdążyłam odpowiedzieć, mama otworzyła usta i wydała krótkie, ostre beknięcie, głośne jak wystrzał.

– Jasny szlag! – krzyknęła Florence i sięgnęła za oparcie fotela, skąd wydobyła wiadro. – Posadź ją, Arlene. Podnieś jej głowę.

Złapałam mamę za ramiona i przechyliłam do przodu. Była bezwładna i ociężała, a jej głowa kiwała się na boki, aż w końcu opadła na piersi. Nagle jedna z jej nóg zsunęła się z sofy i musiałam walczyć, aby dziewięćdziesiąt kilo bezwolnej masy nie spadło na podłogę. Florence wetknęła wiadro między kolana mamy i złapała ją pod ramię. Wspólnymi siłami udało nam się wepchnąć jej tyłek w głąb fotela i nachylić ją nad wiadrem. Kiedy trzymałam mamę, Florence jedną ręką podpierała wiadro, a drugą odgarnęła jej włosy z twarzy.

– Chowasz to za jej fotelem? – zapytałam, spoglądając na wiadro.

– Mam już dość płacenia za czyszczenie dywanów – odparła. – Twoja mama się zabije, Arlene. Myślę, że zajmuje jej to więcej czasu, niż sobie zaplanowała. Nie patrz na mnie z takim wyrzutem jak zbity pies. Nie potrafiła przestać ze względu na ciebie, kiedy byłaś mała i potrzebowałaś mamy na każdym kroku, to nie zrobi tego teraz, kiedy masz dwadzieścia siedem lat i nie potrzebujesz od nas niczego.

Nie wiedziałam, co mam na to odpowiedzieć. Mama drgnęła w moich rękach i wydała z siebie jeszcze dwa beknięcia, a potem zwymiotowała rzadkim, zielonym płynem do wiadra, które trzymała Florence. Śmierdziało jak jakieś ohydztwo, które czasem napotyka się przy drodze.

– Boże, o jasna cholera. – Florence odwróciła twarz.

– Żadna z przewodniczących Baptystycznej Ligi Kobiet nie używa tak plugawego języka jak ty – powiedziałam.

– Nie wymądrzaj się, Arlene. Każdy przeklina.

Mama w odpowiedzi zwymiotowała jeszcze raz i zaczęła się dławić. Stawiała słaby opór, próbując odchylić się do tyłu, więc musiałam złapać ją za głowę i trzymać pochyloną nad wiadrem. Florence odgarnęła włosy mamy i wymierzyła jej kilka mocnych uderzeń między łopatki. Mama odcharknęła ślinę i wciągnęła długi haust powietrza.

– Sądzę, że to wszystko, co wzięła – uznała Florence, sadzając mamę w fotelu.

– Arlene? – odezwała się mama skrzekliwym głosem. – Czy to ty, skarbie?

– Tak mamo, to ja – odpowiedziałam.

Zwiesiła głowę na ramię i znów odpłynęła, ale oddychała znacznie lepiej. Widziałam, jak jej pierś faluje miarowo. Uniosłam jej nogi i oparłam z powrotem na sofie. Czułam, że moje palce zbyt łatwo zapadają się w miękkie ciało. Miałam wrażenie, jakby pod jej gładką skórą znajdowała się dwucentymetrowa warstwa wazeliny, i kiedy naciskałam mocniej, ślady wgnieceń znikały dopiero po chwili.

Ciotka Florence wzięła wiadro i poszła do kuchni, a ja za nią.

– W zeszłym roku wuj Bruster zamontował w zlewo-zmywaku młynek do rozdrabniania odpadków – powiedziała, po czym wylała do zlewu zawartość wiadra i włączyła urządzenie.

Usiadłam przy kuchennym stole i przyglądałam się jej. Kiedy wiadro było już czyste, sięgnęła po odświeżacz powietrza i spryskała nim wiadro z każdej strony. Kuchnię wypełnił tak intensywny zapach pomarańczy i amoniaku, że ścisnęło mnie w gardle i poczułam drapanie w płucach. Ciotka odwróciła się i stanęła przodem do mnie, opierając się o zlew.

– To ja powinnam się nią zajmować – odezwałam się.

– Nie musiałabyś tego robić.

– Nie rozumiem dlaczego ty. – Pokręciła głową. – Nie jesteś jej nic winna. Nie troszczyła się o ciebie zbytnio, kiedy byłaś mała, a dzieciaki odpłacają się nam tym samym na starość. Dobrze się tu czuję, znam jej zwyczaje i mogę przy niej być.

Nasze rozbiegane spojrzenia nie mogły się spotkać.

– Gdzie jest wujek? – spytałam. – Myślałam, że będzie w domu.

– Poszedł napić się piwa i coś przekąsić z kolegami z pracy. Jutrzejsze przyjęcie będzie głównie dla rodziny, więc dziś urządza pożegnanie dla swoich chłopaków.

– No to jesteśmy tylko we dwie. Dlaczego tak bardzo chciałaś rozmawiać ze mną sam na sam, ciociu Flo? Zamieniam się w słuch – zachęciłam ją.

Zamierzałam powiedzieć to bardziej wojowniczym tonem, ale mama pozbawiła mnie całego impetu. Florence milczała. Odwróciła się ode mnie i wlepiła wzrok w okno nad zlewozmywakiem. Widać było przez nie podwórko za domem, gdzie Clarice i ja bawiłyśmy się w dzieciństwie na huśtawce zrobionej z opony albo przy stoliku ogrodowym, a Flo mogła mieć nas na oku, zmywając naczynia.

– Clarice powiedziała, że nie chcesz, abym przyszła z Burrem na przyjęcie wujka Brustera. Powiedziała, że boisz się, aby ktoś nie urządził sceny i nie zepsuł uroczystości.

Ciotka Florence zgarbiła się i nieznacznie poruszyła ramionami.

– Myślałam o tym. Wiesz, że twoja ciotka Sukie jest oburzona. Tak jak i wszyscy jej synowie. Najmłodszy, Dale, jest wściekły. Odgrażał się, że urządzi rozróbę w Quincy's. Wszyscy oskarżają go, znaczy Burra, że zauroczył cię czarnym seksem. Wuj Justice i ciotka Caroline zapowiadają, że wyjdą, nawet gdybyś pojawiła się sama, tylko dlatego, że on gdzieś tam istnieje. Caroline nie odpuści sobie takiej okazji, by wywołać skandal.

– Ale czego ty chcesz? – spytałam. – Miałam zamiar kruszyć o to kopie, ale teraz powiedz mi, co mam robić, bo pięć minut temu przestało mi na tym zależeć. Jeśli nie chcesz, żebyśmy przyszli, nie przyjdziemy.

Odwróciła się z powrotem do mnie i spojrzała mi w oczy. Miała zawzięcie wykrzywione usta i przyglądała mi się przenikliwie spod przymrużonych powiek. Splotła przed sobą wielkie dłonie, kręcąc obrączką wokół palca.

– Arlene, dlaczego zawracasz mi głowę tym bzdurnym przyjęciem? Przyjdziesz albo nie. Zrobisz, co zechcesz, jak zawsze. Wiesz, że nie o tym chciałam z tobą porozmawiać.

Zaskoczyło mnie to, z jaką łatwością zlekceważyła temat przyjęcia Brustera.

– Powiedziałaś Clarice, że chcesz ze mną rozmawiać właśnie o tym, że poważnie cię to martwi.

– Musiałam jej coś powiedzieć, prawda? – odparła.

– Jeżeli nie o to chodzi, ciociu Florence, to już nie mam pojęcia o co.

– Owszem, masz. Ty wiesz i ja wiem, że masz pojęcie – odpowiedziała ciotka, akcentując każde słowo gwałtownym kiwnięciem głowy. Jej palce raz za razem okręcały obrączkę zawziętymi, niemal wściekłymi ruchami. – Muszę wiedzieć, czy mu o tym powiedziałaś.

– O czym powiedziałam i komu? – zapytałam. – Burrowi?

– Tak. Burrowi.

Nienawidziłam sposobu, w jaki wymawiała jego imię. Za każdym razem brzmiało to tak, jakby ujmowała je w cudzysłów. Tak jakby używała czyjegoś pseudonimu, znając jego prawdziwą tożsamość.

– Ciociu Florence, powtarzam ci po raz ostatni, że nie mam pojęcia, o czym mówisz.

Lustrowała mnie przeszywającym wzrokiem i widziałam gniew wzbierający w jej oczach i wypełniający je po brzegi.

– Wybacz, znów zapomniałam, za jaką głupią mnie uważasz – powiedziała ściszonym, drżącym od wściekłości głosem. – Zapomniałam, że trafiłaś do wielkiego miasta, pokończyłaś te swoje uniwersytety i myślisz, że jestem ignorantką, która niczego nie widzi. Ale gdzieś zdobyłaś ten spryt i nie masz go po Fleetach, u których trzy szare komórki to zbytek. Fleetowie są poczciwi, ale ciemni jak pochmurna noc. Możesz wyglądać jak jedna z nich, ale w środku jesteś typowym Bentem, Arlene. Nie masz w sobie tej słodyczy ani głupoty. Jesteś rozumna, a do tego przebiegła. Ale nie zapominaj, że ja też należę do Bentów. I wiem – wiem, dlaczego wyjechałaś z domu. I dobrze wiem, dlaczego nie było cię tu przez dziesięć lat. Słyszysz mnie? A teraz muszę wiedzieć, czy mu powiedziałaś. Czy twój mąż wie, dlaczego opuściłaś dom i tak długo nie wracałaś?

Poczułam suchość w ustach. Przeraziłam się, że faktycznie mogła poznać prawdę, ale to wydawało się niemożliwe. Nie wiedział o tym nikt oprócz Boga, nikt. Potrząsnęłam głową.

– Nie dowierzasz mi, dziewczyno? Mam wymówić jego nazwisko?

Popatrzyłam na nią tępym wzrokiem i przytaknęłam.

Ciotka Florence przełknęła ślinę tak głośno, jakby i jej zaschło w gardle. Kiedy przemówiła, z jej ust wydobył się szorstki, chrapliwy szept.

– Jim Beverly – powiedziała. – Oto się rzekło. Byłam tam. Poszłam za tobą, o czym doskonale wiesz, więc odpuść sobie kłamstwa. Przynajmniej między nami.

Z trudem udało mi się złapać oddech. Powietrze miało kwaśny zapach pomarańczy, ciężki i mdły, i czułam, jak rani moje gardło niczym żyletka.

– Mówiłaś o tym swojemu mężowi? Mówiłaś?

Potrząsnęłam przecząco głową.

Florence, moja niespodziewana współkonspiratorka, skinęła potakująco, a jej napięcie odrobinę zelżało.

– Nie bądź taka głupia, żeby mu mówić – powiedziała. – Nie ufaj mu.

– Ależ ja mu ufam – odparłam.

Florence prychnęła, ale zanim zdążyłam coś powiedzieć, otworzyły się frontowe drzwi i usłyszałam głos Burra, który wołał mnie po imieniu.

Nie mogłam oderwać wzroku od ciotki Florence.

– Poszłaś za mną? – zapytałam.

Obserwowałam ją bacznie, zastanawiając się, ile siły drzemie w tej wysokiej, szczupłej sylwetce. Nawet teraz, będąc już po pięćdziesiątce, miała w sobie żylastą krzepkość. Mogła wyciągnąć stamtąd jego ciało, uwolnić je z macek gęstwy, wywlec na szczyt wzgórza i gdzieś zabrać. Była do tego zdolna. Była zdolna do wielu rzeczy.

– Myślałam, że to Bóg – wyszeptałam. – Myślałam, że Bóg go stamtąd zabrał.

– Może tak było – syknęła Florence. – Nie wiesz, jak On działa. Może byłam instrumentem w Jego ręku.

– Leno! – zawołał Burr. Był w holu i zaglądał do sypialni.

– Tamtej zimy poszłam samotnie na szczyt wzgórza – wyszeptałam w odpowiedzi, czując, że ogarnia mnie panika. – Modliłam się i modliłam i jego tam nie było. Myślałam, że to cud.

Florence już nie mogła mi odpowiedzieć, bo dały się słyszeć kroki Burra, który szedł przez bawialnię i po chwili stanął w wahadłowych drzwiach kuchni. Wydało mi się dziwne, że jest taki spokojny i niezmieniony, podczas gdy cały mój świat usuwał mi się spod nóg.

– Cześć, kochanie – powiedział. – Zobacz, co kupiłem na stacji Shella.

Uniósł trójpak okrągłych batoników miętowych York. Moich ulubionych.

– Uwaga, leci! – zawołał i rzucił je w moją stronę.

Opakowanie przeleciało nad moim ramieniem, odbiło się od tylnych drzwi i upadło na podłogę.

Wtedy Burr zaczął się orientować w sytuacji. Widziałam, że zauważył, jak sztywno i nieruchomo stoi ciotka Florence. Dostrzegł też moje ręce, które tak mocno zacisnęłam na blacie stołu, że zrobiły się trupio blade.

– No dobra. Mam jeszcze dokupić trochę benzyny?

– Zabierz mnie stąd – powiedziałam, wstając. Tak kurczowo trzymałam się stołu, że aż bolało, kiedy rozwierałam uścisk.

239

– Arlene – odezwała się Florence ostrzegawczym tonem.

– Nie. – Uniosłam dłoń, aby ją uciszyć, i zdumiała mnie stanowczość tego gestu. – Burr, zabierz mnie stąd.

Ruszyłam pospiesznym krokiem, upewniając się, że Burr idzie za mną. Kiedy byłam w połowie drogi przez dom, zaczęłam biec. Minęłam mamę, nawet na nią nie spoglądając, przemknęłam przez drzwi bawialni, kierując się do wyjścia, i wypadłam na podwórze, gdzie nareszcie mogłam zaczerpnąć powietrza. Dopadłam samochodu i siedziałam w środku przypięta pasami, zanim Burr zdążył mnie dogonić. Wgramolił się za kierownicę i uruchomił silnik.

– Dokąd jedziemy – zapytał, cofając.

– Daleko.

Za podjazdem skręcił w lewo i wydało mi się, że to odpowiedni kierunek. Po przejechaniu paru kilometrów kazałam mu jeszcze raz skręcić w lewo i wtedy zdałam sobie sprawę, dokąd go kieruję. Jechaliśmy w stronę Wzgórza Lizania.

Nie byłam w stanie pojąć tego, co usłyszałam od Florence. Dokąd zabrała ciało? I po co? Dlaczego to zrobiła? Nie kryje się morderców, nawet jeżeli to krewni. Jedyną osobą, dla której można by podjąć takie ryzyko, jest mąż albo żona i oczywiście własne dziecko. Ale może właśnie to miało sens. Może tak samo jak ja ciotka Florence zrobiła to dla Clarice.

– Dokąd jedziemy, Leno? – zapytał Burr ponownie.

– Zabieram cię do miejsca, gdzie chodziłam, będąc dzieciakiem – odpowiedziałam.

– Co zaszło między tobą a Florence?

Nie odpowiedziałam. Gapiłam się w okno, wypatrując skrętu. Na wzgórze prowadziła droga gruntowa, którą trudno było zauważyć.

– Tutaj! Skręcaj w prawo! – krzyknęłam w ostatniej chwili, kiedy nieomal ją minęliśmy.

Jakimś cudem Burr zdążył wykonać skręt.

Jękliwy odgłos, jaki wydawały gałęzie ocierające się o blachę samochodu, przyprawił mnie o zgrzytanie zębów, a Burr zrobił zbolałą minę na myśl o lakierze chevroleta. Odniosłam wrażenie, że droga odrobinę się skurczyła od czasu, kiedy byłam dziewczyną, ale potem pomyślałam, że to pewnie złudzenie, gdyż większość chłopców, którzy mnie tam przywozili, jeździła mniejszymi autami.

Zaczęłam się zastanawiać, czy dzieciaki wciąż tam przyjeżdżają, żeby to robić. Takie rzeczy zdają się przechodzić z pokolenia na pokolenie, ale dla mnie to wzgórze było miejscem nawiedzonym. Zastanawiałam się, czy jest tak tylko w moich wyobrażeniach, czy też dzieciaki czują na sobie zimne oczy ducha Jima Beverly'ego, kiedy obmacują się i migdalą na tylnych siedzeniach samochodów swoich ojców.

Kiedy wjechaliśmy na polanę, w słabnącym świetle zauważyłam leżące na ziemi puszki po oranżadzie i piwie, opakowania po chipsach i smutną, sflaczałą prezerwatywę. Stał tam również zaparkowany stary volkswagen garbus, ale w środku nikogo nie było. Być może odmówił posłuszeństwa jakiemuś chłopakowi, który zostawił go i poszedł sprowadzić kogoś z kablami rozruchowymi albo z lawetą. Zapadał czwartkowy wieczór, a my mieliśmy całą okolicę tylko dla siebie. Żadnego białego podkoszulka na najniższej gałęzi drzewa przy ścieżce prowadzącej na wzgórze. Samo drzewo zdążyło się rozrosnąć przez ostatnie dziesięć lat. Jeżeli zasada podkoszulka nadal obowiązywała, dzieciaki były zmuszone wieszać go na krzakach otaczających drzewo. Trawa była wciąż wydeptana, a z rozjeżdżonego kołami dziesiątek samochodów podszycia nie zostało nic.

Burr zaparkował chevroleta u stóp wzgórza, nieopodal ścieżki prowadzącej na szczyt.

– Co my tu robimy, Leno? – zapytał Burr.

Szybko zapadał zmrok i nie byłam w stanie dojrzeć wyrazu jego oczu. Burr miał piękne oczy, małe i płaskie, ale urocze, w kolorze ciepłego brązu, o dwa odcienie jaśniejsze od jego skóry. Odziedziczył je po mamie.

– To wygląda jak miejsce schadzek – stwierdził. – Nie sądzę, że mnie tu przyprowadziłaś, abyśmy to zrobili.

– A może tak – odparłam.

Kiedyś pozostawiłam na szczycie tego wzgórza zabitego człowieka, a ciotka Florence zabrała go stąd. Wiedziałam, że zniknął, ale wciąż czułam jego obecność. Był zimny i nieruchomy. Mnie również zrobiło się zimno, tak zimno, że zaczęłam dygotać.

– Nigdy nie wydarzyło się tu nic dobrego, Burr. Może przyprowadziłam cię tu, żeby stało się coś dobrego.

Uniosłam się na siedzeniu i przełożyłam nogę nad udami Burra, po czym usadowiłam się na nim okrakiem, twarzą w twarz, opierając się plecami o kierownicę. Był taki żywy. Emanujące od niego ciepło wzbudzało we mnie dziwną, niemal naukową ciekawość. Zaczęłam rozpinać guziki jego koszuli i wsunęłam pod nią dłonie, próbując się ogrzać od jego skóry.

– Leno – odezwał się, chwytając mnie mocno za ręce. – Popatrz na mnie.

Unikałam jego wzroku, nawet mimo osłony zapadającej ciemności. Nie miałam ochoty na niego patrzeć. W ogóle. Wróciłam do miejsca, w którym nie byłam od lat i znów siedziałam za pulpitem sterowniczym mojego mózgu, zziębnięta do szpiku kości i oderwana

242

od wszystkiego, czego mogłoby zechcieć moje ciało. Burr wciąż trzymał mnie za ręce, żebym nie mogła go dotknąć. Był silniejszy ode mnie i wiedziałam, że nie ma sensu szarpać się z nim, więc nawet nie próbowałam.

Siedziałam za pulpitem sterowniczym, a moje ciało było tylko instrumentem, zwykłym narzędziem. Zapomniałam o rękach i pozwoliłam im zwiotczeć w jego uścisku, zamknęłam oczy i odrzuciłam głowę do tyłu, odsłaniając przed nim gardło. Oddałam mu we władanie górną cześć swego ciała, tak bezwolną i rozluźnioną, że gdyby mnie nie trzymał, upadłabym na bok. Czułam kierownicę, która uwierała mnie w plecy, sprawiając, że nie mogłam się od niego zbytnio oddalić. Czułam w sobie życie od pasa w dół. Moje ciało naparło całym ciężarem na niego i rozkoszowałam się tą mimowolną reakcją, jaką w nim wzbudziłam. Należał do mnie tak samo jak ta chwila i było to poczucie absolutne, oszołamiające i groźne.

– O co chodzi? – zapytał.

Naparłam na niego ponownie, ocierając się biodrami, a mój tułów był tak wiotki, że nie mógł mnie puścić, jeżeli nie miał zamiaru pozwolić mi upaść.

– Leno – powiedział zirytowanym tonem.

Rozluźnił chwyt na moich nadgarstkach i mogłam uwolnić ręce, które zarzuciłam mu na szyję. Pochyliłam się nad nim, ukrywając nasze twarze za rozkołysaną kurtyną moich długich włosów. Pocałowałam go drapieżnie, wciąż wykonując biodrami miarowe ujeżdżające ruchy.

– Kurwa – wypowiedział prosto w moje usta i zaczął gmerać ręką przy drzwiach.

Kiedy wymacał klamkę i otworzył je, poczułam, jak do środka wdziera się nocne powietrze. Pod sufitem zapaliło się beznadziejnie mdłe światło. Burr szarpał się na boki, próbując wysiąść, ale wczepiłam się w niego, nie pozwalając zachować równowagi. Stracił swój wrodzony wdzięk, poplątały mu się nogi i wypadliśmy na zewnątrz. Mimo to szybko odzyskał orientację, wykonał półobrót w locie i uderzył plecami o ziemię, przyjmując na siebie siłę upadku. Wylądowaliśmy twardo na wyschniętej trawie. Wciąż oplatałam go nogami. Uderzyłam zębami o jego zęby i poczułam w ustach ostry posmak krwi, dobrze znany i orzeźwiający. Pochwyciłam jego rozgorączkowany oddech, kiedy wypuszczał powietrze, i wciągnęłam łapczywie w płuca.

Burr nie mógł złapać tchu. Miałam wolne ręce i wykorzystałam to, gładząc jego pierś. Dosiadłam go okrakiem i sięgnęłam jedną ręką za siebie, usiłując chwycić go za jaja. Moje ciało składało się z miliona różnych, oddzielonych od siebie części, które poruszały się, dotykając Burra, a jednocześnie siedziałam spokojna i opanowana za pulpitem sterowniczym. Widziałam, jak oboje zmagamy się w milczeniu, podczas gdy Burr nie mógł złapać tchu.

– Przestań – wyszeptał, kiedy tylko udało mu się zaczerpnąć powietrza. – Kurwa, zostaw mnie.

Pochylałam się właśnie, by znów go pocałować, kiedy powstrzymał mnie, chwytając za ramiona, wymawiając moje imię i próbując mnie nakłonić, żebym na niego spojrzała. Wykorzystałam to, że miałam wolne ręce, i chlasnęłam go mocno w twarz. Był na tyle zszokowany, że rozluźnił chwyt, a wtedy pocałowałam go w zwiotczałe od zdumienia usta. A potem moje wargi powędrowały w bok, by spić żar z piekącego policzka, w który go uderzyłam.

Burr ponownie złapał mnie za ręce, mocno i brutalnie, i poczułam, że odrobina jego utajonej siły wymyka się spod kontroli.

– Leno, przestań. – Jego ton był łagodny, ale stanowczy. – Nie chcę zrobić ci krzywdy. Nie chcę tego.

– To dlaczego twój kutas jest taki twardy? – powiedziałam tak stłumionym i mrocznym głosem, że sama go nie poznawałam.

– Bo tak już jest.

Zgiął się w pasie i usiadł. Wciąż siedziałam na jego biodrach i oplatałam go nogami, a on trzymał mnie za ręce. Miał tak długi tułów, że musiałam unieść głowę, by na niego spojrzeć. Przez chwilę poczułam strach, strach przed Burrem, i zaczęłam tracić kontrolę. Był znacznie silniejszy ode mnie. Nie to co jakiś wystraszony chłoptaś, którego mogłam złapać na testosteron i świńską gadkę.

Czułam, jakbym spadała z wysoka i lądowała we własnym wnętrzu.

– Przepraszam. Nie wiem, co to było – powiedziałam, patrząc na niego. Mój głos był znów tak miękki jak zawsze.

Siedzieliśmy, przyglądając się sobie nawzajem. Otaczała nas spokojna noc. Cokolwiek by to było, Burr czuł, że straciłam kontrolę. Obydwoje to wiedzieliśmy. Kiedy puścił moje ręce, odsunęłam się od niego i wstałam. Przyłożyłam dłoń do ust. Miałam rozciętą wargę w miejscu, którym uderzyłam o zęby Burra. Przyjrzałam się swoim palcom. W mroku krew miała czarny kolor.

– Kochanie – odezwał się Burr. – Nie sądzisz, że nadeszła pora, abyśmy porozmawiali?

Odwróciłam się i lekko pchnęłam drzwi samochodu. Zamknęły się z delikatnym trzaskiem i światło pod sufitem zgasło. Słońce zaszło już całkiem, a księżyc jeszcze się nie pokazał i otaczała nas niemal całkowita ciemność. Usiadłam na wydeptanej trawie obok Burra i oparłam się o jego ramię, a on wyciągnął rękę i przytulił mnie do siebie.

– Jeżeli to coś pomoże, to sądzę, że wiem, do czego zmierzasz – powiedział. – Chcę, żebyś ze mną porozmawiała. Nie spodziewam się, że mnie zaskoczysz.

W głowie tłukło mi się pierwsze zdanie mojej historii. Wiedziałam dokładnie, co mam powiedzieć, ale nie byłam w stanie zacząć, ponieważ Burr, człowiek, z którym wymyśliłam Co Mam w Kieszeniach, ponaglał mnie, by zakończyć grę.

– Powiedz to, kochanie. To nie jest nic złego. Nie przestanę cię kochać. To nie twoja wina.

– To jest coś złego – odparłam.

– Nie. Nie jest. Ty nie jesteś zła. Przecież nikogo nie zabiłaś.

Zamarłam w takim bezruchu, że każde uderzenie serca szarpało moim ciałem niczym trzęsienie ziemi. W przerwach między tymi wstrząsami cały świat również wstrzymywał oddech. Burr wyczuł tę ciszę. Wiedziałam, że właśnie doznaje olśnienia i zaczyna wszystko pojmować.

– O kurwa – odezwał się spokojnym tonem. – Tak, powinnaś mi to powiedzieć.

– Alabama ma swoich bogów – przemogłam się nareszcie i opowiedziałam mu prawie wszystko.

Wylewało się to ze mnie rwącym strumieniem zdyszanych słów. Mówiłam nieprzerwanie, aż głos zaczął odmawiać mi posłuszeństwa. Zabrałam go ze sobą na Wzgórze Lizania, aby został moim świadkiem. Widział, jak schylam się po butelkę. Jak biorę zamach. Jak uderzam. Potem opowiedziałam mu o Clarice, o tym, jak mnie uratowała, kiedy przyjechałam do Alabamy wraz z wypalonym wrakiem mojej matki.

Po tym wszystkim nie mogłam przestać. Nie mogłam pozwolić mu dojść do słowa. Opowiedziałam mu o Rose-

-Pop. O tym, że Jim Beverly potrafił być dla mnie życzliwy. Opowiedziałam mu o tym, jak go kochałam skrytą, beznadziejną miłością. Opowiedziałam mu o tym, co nastąpiło potem, o tym, jak Clarice znalazła mnie wśród krzewów hortensji. Wyrzuciłam z siebie wszystkie lęki i wszystkie modlitwy, w których błagałam Boga, aby ukrył mnie tak, jak ukrył Kaina, aby naznaczył mnie, chroniąc przed następstwami mojego czynu.

Powiedziałam mu wszystko prócz tego, dlaczego to zrobiłam. Ale tak wyraźnie przeplatało się to w mojej historii, że nie musiałam nic mówić. Cała moja historia była ułożona tak, by Burr po jej wysłuchaniu sam mógł mi to powiedzieć.

Kiedy jednak skończyłam opowieść, on siedział w milczeniu przez dłuższą chwilę. Czekałam, aż się do mnie odezwie, ale on nic nie mówił. Trawił moje słowa, aż w końcu zadał niewłaściwe pytanie:

– Co stało się zimą, kiedy gęstwa zrzuciła liście?

– Nic – odpowiedziałam.

– Coś musiało się stać.

Nie chciałam go okłamywać, nie mogłam tego zrobić, jednak o ile mogłam wyznać mu własne grzechy, o tyle nie miałam prawa mówić o tym, co zrobiła Florence.

– Nic się nie stało – powtórzyłam. – Przez całą jesień nikt nie uskarżał się na żaden smród. Nikt nie przychodził tu szukać. Wszyscy uznali, że uciekł. A kiedy przyszłam tu zimą, ciało zniknęło.

– Jak to możliwe? – spytał Burr.

– Myślę, albo raczej myślałam wtedy, że to Bóg go zabrał.

Burr naparł na mnie w ciemności.

– Bóg go zabrał? – zapytał.

– Tak właśnie myślałam. O to zresztą się modliłam. Myślałam, że to cud. Tak jakby Bóg zesłał niedźwiedzia, który gdzieś go zawlókł albo...

– Bóg zesłał niedźwiedzia? Bóg zesłał niedźwiedzia do południowej Alabamy?

– Czy przestaniesz powtarzać takim sceptycznym tonem wszystko, co powiem? Mówię ci, co widziałam. Myślałam, że zabrał je Bóg albo niedźwiedź. Nie miałam pojęcia. Nie w tym rzecz. To nigdy nie było najistotniejsze. Rzecz w tym, że zabiłam człowieka. Zabiłam Jima Beverly'ego. A teraz musisz mi przebaczyć albo mnie znienawidzić. No i jakiego dokonasz wyboru?

Mówiłam tak długo, że mój głos zamienił się w chrapliwy szept.

Burr zdawał się zagubiony we własnych myślach. Słyszałam niemal, jak jego mózg wchodzi na wyższe obroty, szumi i warczy, przełączając się na prawniczy tryb myślenia i porządkując fakty.

– Jak możesz dokonać wyboru, skoro nie wiesz nawet, dlaczego to zrobiłam? Skoro nawet do tego nie nawiązałeś?

– Jeszcze nie uporałem się z tym niedźwiedziem, Leno. Powiedziałaś, że zabiłaś człowieka. I że Bóg zabrał ciało. Nie potrafię tego rozgryźć.

Burr wstał gwałtownie i od razu poczułam chłód.

– Burr – powiedziałam.

– Zaczekaj. – Zaczął się przechadzać tam i z powrotem przed maską samochodu. – Muszę to przemyśleć. Czekaj. Co ty powiedziałaś? O Chryste Wszechmogący. Powiedziałaś, że go zabiłaś? Zabiłaś tego chłopca, tego Jima Beverly'ego?

– Tak.

– Butelką?

– Tak – powtórzyłam.

– I pytałaś mnie przed minutą, jak mogę zdecydować, co robić, skoro nie powiedziałem, dlaczego go zabiłaś?

– Właśnie tak.

– Skoro ja, Wilson Burroughs, nie powiedziałem dlaczego? – W jego głosie, który przybierał na sile, wyczuwałam rozdrażnienie. – Skoro nie powiedziałem? O Chryste, chyba stroisz sobie żarty.

Minął mnie, skuloną na ziemi, i otworzył drzwi samochodu. Nachylił się do środka, usłyszałam pstryknięcie i prowadzącą na szczyt wzgórza ścieżkę zalało światło reflektorów. Potem chwycił mnie za ramię i postawił na nogi. Potykając się, szłam za nim, kiedy wlókł mnie do światła, próbując napotkać wzrokiem moje spojrzenie.

– To ja mam ci powiedzieć? Grasz ze mną w Co Mam w Kieszeniach, prawda? I teraz mam powiedzieć dlaczego? Mam powiedzieć, jaki miałaś motyw? W co ty się bawisz, Leno? Jaka jest prawda? Spójrz mi w oczy, bo wiem, że nigdy nie kłamiesz. Powiedz. Zrobiłaś to?

Wydawało mi się, że płaczę, ale nie byłam tego pewna. Podniosłam wzrok na Burra.

– Tak – odpowiedziałam.

– Dlaczego? – krzyknął.

– Boli mnie ręka – jęknęłam.

– Dlaczego? – powtórzył niewzruszenie.

– Proszę, puść mnie, to boli.

Ale Burr stał nieruchomo i wciąż ściskał moje ramię.

– Dlaczego, Leno? – zapytał.

– To się stało. Przysięgam, to się stało. Ale potem ja to sobie przywłaszczyłam.

– Przestań kombinować – odparł. – Powiedz mi. Powiedz mi dlaczego?

Otworzyłam usta, aby mu odpowiedzieć, a wtedy na ścieżce prowadzącej ze szczytu pojawiła się Rose Mae

Lolley. Była kilka kroków od nas, kiedy Burr ją usłyszał i odwrócił się do niej, wciąż ściskając moją rękę. Rose chwyciła go za ramiona i gwałtownie uniosła nogę, trafiając go kolanem w krocze. Burr puścił mnie i zgiął się wpół, a wtedy Rose wykonała półobrót tułowiem i jej łokieć spadł z impetem na jego głowę. Burr zwalił się na ziemię.

– Uciekaj! Uciekaj szybko! – wrzasnęła Rose, odskakując zwinnie jak jelonek.

Opadłam na kolana obok Burra.

– Skarbie, nic ci nie jest?

Jęknął w odpowiedzi, zwijając się na ziemi. Zerknęłam przez ramię. Rose zatrzymała się kilka metrów dalej, a jej biały podkoszulek połyskiwał w ciemności.

– Arlene – powiedziała naglącym tonem – musisz uciekać, dopóki on leży.

– Zamknij się, ty wariatko – warknęłam. – On mi nic nie zrobi.

Burrowi udało się usiąść, a ja otoczyłam go ramieniem, pomagając mu zachować równowagę.

– Nigdy by mnie nie skrzywdził – dodałam.

– Kurwa, kurwa – stękał Burr, wciąż się kuląc.

– Co ty, do cholery, tutaj robisz! – wydarłam się na Rose.

Zrobiła niepewny krok w naszą stronę.

– Medytowałam. Aż usłyszałam, że on na ciebie wrzeszczy. Zeszłam po cichu ze wzgórza i wtedy powiedziałaś, że cię boli. Widziałam was w światłach samochodu. On cię szarpał.

– On się tylko zdenerwował, Rose. – Pogładziłam Burra po ramieniu.

Rose przybliżyła się do nas o kolejny krok.

– Oni wszyscy tak mówią. Wszyscy się denerwują i potem im przykro, ale to gówno warte, Arlene.

– Nie wszyscy faceci biją kobiety – powiedziałam. – Burr, kochanie, już ci lepiej?

Burr kiwnął głową.

– Chyba już wracam do życia – wychrypiał i wziął głęboki oddech.

– Co ty, do kurwy nędzy, za medytacje sobie tu urządzasz? – zwróciłam się do Rose.

– A co ty robisz w Alabamie? – zapytała, krzyżując ramiona.

– Przyjechałam tu, żeby się z tobą spotkać – powiedziałam. – Wydzwaniałam za tobą do hotelu.

– Jeszcze się nie zameldowałam. Najpierw przyjechałam tutaj. To było dla nas wyjątkowe miejsce. Powiedzmy... To było wyjątkowe miejsce dla mnie i dla Jima.

– To miejsce było dla każdego wyjątkowe. – Masowałam Burra po plecach. – Myślę, że jesteś mu winna przeprosiny.

Rose wzruszyła ramionami i podeszła jeszcze bliżej.

– Przykro mi, jeśli błędnie zinterpretowałam to, co się działo. Ale wyglądało, jakbyś robił jej krzywdę.

– Istnieje coś takiego jak dobry mężczyzna.

Burr miał opuszczoną głowę i nabierał powietrze długimi, powolnymi wdechami.

– Wiem o tym – powiedziała Rose. – Kiedyś takiego miałam. Powiedziałam o nim mojej terapeutce i dlatego teraz go szukam. Właśnie to przyjechałam tutaj udowodnić.

– Jeśli próbujesz wykorzystać Jima Beverly'ego, aby udowodnić, że wiesz, jak znaleźć porządnego chłopaka, to nie tędy droga – zaprotestowałam.

– Co to ma znaczyć? – zapytała Rose. – Przecież ty nic o nim nie wiesz.

– Powiedz jej – wtrącił się Burr. – Powiedz nam obydwojgu. Zakończ to.

Kiwnął na mnie głową i zdałam sobie sprawę, że nie było potrzeby okłamywać Rose Mae. Prawda mogła zdziałać dokładnie to samo, czego spodziewałam się po kłamstwie. Byłabym w stanie powstrzymać Rose i odesłać ją do domu, ale tylko wtedy, gdybym wyjawiła całą prawdę. Wstałam i oddaliłam się od Burra na kilka kroków, ukrywając się w ciemności.

– Usiądź, Rose. I nie patrz na mnie.

Rose zawahała się, a potem podeszła niepewnie i zajęła miejsce na wydeptanej trawie obok Burra, w strumieniu światła bijącego z reflektorów chevroleta. Burr siedział już prosto i normalnie oddychał.

– Ten Jim Beverly, którego szukasz, Rose... – zaczęłam. – On nie istnieje. Twoja terapeutka ma rację. To nie jest osoba. On jest w tobie. Wybrałaś złego mężczyznę. Nie potrafisz rozpoznać tego dobrego, kiedy on stoi przed tobą, a ty spuszczasz mu łomot. Jim Beverly wcale nie był dobry. On był gwałcicielem, Rose.

Potem zwróciłam się do Burra:

– Pewnie już zrozumiałeś, że to nie byłam ja. To dlatego nic mi nie powiedziałeś. I masz rację, Jim Beverly nawet mnie nie tknął. Ale to się stało, to się naprawdę wydarzyło, tylko nie mnie. Przywłaszczyłam to sobie. Ukradłam to Clarice i nigdy potem nie miałam pojęcia, jak to oddać.

Rozdział 14

Ponieważ Clarice i ja mogłyśmy chodzić na randki tylko we dwie, towarzyszył nam Rob Shay, przyjaciel Jima Beverly'ego. Wiedziałam, że Rob jest mną zainteresowany w równym stopniu co szydełkowaniem. Był to chłopak z drużyny baseballa, wysoki, schludny i przystojny, o ciemnych włosach i typowo amerykańskiej szczęce. Miał swoją grupkę adoratorek, ale występował jako skrzydłowy Jima Beverly'ego. Dzień po tym, jak Jim Beverly złożył Clarice oficjalną propozycję, Rob zatrzymał się obok mojego stolika.

– Cześć, Arlene – powiedział. – W piątek ty i ja z Jimem i twoją siostrą, dobra?

– Kuzynką – sprostowałam.

– Nieważne. Wchodzisz w to?

Wzruszyłam ramionami, a on potraktował to jako potwierdzenie. Wycelował we mnie dwa palce i markując dłonią strzał, puścił do mnie oko.

– Świetnie. No to do zobaczenia – powiedział i odszedł do swojego stolika.

Uporał się ze mną bez ceregieli. Jeśli to w ogóle możliwe, byłam zainteresowana Robem nawet mniej niż on mną. Jednak mimo że znałam zasady, zdarzyło mi się przypadkiem pomyśleć o piątkowym wieczorze jako o naszej randce z Jimem Beverlym, mojej i Clarice.

W piątek po południu czułam, jak w żołądku buszuje mi stado dzikich kotów, nawet Clarice wyglądała na wyjątkowo podenerwowaną. Nasze przygotowania do randki przerodziły się w podszyte histerią sztafirowanie. Wpatrywałam się w szufladę bieliźniarki, żałując, że nie potrzebuję nosić stanika albo że przynajmniej nie mam takiego, w którym wyglądałabym, jakbym go potrzebowała. W tym samym czasie Clarice usiłowała poskromić swoje włosy. Kiedy włożyłam podkoszulek i dżinsy, które miłosiernie maskowały moje patykowate nogi, zaczęłam walczyć z fryzurą. Tymczasem Clarice nerwowo myszkowała wśród kosmetyków. Potem znów zamieniłyśmy się miejscami i ona zaczęła wybrzydzać, przerzucając stroje, a ja przeklinałam swoją niezdolność posługiwania się cieniem do powiek.

Chaotycznie przetrząsnęłam kosmetyczkę Clarice i zdecydowałam się przetestować na sobie cień o barwie bladego morskiego błękitu. W efekcie upodobniłam się do dyskotekowej tapeciary.

Clarice zdecydowała się na krótką, zwiewną spódniczkę, na której bladoróżowym tle wyrastał z lamówki rząd ciemniejszych tulipanów. Do tego włożyła sweterek z krótkimi rękawami, w tym samym kolorze co zdobiące spódniczkę kwiaty. Sweter doskonale opinał jej krągłości. Spódniczka sięgała jej prawie do kolan, ale była tak cienka i rozkloszowana, że falowała i powiewała przy każdym jej kroku, odsłaniając długie nogi. Clarice włożyła sandały na płaskiej podeszwie i zauważyłam, że paznokcie u nóg ma polakierowane na kolor wnętrza muszli. Jej stopy też były piękne.

Spojrzałam na nią i poczułam, jak serce wyrywa mi się z piersi i upada na podłogę, turlając się w kurzu. Wyglądała jak Barbie z marzeń Kena. Popatrzyła na mnie.

– Ojej, Arlene, co próbowałaś zrobić z...? – Wskazała palcem na swoje oczy.

Wzruszyłam ramionami i opadłam z rezygnacją na krzesło.

– Ja nie idę – powiedziałam.

– Nie bądź głupia. Mamy jeszcze dwadzieścia minut, a wiesz, że się spóźnią. Oni myślą, że nie potrafimy być gotowe na czas.

Wzięła kosmetyczkę, postawiła mnie na nogi i zaciągnęła do łazienki. Na korytarzu minęłyśmy się z ciotką Florence, która na mój widok stanęła jak wryta i wybałuszyła oczy.

– Ona właśnie idzie umyć twarz, mamo – wyjaśniła Clarice, zanim ciotka zdążyła się odezwać.

W łazience wręczyła mi mleczko kosmetyczne.

– Zmyj to wszystko i zaczniemy od nowa.

Zrobiłam, jak kazała. Wyszorowałam twarz, plamiąc przy tym podkoszulek i mocząc sobie grzywkę. Potem klapnęłam zdesperowana na opuszczoną deskę klozetową. Z długimi, pozlepianymi włosami, które okalały moją bladą twarz, wyglądałam na dziesięciolatkę.

– No, ocknij się – powiedziała Clarice. – Wszystko można naprawić. Przysięgam, Arlene, że nigdy nie widziałam, żebyś tak się ze sobą cackała. Zamknij oczy i nadstaw twarz, o tak, w ten sposób.

Zaciskałam powieki, podczas gdy ona obracała mi głowę z boku na bok, paćkając mnie gąbką, wacikami i tymi swoimi pędzelkami do makijażu.

– Zresztą po co takie nerwy i ten cień do powiek? – spytała. – Arlene, czyżby podobał ci się Rob Shay?

– Nie – odparłam. – To byłaby głupota, gdyby mi się podobał. On czy jakiś sportowiec, który jest powszechnie lubiany, i każda dziewczyna w szkole traci głowę, kiedy taki przechodzi obok niej. Wiesz, że on dzisiaj idzie ze mną tylko ze względu na warunek twojej mamy. Żaden chłopak nigdy mnie nie zaprosił prócz tych, których koledzy chcieli umówić się z tobą.

– Przestań gadać. Chcę ci pomalować usta – przerwała mi Clarice i poczułam chłodny czubek konturówki obwodzącej zarys moich warg, a potem jeden z pędzelków, którym nakładała szminkę.

– Jesteś dla siebie zbyt surowa – powiedziała. – Myślę, że chłopcy cię nie zapraszają na randki, bo z nimi nie flirtujesz. Musisz z takim rozmawiać, jakbyś uważała go za kogoś wybitnego. Nie umówi się z tobą, dopóki nie wystrzelisz wielkiego fajerwerku, który eksploduje w jego głowie, żeby odebrał twój sygnał: „Tak, tak, podobasz mi się". Chłopców ani na sekundę nie opuszcza śmiertelny strach, że dziewczyna, której zaproponują randkę, powie im „nie".

– Nie, chłopcy boją się, że ty im odmówisz – sprostowałam, kiedy Clarice skończyła malować mi usta.

– A teraz się obróć, zrobię ci francuski warkocz. – Usłyszałam w odpowiedzi.

Kiedy już zaplotła mi włosy, wyczesała z przodu kilka kosmyków i puściła je luzem, aby okalały moją twarz. Potem zaciągnęła mnie z powrotem do pokoju i zaczęła przebierać. Wyciągnęła z dna szafy długą, czarną spódnicę z dzianiny, należącą do kompletu, który przed rokiem wkładałam, idąc do kościoła. W tym roku spódnica była ciaśniejsza i Clarice pokiwała głową z zadowoleniem. Wręczyła mi żurawinowoczerwoną bluzkę, która zdaniem ciotki Florence pasowała do mojej cery, i kazała mi ją włożyć razem z czarnymi butami na płaskiej podeszwie. Kiedy spojrzałam w lustro, byłam zaskoczona, że już nie wyglądam, jakbym miała dziesięć lat. Wyglądałam jak nastolatka.

Obcisła spódnica akcentowała wcięcie w pasie, które niedawno się pojawiło, przez co moje biodra wydawały się bardziej zaokrąglone. Bluzeczka byłaby zbyt śmiała dla dziewczyny obdarzonej większym biustem, ale na mnie leżała w sam raz, eksponując kształtne kości obojczykowe. Clarice nie napracowała się zbytnio przy moich oczach, poprzestając na tuszu do rzęs i kredce, za to róż nałożyła mi niżej, niż zwykle robiłam to sama, i okazało się, że mam wyraziście zarysowane kości policzkowe. Wargi również pomalowała mi na kolor ciemniejszy niż zwykle; ich głęboka czerwień harmonizowała z bluzką. Byłam zdumiona, że mam takie ładne usta, pełne i w kształcie serca, jak moja mama na starych zdjęciach z młodości. Miałam dziewczęce usta. Stworzone do całowania. Nie mogłam się powstrzymać od uśmiechu. Clarice nie przemieniła mnie w jakąś szkolną królową piękności, ale wyglądałam ładnie.

Udałyśmy się do bawialni, gdzie ciotka Florence i wuj Bruster oglądali telewizję. Mama odpoczywała na szezlongu w głębi pokoju, trzymając przed sobą sztywno wyprostowane dłonie, oddalone od siebie o jakieś piętnaście centymetrów, i wpatrując się tępo w przestrzeń między nimi.

– Moje panienki wyglądają naprawdę pięknie – uśmiechnął się do nas wuj Bruster.

Pogrzebał w kieszeniach i wyciągnął dwie ćwierćdolarówki oraz dwa banknoty po dziesięć dolarów. Był to standardowy rytuał poprzedzający każdą randkę.

– Gdyby coś się stało z waszymi partnerami, gdyby któryś odstawiał jakieś świństwa albo się upił, albo uciekł, idźcie do jakiegoś publicznego miejsca, zamówcie sobie colę i czekajcie, aż po was przyjadę – powiedział, wręczając każdej z nas po banknocie.

- Tak jest - odrzekłyśmy.

Nagle mama klasnęła w dłonie tak głośno, że Clarice i ja aż podskoczyłyśmy. Florence i Bruster nawet nie drgnęli. Tymczasem mama rozłożyła dłonie jak książkę i przyglądała się im, a potem znów je uniosła, oddalone o kilkanaście centymetrów.

Wuj Bruster wręczył nam po ćwierćdolarówce.

- Gdyby któryś z chłopców namawiał was na coś, z czym czujecie się niepewnie, dajcie mu tę monetę. Powiedzcie, żeby zadzwonił do mnie i zadał mi to samo pytanie, które zadawał wam. Jeżeli ja się zgodzę, możecie na to przystać.

- Tak jest - powtórzyłyśmy, a mama znów klasnęła w dłonie.

Patrzyłyśmy, jak przygląda się swoim palcom.

- W pokoju jest mucha - wyjaśniła ciotka Florence niecierpliwym tonem. - Słuchajcie lepiej, co mówi tata.

- Nie widzę żadnej muchy - powiedziała Clarice, rozglądając się dokoła.

- To dlatego, że tak naprawdę jej tu nie ma - odparłam, a Clarice zalała się delikatnym rumieńcem. Mama znów rozłożyła wyprostowane dłonie. - Mogłybyśmy zaczekać w salonie, ciociu Florence?

- Tak, mogłybyście - pozwoliła ciotka Florence, podejrzliwie unosząc brew. - Ale żebyście nie czmychnęły jak psy, na które ktoś zagwiżdże, kiedy ci chłopcy przyjadą i będą na was trąbić. Macie czekać, aż zadzwonią do drzwi, a Bruster i ja przyjdziemy do salonu i poznamy się z nimi, wyjdziecie z domu w ich towarzystwie.

- Tak jest - powiedziała Clarice, a mama znów klasnęła zamaszyście.

W salonie przysiadłyśmy na pomarańczowej sofie. Z bawialni dobiegał stłumiony bełkot telewizora, przerywany sporadycznym klaskaniem mamy.

– Mam nadzieję, że nie zatrąbi – wyszeptała Clarice. – Mam nadzieję, że wpadnie na to, aby podejść do drzwi, albo mama wyjdzie do niego, złapie go za ucho i wygłosi mu kazanie na temat znaczenia dobrych manier.

Clarice zatrzęsła się, robiąc przerażoną minę, ale nie było to tak całkiem dla żartu. Ciotka Florence faktycznie była do tego zdolna.

Na szczęście zarówno Rob Shay, jak i Jim Beverly byli dobrze wychowani, też znali szkolne opowieści o surowych rodzicach Clarice. Przyszli pod drzwi. Siedziałyśmy na sofie, podczas gdy Bruster i Florence poszli im otworzyć. Słyszałyśmy, jak przedstawiają się sobie nawzajem.

Kiedy chłopcy pojawili się w drzwiach, nagle zorientowałam się, że Jim Beverly błędnie ocenił sytuację. Uśmiechał się do Brustera i gawędził z nim swobodnie. Zwykle warto zabiegać o dobre stosunki z ojcem dziewczyny, jednak Jim nie zauważył prawdziwego zagrożenia. Florence mierzyła go wzrokiem rewolwerowca, chłodnym i opanowanym, jakby składała się do śmiertelnego strzału z pięćdziesięciu kroków.

– Dokąd zabieracie nasze dziewczęta tego wieczoru? – zapytał Bruster.

Jim Beverly przedstawił mu nasz plan, mówiąc, że wybieramy się do kina we Fruiton, a potem do pizzerii Mr. Gatti's napić się coli i coś przekąsić wraz z paroma innymi dzieciakami z naszej szkoły. Mówiąc, nawiązywał często kontakt wzrokowy i prostodusznie unosił brwi, ale zasadniczy wywiad miał miejsce w drzwiach salonu.

– Shay, znam to nazwisko – ciotka zwróciła się do Roba. – A dokąd chodzicie słuchać Słowa Bożego?

– Jim i ja, jak również nasi krewni, wszyscy chodzimy do Mount Olive – odpowiedział Rob i zauważyłam, że ciotka odrobinkę się rozluźniła. Mount Olive był to kościół południowych baptystów we Fruiton.

– Jesteś synem Caroline Shay? – zapytała ciotka Florence.

– Nie. Caroline to moja ciotka. Ma pani na myśli mego kuzyna Ronny'ego – odparł Rob. – Ja jestem najstarszym synem Darcy'ego i Pam Shayów.

– Znam Pam Shay. – Florence zdawkowo kiwnęła głową. – Masz dobrą matkę.

– Dziękuję, proszę pani. Wiem to – powiedział Rob.

Clarice i ja wymieniłyśmy spojrzenia. Mount Olive i to „proszę pani" oznaczało, że nasi chłopcy właśnie zostali zaaprobowani.

– Odwieziesz je do domu punkt jedenasta – powiedział Bruster do Jima.

– Tato – zaprotestowała Clarice. – O jedenastej trzydzieści?

Widziałam, jak Bruster i Florence spoglądają na siebie i ona daje mu prawie niezauważalny znak skinięciem głowy.

– Zróbmy więc tak – powiedział Bruster. – Wyjdziecie z pizzerii o jedenastej. Będzie stamtąd jakieś dwadzieścia minut jazdy? Ale macie być jak Kopciuszek. Kiedy zegar wybije jedenastą, lepiej, żeby panienki wskakiwały już do karocy.

– Dzięki, tatusiu. – Clarice podskoczyła radośnie, a ja zrobiłam to samo, jakbym była do niej podłączona. – Ale wiesz, że Kopciuszek mógł się bawić do północy.

– Kopciuszek chodził do drugiej klasy – odparował Bruster.

Akcja obfitującego w efekty specjalne filmu toczyła się pod wodą, gdzie potwór morski pożerał odziane w bikini kobiety, które były naukowcami. Oto co Janey, niesmacznie wyzywająca przyjaciółka Clarice, nazywała trzymającym w napięciu filmem. Ciągle coś wyskakiwało z mrocznych głębin. Udało mi się wślizgnąć między rzędy foteli przed Robem i usiedliśmy w szeregu, najpierw Clarice, obok niej Jim Beverly i ja między dwoma chłopcami. Oglądając film, nie odczuwałam żadnego napięcia poza dłońmi, które trzymałam splecione na kolanach, szczęśliwa, że mogę siedzieć obok Jima.

Kiedy pożeranie nurkujących w bikini panienek ustąpiło jakimś dialogom, Jim Beverly nachylił się do Clarice.

– Idę kupić sobie colę – wyszeptał. – Przynieść ci też? Albo milk duds, albo coś?

Clarice podziękowała, ale usłyszał go Rob.

– Stary, weź mi popcorn – powiedział, dając Jimowi banknot.

– Arlene? – zapytał Jim.

Pokręciłam głową, ale po chwili wyszeptałam:

– Pójdę z tobą. Muszę iść do toalety.

Przepuściłam go, a potem wstałam i poszłam za nim. Podobało mi się, gdy we dwoje szliśmy do bufetu, jak gdyby to była moja randka.

– Może lepiej nie stawiać ci coli, skoro po dwudziestu minutach filmu już musisz na stronę – powiedział, trącając mnie w ramię.

Wyszliśmy z sali kinowej podwójnymi drzwiami wprost do oświetlonego holu. Przerzuciłam warkocz przez ramię i uśmiechnęłam się do Jima tak, jakby to zrobiła Clarice. Starałam się wydobyć z siebie ten kokieteryjny ton, którego używała tak często, przymilając się chłopcom. Potrafiła zganić takiego za coś, co zrobił, jak gdyby skrycie myślała, że jest to zachwycające albo nieprzyzwoite, albo i takie, i takie.

– Poszłabym wcześniej, ale wy spóźniliście się po nas – powiedziałam. – Nie chciałam przegapić zajawek przed filmem.

– To wina Roba – uśmiechnął się Jim. – Musiał wypucować na błysk swój piękny...

Zamilkł i przystanął tak raptownie, że zdążyłam wyprzedzić go o dwa kroki, zanim zdałam sobie sprawę, że nie idzie obok mnie. Obejrzałam się na niego. Jim gapił się przed siebie, w stronę bufetu. Przestał się uśmiechać, a jego oczy nie były już takie miłe. Podążyłam za jego spojrzeniem.

Przed nami stała Rose Mae Lolley w towarzystwie chłopca, który bez wątpienia zaprosił ją na randkę. Jeszcze nie zauważyła Jima. Jej dłoń poruszyła się z właściwym sobie leniwym wdziękiem, kiedy chwyciła lśniący brązowy warkocz. Przełożyła go sobie przez ramię i gładziła w zadumie, czekając, aż towarzyszący jej chłopak zapłaci za napoje. Miała na sobie koszulę z długimi rękawami tak przejrzystą, że przez czerwoną tkaninę prześwitywała blada skóra jej brzucha. Oczywiście nosiła czarny stanik. Jej długa, czarna spódnica z dzianiny była podobna do mojej, ale ciaśniejsza i miała z boku wycięcie, które sięgało do połowy uda. Była w sięgających do kolan butach i zauważyłam trójkątny skrawek jej ciała, obramowany wycięciem spódnicy i szczytem cholewki.

Jakby poczuła na sobie moje spojrzenie, bo obróciła powoli głowę i nasze oczy się spotkały. Na widok mojego stroju uniosła brwi ze zdumienia. Chwilę później zauważyła Jima Beverly'ego, który stał obok mnie. Rozchyliła usta i lekko potrząsnęła głową. Potem wolno dźwignęła jedno ramię, jakby w geście niedowierzania, i odwróciła się od nas. Wetknęła rękę do tylnej kieszeni swojego chłopaka, wśliznęła się pod jego ramię i pokazała nam plecy.

Obydwoje staliśmy przez chwilę w milczeniu.

– Myślałem, że chce ci się sikać – powiedział beznamiętnie Jim Beverly, nie kierując nawet na mnie wzroku.

Czmychnęłam posłusznie do toalety, gdzie ukryłam się w kabinie, podpierając plecami drzwi. Starałam się powstrzymać od płaczu, żeby nie zniszczyć makijażu, który zrobiła mi Clarice. Zerwałam opaskę z głowy tak gwałtownym ruchem, że pękła mi w dłoni. Rzuciłam ją na podłogę i rozplotłam sobie warkocz, rozczesując włosy palcami. Kiedy doszłam już do siebie, wyszłam do holu. Nie zastałam tam ani Jima Beverly'ego, ani Rose-Pop z jej nowym chłopakiem.

Wróciłam do sali kinowej i odnalazłam nasz rząd. Na ekranie ładna dziewczyna, która wyglądała na o wiele za młodą, aby być naukowcem, trzymała probówkę i mówiła pełnym zdziwienia tonem: „Światło! To działa na nie jak trucizna!". Miejsce Jima Beverly'ego było puste. Po drugiej stronie Roba siedziała Becky Spivey i szeptała coś do niego. Przeprosiłam ich i przeszłam obok. Kiedy usiadłam, Clarice nachyliła się do mnie nad pustym krzesłem.

– Dokąd on poszedł? – zapytała.

– Byłam w łazience. – Wzruszyłam ramionami.

Nie byłam pewna, co jeszcze powinnam powiedzieć, zwłaszcza że Rob i Becky Spivey mogli dosłyszeć.

Clarice obejrzała się niespokojnie przez ramię. Poczułam, jak Rob szturcha mnie delikatnie.

– Gdzie jest Jim? – wyszeptał.

– Byłam w łazience – powtórzyłam.

Siedzący za nami facet syknął, aby nas uciszyć.

Splotłam ramiona i wlepiłam wzrok w ekran. Rob przez cały czas szeptem naradzał się z Becky. W końcu znów nachylił się do mnie.

– Ej, parę osób poszło już na imprezkę. Może też chciałabyś się stąd zerwać? Ten film jest kiepski.

– To idźcie – odparłam spokojnie.

– No chodź, będzie fajnie. Becky nas podwiezie, a potem spotkamy się z Jimem i Clarice w pizzerii.

Becky nachyliła się do Roba.

– Daj spokój, ona nie ma ochoty. – Poczułam jej zalatujący masłem oddech.

Podobnie jak ja miała obcisłą bluzeczkę bez rękawów, lecz w kolorze brzoskwiniowym. Jej ciało wylewało się z dekoltu, kiedy siedziała przechylona nad poręczą krzesła. Mój opór oraz dekolt Becky, a także przybierające na sile posykiwanie, które dobiegało z tylnego rzędu, sprawiły, że Rob w końcu odkleił się od krzesła.

– Jesteś pewna, że ci nie zależy, Arlene? – zapytał.

– Powiedziała ci to cztery razy, idź już – odezwał się głośno syczący facet.

I Rob poszedł.

Clarice odprowadziła go wzrokiem, a potem znów nachyliła się nad pustym krzesłem Jima Beverly'ego.

– Co tu się dzieje? – zapytała.

– Rose-Pop – wyszeptałam w odpowiedzi.

– Tam? – upewniła się, wskazując palcem za siebie, w stronę bufetu.

Kiwnęłam głową.

Clarice usiadła prosto i odwróciła twarz w stronę ekranu. Obejrzałam się i zdałam sobie sprawę, że musiała wypatrzyć Jima Beverly'ego, który właśnie szedł do nas między rzędami. Trzymał w rękach wielką paczkę popcornu i dwa kubki coli.

– Gdzie jest Rob? – zapytał.

Chciałam mu to szybko wyjaśnić jak najciszej, ale nim zdążyłam powiedzieć trzy słowa, znów odezwał się ten facet z tylnego rzędu.

– Czy mógłabyś...? – zaczął.

Jim obrócił się tak szybko, że kilka ziaren prażonej kukurydzy wysypało mu się z paczki i upadło pod nogi.

– Tak, ja bym, kurwa, mógł. Mam do ciebie przyjść i wyjaśnić dlaczego? – powiedział na głos. Nie usłyszał odpowiedzi, więc odwrócił się z powrotem do mnie. – No więc gdzie jest Rob? – zapytał swobodnym tonem.

Clarice spojrzała na niego zaokrąglonymi ze zdumienia oczami.

Opowiedziałam mu o imprezce, o Becky Spivey i o tym, że mamy się później spotkać w pizzerii.

– No cóż, to jest jego – powiedział, wręczając mi paczkę popcornu.

Podał jeden z kubków Clarice i posępnie wpatrywał się w ekran, popijając colę. Wypił jakąś jedną czwartą kubka w ciągu pół minuty.

Teraz Clarice i ja, zamiast oglądać film, patrzyłyśmy na niego. Sięgnął do kieszeni workowatych dżinsów i wyciągnął stamtąd niewielką piersiówkę z wódką.

– Przepraszam, że nie było mnie tak długo – zwrócił się do Clarice. – Musiałem wyskoczyć na parking do jeepa.

Jim zdjął plastikowe wieczko kubka i wlał do niego około jednej trzeciej zawartości piersiówki. Potem wyciągnął butelkę w stronę Clarice, wskazując na jej colę. Clarice pokręciła głową.

– Nie chciałam nic do picia, pamiętasz? – wyszeptała, odstawiając kubek na podłogę.

Jim zakręcił piersiówkę i schował ją.

Drugą połowę filmu przesiedzieliśmy w milczeniu. Jim Beverly popadł w zadumę. Patrzył na ekran z wrogą miną i żłopał zaprawioną colę tak szybko, że aż dostałam zawrotów głowy. Udzielał mi się dyskomfort, który odczuwała Clarice, siedząca sztywno po drugiej stronie Jima. Kiedy Jim opróżnił swój kubek, sięgnął po ten, który odstawiła Clarice, i też dolał do niego wódki.

W końcu na ekranie pojawiły się napisy i zapaliły się światła. Ruszyliśmy do wyjścia. Koleś z tylnego rzędu wymknął się wcześniej, by nas nie spotkać.

Kiedy szliśmy między rzędami, zauważyłam, że Jim Beverly ma kłopoty z utrzymaniem prostego kursu. Zanim dotarłyśmy do jeepa, żadna z nas nie miała wątpliwości, że jest lekko wstawiony.

– No to jak? – zapytał Jim. – Spotkamy się z nimi w Mr. Gatti's? Czy jedziemy na imprezkę?

Clarice uśmiechnęła się do niego, gdy szperał po kieszeniach w poszukiwaniu kluczyków.

– Ej, Jim. Może pozwoliłbyś mi poprowadzić – powiedziała. – Zawsze chciałam prowadzić jeepa.

– Nie pojedziesz moim jeepem. – Spojrzał na nią nieufnie. – A co ty w ogóle wiesz o samochodach?

– Owszem, umiem prowadzić – odparła ze śmiechem. – W zeszłym miesiącu dostałam uczniowskie prawo jazdy.

– Ech, twoje uczniowskie prawko. – Udało mu się otworzyć drzwi po stronie pasażera. – Super, ale co mi tam. Wsiadajcie.

Wgramoliłam się na tylne siedzenie, ale Clarice nie ruszyła się z miejsca.

– Lepiej, jak dasz jej te kluczyki – przekonywałam, zapinając pas. – Clarice nie wsiądzie do samochodu z nikim, kto jest pijany.

Clarice posłała mi rozdrażnione spojrzenie, kiedy Jim znieruchomiał i wlepił w nią wzrok.

– Nie jestem pijany – oznajmił wojowniczo.

Clarice wzruszyła ramionami.

– Racja. Tylko boisz się, żebym nie usiadła za kierownicą twego samochodu – powiedziała pół żartobliwym, pół opryskliwym tonem. – A co według ciebie może się stać? Zderzę się z wielką ciężarówką i oberwie ci się od taty?

– Nie boję się – odparł Jim.

– Wszystko jedno. – Clarice odwróciła wzrok.

– Dobra. Tak bardzo chcesz prowadzić, to masz. – Przełożył palec wskazujący przez kółko breloczka i zamachał kluczykami. – No bierz.

Clarice sięgnęła po kluczyki, ale on uniósł je szybkim ruchem, by nie mogła ich złapać. Kiedy tylko opuściła rękę, Jim jeszcze raz podstawił jej kluczyki. Sięgnęła po nie, a on znów je porwał. Clarice splotła ramiona na piersi. Jim znowu zamachał jej kluczykami pod nosem, ale ona tylko pokręciła na niego głową.

– No chodź, suczko. Hop, hop. No suczko, poskacz sobie trochę – śmiał się.

Clarice uderzyła go w pierś grzbietem dłoni.

– Ale z ciebie błazen – powiedziała.

– Wiem, wiem. Przepraszam. No dobra, wsiadaj.

– Nie – zaprotestowała Clarice. – Nie jadę z tobą, bo się upiłeś. Daj mi kluczyki i pojedziemy do Mr. Gatti's. Zjesz parę kawałków pizzy i posiedzimy z innymi, aż wydobrzejesz na tyle, żeby odwieźć nas do domu. No chodź, całkiem nieźle prowadzę. Zawsze odwożę moją przyjaciółkę. Nauczyłam się tego, kiedy starsza siostra Missy Carver raz tak się upiła, że nie mogła wrzucić biegu. A to była automatyczna skrzynia. Po prostu daj mi te kluczyki.

Obdarzyła go czarującym w granicach rozsądku uśmiechem i przez moment wydawało mi się, że Jim jej posłucha. On jednak schował kluczyki w zaciśniętej dłoni.

– Nie. Niedobra suczka – powiedział. – Wskakuj do wozu.

– Nie.

Utknęli w martwym punkcie, mierząc się wzrokiem przez kilka sekund, a potem Jim Beverly wsiadł do samochodu drzwiami dla pasażera, zatrzasnął je za sobą i przeczołgał się na fotel kierowcy. Usadowił się wygodnie i wsunął kluczyk do stacyjki.

– Wysiadaj, Arlene – nakazała mi Clarice.

Wywróciłam oczami i posłusznie odpięłam pas, po czym przecisnęłam się między siedzeniami do przodu. Siadłam na fotelu pasażera i sięgnęłam do klamki, kiedy Jim Beverly wyciągnął rękę i zatrzymał mnie, chwytając za nadgarstek.

– Nie jesteś jej szefem – zwrócił się do Clarice i znów wybuchnął śmiechem.

– Wysiadaj, Arlene – powtórzyła Clarice. Była śmiertelnie poważna.

Zawahałam się. Nic nie mogłam na to poradzić, że tak dobrze się czułam, siedząc na przednim siedzeniu jeepa Jima Beverly'ego, który dotykał mnie ciepłą, muskularną dłonią.

Jim Beverly musiał wyczuć moje wahanie, bo puścił mnie i przekręcił kluczyk. Silnik jeepa zaczął pracować.

– Jedziemy do Mr. Gatti's. Wsiadasz czy nie?

– Arlene – powiedziała Clarice.

– I raz! – Jim nacisnął pedał gazu i niemal natychmiast hamulec.

Jeep wyrwał się do przodu jakieś pół metra, a potem stanął.

– I dwa! – krzyknął Jim i znów szarpnął kawałek naprzód.

Clarice dopadła samochodu dwoma susami, stanęła na tylnym zderzaku i trzymając się klatki, wskoczyła na tylne siedzenie w momencie, kiedy Jim już naprawdę ruszył z miejsca. Śmiał się jak szalony, aż i mnie trochę się udzieliło. Kiedy wypadliśmy z parkingu na Firestone Drive, Clarice nachyliła się do przodu i mocno mnie uszczypnęła.

– To wcale nie jest śmieszne – powiedziała.

– Troszeczkę jest – odparł Jim Beverly.

– Myślę, że najlepiej będzie, jak odwieziesz nas do domu. – Clarice zapięła pas.

– Myślę, że mamuśka jest wkurzona – wycedził teatralnym szeptem Jim, nachylając się do mnie.

Kiedy się nachylał, jeepa zniosło na bok i wpadliśmy na krawężnik. Jim gwałtownie odbił kierownicą i wyjechał na środek drogi, zanosząc się od śmiechu i przeklinając pod nosem.

Clarice złapała mnie za ramię, kiedy zarzuciło samochodem.

– Lepiej zatrzymaj to auto i pozwól mi prowadzić, ty dupku – powiedziała.

– Za późno. – Jim Beverly właśnie skręcał na autostradę. – Odwożę was do domu, strachliwe dupy.

Gdy gnaliśmy w ciemności po autostradzie, ochłonęłam z chwilowego lęku, który ogarnął mnie, kiedy wpadliśmy na krawężnik. Rozkoszowałam się za to faktem, że siedzę obok niego. Najszpetniejsza cząstka mnie mogła tylko cieszyć się z tej zamiany, kiedy to Clarice po raz pierwszy w życiu wylądowała z tyłu, a ja zajęłam honorowe miejsce. Moje długie włosy smagały mnie po twarzy i wpadały do oczu, więc zebrałam je w kok i przyciskałam ręką do głowy.

Jim Beverly znów wyciągnął z kieszeni piersiówkę. Pozostała jeszcze jedna trzecia zawartości. Próbowałam złapać drażniące kosmyki włosów i patrzyłam, jak Jim odkręca piersiówkę, przytrzymując kierownicę kolanem. Spojrzałam na Clarice. Też to widziała i wstrzymała oddech. Kiedy tylko z powrotem nałożył zakrętkę i chwycił kierownicę jedną ręką, zaczęła na niego wrzeszczeć.

– Zatrzymaj się i wypuść nas natychmiast. Mówię poważnie. Natychmiast, ty dupku! Ty skończony dupku!

Miała zarumienioną twarz. Nigdy nie widziałam jej tak wściekłej.

– Chcecie wysiąść? – powiedział Jim – Nie ma sprawy. Skaczcie.

Jeep pędził z prędkością stu kilometrów na godzinę.

Clarice zamilkła i tak długo, jak gnaliśmy autostradą, nie powiedziała ani słowa. Tymczasem Jim Beverly opróżniał piersiówkę.

W końcu przed nami pojawił się zjazd na drogę numer 19. Jim gładko wszedł w zakręt, wypadając z oświetlonej autostrady na pogrążoną w mroku drogę. Żadne z nas nie odezwało się ani słowem, dopóki nie przemknęliśmy przez Possett i nie jechaliśmy wśród pustkowi, otoczeni z obu stron polami soi.

– Cholera, muszę się odlać – przerwał milczenie Jim Beverly.

– Taki pijany nie wejdziesz do mojego domu, żeby skorzystać z toalety – powiedziała Clarice. – Tato by mnie zabił, że wsiadłam z tobą do samochodu, a mama zabiłaby ciebie, że mnie do tego zmusiłeś.

– Nie potrzebuję toalety – odparł i zgasił reflektory.

Droga przed nami zniknęła, a Jim skręcił ostro w prawo. Złapałam się siedzenia, a Clarice wydała krótki okrzyk. Jeep zjechał na pobocze, podrzuciło nas gwałtownie, a potem uderzyliśmy o ziemię z metalicznym chrzęstem, lądując na zaoranym polu.

– Stój, stój! – darła się Clarice. – Co ci odbiło?

– Muszę siku – odpowiedział Jim Beverly tonem, który stanowił idealne połączenie rozbawienia i pogardy.

Przywarłam do siedzenia, kiedy samochód podskakiwał na skibach ziemi, żłobiąc sobie ścieżkę wśród upraw jakiegoś farmera, ledwie widocznych w słabej poświacie księżyca. Po przejechaniu kilkudziesięciu metrów w głąb pola Jim zahamował i jeepa zarzuciło na bok, zanim koła osiadły w miękkiej glinie. Wyskoczył z samochodu i odszedł kilka kroków. Usłyszałyśmy metaliczny odgłos rozsuwanego zamka błyskawicznego, a potem bębnienie moczu po liściach. Jim wydał długie, głośne westchnienie ulgi.

– Wysiadaj z samochodu, Arlene – powiedziała Clarice. Nie poruszyłam się. Clarice kopnęła trzy razy w tył mojego fotela, przy każdym uderzeniu wypowiadając jedno słowo: – Wysiadaj. Ale. Już.

Odpięłam pas i wyskoczyłam na pole. Moje stopy zapadły się w rozmiękczonej ziemi i poczułam, jak gliniasta maź wlewa mi się do buta. Clarice wygramoliła się pospiesznie z samochodu, złapała mnie za ramię i pociągnęła za sobą.

– Idziemy do domu. Stąd jest niecałe półtora kilometra – rozkazała, nie pozwalając mi dojść do głosu.

Jim skończył sikać i ruszył za nami. Wyprzedził nas i nagle wyłonił się z mroku naprzeciw Clarice, zanim zdążyłyśmy przejść jakieś trzy metry.

– Zabieraj dupę z powrotem do samochodu, Clarice – powiedział.

– Nie.

Chciała go wyminąć, ale on bez trudu zastąpił jej drogę. Stałam za nią, niepewna, co robić.

– Powtarzam: zabieraj dupę do samochodu.

Clarice jeszcze raz spróbowała go obejść, a on położył jej ręce na ramionach i pchnął ją. Poleciała do tyłu, wpadając na mnie, i zatoczyłam się wraz z nią.

– Wracaj natychmiast – rozkazał Jim.

Clarice zrobiła krok naprzód, ale on znów ją odepchnął, tym razem opierając dłonie specjalnie tuż ponad jej piersiami.

– Arlene, uciekaj – powiedziała, ale tym razem w jej głosie brakowało przekonania.

– No Arlene, czemu tego nie zrobisz? – Jim Beverly nie odrywał wzroku od Clarice.

– Przestań, Jim – odezwałam się.

Oddychałam coraz szybciej, a moje źrenice rozszerzyły się pod wpływem adrenaliny. Miałam wrażenie, jakby dokoła pojaśniało, a mdła poświata księżyca odbijała się niesamowitym srebrzystym blaskiem od zębów i spoconej twarzy Jima, kiedy uśmiechał się do nas złowrogo.

– A czemu ty też nie uciekasz, suczko – zwrócił się do Clarice. – Chciałbym zobaczyć, jak podskakują.

Wyciągnął ręce i tym razem dotknął jej piersi, popychając ją do tyłu.

– Arlene, uciekaj – powtórzyła Clarice i w tym samym momencie odwróciła się i ruszyła biegiem, rozpędzona impetem jego ostatniego pchnięcia.

Też zaczęłam biec. Zostawiłyśmy Jima za plecami, co oznaczało, że kierujemy się wprost na jeepa.

Długie nogi Clarice pozwalały jej bardzo szybko biegać, więc natychmiast zrównała się ze mną i uciekałyśmy ramię w ramię. Zdążyłyśmy oddalić się o trzy długie susy, kiedy zauważyłam rękę Jima, która dosięgnęła głowy Clarice. Złapał jej długie włosy tuż przy skórze i szarpnął, ścinając ją z nóg. Clarice wrzasnęła, upadając, a wtedy zatrzymałam się tak gwałtownie, że omal się nie przewróciłam.

Jim Beverly wciąż ją trzymał i nie pozwalając odzyskać równowagi, zaczął wlec w stronę samochodu. Clarice darła się wniebogłosy i wbijała paznokcie w jego nadgarstki. Z trudem trzymała się na nogach i słaniając się, szła za nim. Byli już prawie przy samochodzie.

– Arlene, biegnij do domu! – krzyknęła. – Zawołaj tatę, zawołaj mamę!

– Zamknij się, suczko. – Jim Beverly szarpnął ją tak mocno, że osunęła się na kolana.

Zanim się zorientowałam, co robię, biegłam wprost na niego z rękami wyciągniętymi przed sobą, rozczapierzając palce niczym szpony i szczerząc zęby. Patrzył spokojnie, jak się zbliżam. Jedną rękę trzymał wczepioną we włosy Clarice, ale drugą miał wolną. Kiedy podbiegłam, odsunął się na bok i popchnął mnie, wykorzystując moją siłę rozpędu. Zniosło mnie na bok i poczułam, że moje nogi odrywają się od ziemi. Potem tyłem głowy gruchnęłam w karoserię jeepa i upadłam.

Upadałam długo. Tak długo, aż zdałam sobie sprawę, że w ogóle nie upadam. Płynęłam. Unosiłam się na powierzchni czarnego morza, które miało zapach smutnych, wysuszonych na słońcu robaków, jakie zawsze pojawiają się po letnim deszczu. Słyszałam czyjś śpiew, ale nie mogłam poruszyć głową. Zdawałam się zastygać w jednej pozycji, dryfując bez końca po cuchnącej robakami czarnej wodzie. Pojawiła się przede mną moja matka, blada i połyskująca na tle ciemnej wody. Miała na sobie kostium kąpielowy, taki jak Esther Williams nosiła zawsze w starych filmach, i gumowy czepek kąpielowy w kwiaty. Mama wyciągnęła rękę i zobaczyłam, że na środku dłoni trzyma małą, czarną rozgwiazdę.

Powiedziała coś, ale trudno było ją zrozumieć przez bąbelki, które wydobywały się z jej ust. Jej głos przypominał trochę Clarice. Każdego lata wuj Bruster zabierał nas na wakacje do Pensacola Beach, a kiedy byłyśmy małe, bawiłyśmy się w syrenki w hotelowym basenie. Nurkowałyśmy aż do samego dna i wykrzykiwałyśmy różne rzeczy, usiłując zrozumieć się nawzajem. Woda zagłuszała dźwięk i zniekształcała nasze słowa, ale kiedy patrzyłam na jej usta i przysuwałam blisko ucho, czasami udawało mi się zgadnąć, co mówiła.

Teraz też nasłuchiwałam uporczywie słów matki. Zdawała się wypowiadać moje imię.

– Arlene – mówiła – Arlene, nie umieraj.

– Dobrze, nie umrę – odpowiedziałam, ale nie słyszałam własnego głosu.

Zauważyłam, że matka nie ma nóg. W ich miejscu wyrastał długi biały ogon, którym poruszała zamaszyście w spienionej wodzie.

– Zabiłaś ją – odezwała się, wypuszczając bąbelki z ust. – Arlene, Arlene.

– Ja nikogo nie zabiłam – próbowałam jej wytłumaczyć, ale wciąż nie słyszałam samej siebie.

Zastanawiałam się, bez złości i żalu, po co właściwie miałabym zawracać sobie głowę jakimiś wyjaśnieniami. Wydawało się to skomplikowane, ale czemu nie miałaby myśleć tego, co chciała. Widok trupio białego ogona, którym mieliła czarną wodę, przyprawiał mnie o mdłości. Pomyślałam z irytacją, że gdyby przestała nim poruszać, nie czułabym się tak źle. Ale nie mogłam oderwać od niego wzroku.

Próbowałam zamknąć oczy, ale nie mogłam opuścić powiek. Były jak sparaliżowane. Starałam się więc przenieść wzrok na jej twarz, ale okazało się, że ona nie ma twarzy. Nie była w ogóle moją matką, tylko długim, bladym cieniem, który wirował w mroku czarnego, falującego morza. Robiło mi się niedobrze na widok tego ruchu i bardzo chciałam przestać spadać. A kiedy przestałam spadać, przyszło mi na myśl, że mogłabym chyba poprosić, aby ten ogon przestał się kręcić. Gdyby tylko wszystko ucichło i znieruchomiało, spróbowałabym zasnąć.

Nagle w ruchomym obrazie jeden po drugim zaczęły wykwitać różne kolory. Ogon rozdzielił się na dwie różowe wstęgi, jedną ciemną, drugą jasną. Osiadłam na pokrytym czarnym piaskiem dnie morza i kiedy tylko przestałam się poruszać, wszystko w moim otoczeniu zaczęło nabierać kształtów. Okazało się, że w miejscu, gdzie widziałam ogon, leżała Clarice.

Ciemnoróżowa wstęga była jej bluzką, podciągniętą aż pod pachy. Obie ręce miała wyciągnięte ponad głowę i Jim Beverly trzymał je jedną ze swych wielkich łap. Ze zdumieniem dostrzegłam, że obie piersi Clarice są wyciągnięte ze stanika i jedną z nich Jim Beverly ściska w drugiej łapie.

Clarice i Jim tworzyli wspólnie coś na kształt dużej litery Y leżącej na boku. Jej blada noga była jak biały trzon litery. Jego nóg, wciąż ubranych w niebieskie dżinsy, nie było widać na tle czarnej ziemi, za to biały tyłek tkwił w spojeniu, gdzie, jak mi się wydawało, rozdwajał się ogon syreny. To właśnie z tego miejsca pochodził ten ruch, to rytmiczne ubijanie. Clarice miała spódnicę zrolowaną wokół pasa. Jim uderzał brzuchem w jej brzuch, wydając mięsiste plaśnięcia. Tam właśnie rozwidlała się litera Y, a jego wyprostowany tułów unosił się nad leżącą Clarice. Czarnym morzem były skiby zoranej ziemi, które otaczały nas ze wszystkich stron.

Tej Clarice zawsze musi się przytrafić wszystko, co ciekawe – pomyślałam leniwie.

Chciałam popatrzeć w inną stronę, ale nie mogłam odwrócić wzroku ani nawet zamknąć oczu. Zauważyłam, że Clarice ma umorusaną twarz, a łzy wyżłobiły srebrzyste ślady w warstwie brudu. Jej oczy były zaczerwienione i opuchnięte, a usta wykrzywione w szkaradnym grymasie. Coś krzyczała. Wykrzykiwała moje imię i nie chciała się ode mnie odczepić, a te ich denerwujące ruchy sprawiały, że było mi niedobrze, chociaż najbardziej ze wszystkiego potrzebowałam ciszy i spokoju, aby móc zasnąć.

Oni jednak nie przestawali, a ja patrzyłam na nich, jak łączą się w kształt litery Y. Powoli zaczęła mnie ogarniać tępa, rozjuszona złość. W końcu dotarło do mnie, co się dzieje. On się do niej dobierał. Wszyscy zawsze dobierali się do Clarice. A ona krzyczała, żeby mi o tym powiedzieć.

– Arlene, Arlene! – wykrzykiwała. – Nie umieraj!

Chciała, abym żyła, i widziała, że to ona zawsze mu się podobała. Tak jakbym tego nie wiedziała.

Clarice wyrwała jedną rękę z jego uścisku i zaczęła poruszać nią tak szybko, że od patrzenia na nią dostałam zawrotów głowy. Ona tłukła go tą ręką. Jim odchylił się nieco wyżej, zdjął rękę z jej piersi i grzmotnął ją pięścią w brzuch. Usłyszałam, jak Clarice gwałtownie wypuszcza powietrze. Jej ręka opadła na ziemię. Długo się męczyła, nie mogąc złapać oddechu, a kiedy wreszcie wciągnęła haust powietrza, wydała z siebie przeciągły szloch.

– To mnie boli, proszę, nie – jęknęła.

Powtórzyła jeszcze moje imię i odwróciła twarz od niego, patrząc znów w moją stronę.

Jej głos brzmiał tak żałośnie, że złość zaczęła mi powoli przechodzić. Zamrugałam i Clarice musiała zobaczyć ruch moich powiek.

– Arlene? Arlene? Ty żyjesz?

Znów uniosła rękę, próbując go odepchnąć, ale Jim powstrzymał ją kolejnym ciosem w brzuch.

Leżałam na boku przy samochodzie. Próbowałam się dźwignąć na łokciu i pod wpływem tego wysiłku w mojej głowie rozeszła się fala gorącego bólu. Kiedy się podniosłam, długie pozlepiane włosy spadły mi na twarz i widziałam tamtych dwoje jakby zza czarnych krat.

– Nie bije się dziewczyn – powiedziałam, kiedy pięść Jima znów opadła na miękki brzuch Clarice.

Odwrócił twarz w moją stronę i zamarł, gapiąc się na mnie, drobną i chudą, w czerwono-czarnym stroju, z twarzą ukrytą pod czarnymi strąkami włosów. Jim całkowicie znieruchomiał.

– Rose? – zapytał.

Udało mi się jakoś podnieść i teraz opierałam się na łokciach i kolanach.

– Nigdy nie bije się dziewczyn – powtórzyłam.

– Kurwa, ja pierdolę. – Jim Beverly szarpnął się w tył i zwlókł się z mojej kuzynki.

Stanął na równe nogi i gwałtownie podciągnął dżinsy, upychając w majtkach zakrwawionego kutasa. Był wciąż twardy. Jim zrobił dwa kroki w moją stronę, ale stracił równowagę i zatoczył się na bok. Clarice przetoczyła się na bok i zwinęła w kłębek.

– Kurwa – krzyknął Jim Beverly.

Wpadł na maskę samochodu i rozpłaszczył się na niej.

Clarice usiadła, obciągnęła sweter i pełzła już w moją stronę. Nie próbowałam jeszcze stanąć i wciąż opierałam się na rękach i kolanach.

– Arlene, musimy iść, musimy iść – szeptała. – Wstawaj, Arlene.

Podpierając się nawzajem, zdołałyśmy jakoś wstać. Clarice otoczyła mnie ramieniem i wczepione w siebie zaczęłyśmy kuśtykać, zapadając się w rozmiękłą ziemię. Oddalałyśmy się od niego tak szybko, jak to było możliwe, z każdym krokiem czułam, jak w tył głowy wbija mi się ostrze przenikliwego bólu. Za nami Jim Beverly rzygał, wypluwając z siebie wnętrzności.

Próbowałam się obejrzeć, ale omal nie zemdlałam z bólu, natomiast Clarice wciąż zerkała przez ramię. Spodziewałyśmy się, że w każdej chwili może ruszyć za nami, ale tego nie robił. Jeszcze długo po tym, jak zniknął w ciemności i Clarice nie mogła go już dostrzec, słyszałyśmy, jak gdzieś tam daleko za nami krztusi się i rzyga.

Niewiele pamiętam z tego długiego marszu do domu. Kiedy pola się skończyły, Clarice poprowadziła nas przez ogrody i pastwiska należące do naszych sąsiadów. Szłam jak na ścięcie, a wszystko spowijała szara mgiełka bólu. Clarice wciąż zadawała mi pytania. Jak się nazywam. Jaki dziś dzień. Która może być godzina. Działało mi to na nerwy.

W końcu dotarłyśmy na nasze podwórko i Clarice oparła mnie o ścianę ogrodowej szopy ciotki Florence. Potem przypadła do ziemi i wybuchnęła gwałtownym urywanym szlochem, kryjąc twarz w dłoniach.

Po kilku minutach przestała. Pod tylną ścianą szopy znajdował się kran z wężem ogrodowym. Clarice odkręciła wodę i zaczęła się myć pod lodowatym strumieniem.

Chciałam jej powiedzieć, jak strasznie jest mi przykro. Zarówno z powodu tego, co się jej przytrafiło, jak i tego, co myślałam. Najgorsze było jednak to, że wciąż czułam tę bezduszną zazdrość. Ta szkaradna cząstka ukryta gdzieś w głębi wciąż pragnęła, by to do mnie się dobierał. Zionęłam nienawiścią do samej siebie za to uczucie, ale też nie mogłam go poskromić.

– Jak ja mogłam do tego dopuścić? – zawodziła Clarice, nie przestając się myć. – Mój brat nie żyje, Arlene. Wayne nie żyje. Nie powinnam była na to pozwalać.

Zsunęłam się po ścianie i przysiadłam, odchylając obolałą głowę do tyłu. Marzyłam, aby zasnąć w jakimś spokojnym miejscu, gdzie to wszystko okazałoby się nieprawdą.

– Nie mogę sobie pozwalać na takie rzeczy – powiedziała Clarice. – To zabija moją mamę. Muszę być w porządku. Muszę być w porządku przez cały czas.

– Chciałabym, żeby to nigdy się nie wydarzyło. – Miałam na myśli Jima Beverly'ego i moje pragnienie.

Clarice popatrzyła na mnie wielkimi oczami, które połyskiwały w umorusanej twarzy, i skinęła głową.

– Też bym tego chciała. Sprawmy, aby tak było. Jakby to nigdy się nie stało. Domyjemy się tutaj, na ile się da. I odczekamy tutaj do piętnaście po jedenastej, żeby sobie nic nie pomyśleli i żeby na pewno już byli w łóżku. A potem normalnie wejdziemy do domu. Wszystko będziemy robić normalnie. Włożymy piżamy. A rano będzie tak, jak powiedziałaś. Mama nie może się dowiedzieć, że to się stało. Możemy tak zrobić?

– Jasne – odpowiedziałam. – Możemy.

Potem, kiedy mi się to nie udawało, cierpiąc, snułam się po domu w tych tragicznych, czarnych ciuchach. To było jak pokuta. Aż do uprzykrzenia wracałam do tamtych chwil, kiedy on tak strasznie ją skrzywdził, i mogłam jedynie żałować, że nie zrobił tego mnie. Nie po to, by jej tego oszczędzić, ale dlatego, że tak bardzo pragnęłam, aby to mnie wybrał. Wtedy właśnie ukradłam jej coś w moich rozgoryczonych myślach i nigdy nie wiedziałam, jak to zwrócić.

Tamtej nocy Clarice umyła nas obie. Czuwała całą noc, leżąc obok i budząc mnie co parę minut, aby wypytywać, jak się nazywam i który mamy rok, aż za oknem pojawił się świt i mogła zobaczyć, że moje źrenice są znów tej samej wielkości. I to ona, kiedy weszłyśmy do domu, zawołała normalnym głosem w głąb holu:

– Mamo. Już wróciłyśmy.

Po kilku sekundach Florence odpowiedziała swoim szorstkim głosem, bełkotliwym od rozespania.

– No to dobrze, Clarice. Dobrze się bawiłyście, dziewczęta?

– Oczywiście, mamo – odpowiedziała Clarice. – Dobrze się bawiłyśmy.

Rozdział 15

Rose Mae Lolley podniosła się z ziemi i otrzepała spodnie. Stałam w cieniu, kilka metrów od nich, i gardło bolało mnie od mówienia. Byłam wyczerpana.

– Nic dziwnego, że nie chciałaś, żebym rozmawiała z twoją kuzynką – powiedziała, przechadzając się wzdłuż chevroleta. – A wiesz, co to dla mnie znaczy? Wiesz, to wszystko dla mnie znaczy, że moja pieprzona terapeutka miała rację. – Z furią kopnęła rozdeptanym żółtym butem przednią oponę samochodu.

– Przykro mi – powiedziałam.

Chciałam, żeby już sobie poszła. Burr wciąż milczał i nie wiedziałam, o czym myśli.

– Był dla mnie zawsze miły. – Rose założyła za uszy końcówki włosów. – Może się zmienił.

– Nie zmienił się – odparłam. – Ludzie się nie zmieniają.

Burr podniósł się gwałtownie.

– Owszem, zmieniają się – wtrącił. – Jestem tym już zmęczony.

– Pieprzyć to – powiedziała Rose. – To nie ma znaczenia. Liczy się, jaki był, kiedy go poznałam. Mężczyzna... Jak naprawdę go poznać?

Stała cała spięta obok samochodu i aż wibrowała od rozsadzającej ją energii i gniewu. Może Burr miał rację.

Po apatycznej i bezwolnej Rose, która snuła się wolno po szkolnych korytarzach dziesięć lat temu, nie zostało ani śladu. Pogrzebała w kieszeniach, skąd wyjęła kluczyki do samochodu, i ruszyła w stronę garbusa.

Burr wyciągnął rękę i chwyciłam ją, przysuwając się blisko do niego.

– Mam nadzieję, że wasz samochód ruszy. Światła palą się już całą wieczność – powiedziała Rose.

Nie czekała jednak na odpowiedź. Wśliznęła się do swojego volkswagena i po chwili jego silnik ożył. Ryczał, jakby zostawiła tłumik w Teksasie. Rose wycofała gwałtownie i zatoczyła łuk. Zabłysły reflektory i odjechała, rozpływając się w mroku.

– Jak myślisz, co ona teraz zrobi? – zapytałam.

– Nie mam pojęcia – odparł Burr. – Ale nie sądzę, żeby zawracała głowę Clarice.

Pokiwałam głową.

– Nie sądzisz, że nas słyszała, prawda? Chodzi mi o wcześniejszą rozmowę. Nie mogła usłyszeć, jak powiedziałam, że go zabiłam. Była daleko, pod samym szczytem.

Burr pokręcił głową, a ja zawisłam na jego ramieniu.

– Jestem taka zmęczona – powiedziałam.

– W porządku, kochanie. – Burr objął mnie i zaprowadził do samochodu, jakbym była wyrośniętym dzieckiem.

Silnik miłosiernie zaskoczył, a Burr zgasił światła i zostawił go przez chwilę na chodzie. Siedzieliśmy w ciemności, patrząc na wzgórze.

– Mógłbyś coś powiedzieć – odezwałam się.

– Co takiego? – spytał Burr.

– Cokolwiek. Na przykład czy nadal chcesz się ze mną ożenić. Albo czy jeszcze mnie kochasz. Powiedziałam ci, że kogoś zabiłam. Musisz coś powiedzieć.

Burr obrócił się do mnie i przypatrywał mi się w ciemności przez dłuższą chwilę.

– Oczywiście, że nadal cię kocham. To nie podlega nawet dyskusji. Ale ty nikogo nie zabiłaś, Leno. I myślę, że zdajesz sobie z tego sprawę.

– Powiedziałam ci, że zabiłam.

– Wbiłaś sobie to do głowy, bo już czułaś się winna – zaprzeczył Burr. – Byłaś przekonana, że ukradłaś coś swojej kuzynce. Ale musisz być rozsądna. Wątła nastolatka nie może zatłuc człowieka na śmierć butelką. Zwłaszcza jednym uderzeniem.

Nic nie odpowiedziałam, a on westchnął i potarł oczy dłonią. Wiedziałam, co robi. Rozmyślał nad obalającym argumentem. Zaczynał rozkładać całą sprawę na czynniki pierwsze, punkt po punkcie, fakt za faktem.

– Pijanym nastolatkom morderstwa nie uchodzą na sucho. Koniec kropka. A ty nie zostałaś złapana. Wiesz dlaczego. On musiał żyć, kiedy go tam zostawiłaś.

– Burr, ja go widziałam, jego ciało było absolutnie martwe.

– A jako nastolatka ile dokładnie czasu spędziłaś, przyglądając się świeżym zwłokom? – zapytał Burr, unosząc brew. – Czy kiedykolwiek widziałaś trupa?

– Byłam na pogrzebie ciotki Niner – powiedziałam. Burr przyglądał mi się cierpliwie i czekał. Odwróciłam wzrok i dodałam niechętnie: – Kiedy miałam dziesięć lat.

– Otóż to – skwitował i zaczął wykładać swój punkt widzenia.

Teraz, kiedy było już za późno i cisnęłam mu pod nogi całą prawdę, Burr robił to, czego od niego cały czas oczekiwałam. Był moim adwokatem i chronił mnie przed kłamstwem, fabrykując własną prawdę. Bronił mnie. I stworzył całkiem niezłą opowieść.

Jego zdaniem tamta dziewczyna z pierwszej klasy musiała mieć swoje klucze do domu, które wykorzystała jako broń, uwalniając się od Jima Beverly'ego. Nie ukradła jego samochodu. Jim Beverly przeżył i wygramolił się z zarośli. Sam rozbił jeepa, prowadząc po pijanemu i z urazem głowy.

Potem, w następstwie wypadku, Jim Beverly przestał się bezmyślnie miotać, kiedy dotarła do niego prawda, niczym oślepiający blask, oświetlając boleśnie całe jego obrzydliwe życie. Jego stypendium, jego dziewczyna oraz otaczająca go charyzma, wszystko to przepadło. Zafundował sobie nagrodę pocieszenia w postaci tamtej dziewczyny. Spodziewał się pobudzenia, napływu siły lub jakiejkolwiek korzyści, którą dawało mu dokonanie gwałtu. Ale tamta dziewczyna, drobna i wątła, pokonała go pękiem domowych kluczy i odeszła rozwścieczona, nie zdając sobie sprawy, że Jim bynajmniej nie żartował, zamierzając ją zdrowo wyruchać. On zaś prawdopodobnie pomyślał, że rozjuszona małolata wróciła, by przywalić mu od tyłu, a potem zepchnęła jego żałosne cielsko z urwiska. Mogła równie dobrze różowymi nożyczkami do paznokci odciąć mu jaja i zabrać sobie na pamiątkę. Po czym, zalany w trupa, skasował samochód i gdyby zaczekał na gliny, przede wszystkim dostałoby mu się za prowadzenie pod wpływem alkoholu. Zatem wersja Burra potwierdzała, że policja się nie myliła. Jim Beverly wyjechał. Po prostu uciekł.

Prawdą było też, że gdyby Burr powiedział mi to wszystko dzień wcześniej, przyznałabym mu rację. Dziesięć lat temu, kiedy zrobiło się zimno, poszłam na wzgórze i ze szczytu spojrzałam na kudzu. Gęstwa zrzuciła wszystkie liście i nie zostało nic poza brązową siatką pnączy. Widać było przez nią wyraźnie kształty martwych drzew i runo leśne. Widziałam wszystko aż do ziemi. Jima Beverly'ego tam nie było.

Po części wierzyłam, że to Bóg zabrał go stamtąd, ale oczywiście zastanawiam się też, czy aby nie wydostał się sam. Łatwiej jednak było mi myśleć, że nie żyje. Tak naprawdę wolałam być Leną, jego zabójczynią, niż Arlene, dziewczyną, która tak desperacko pragnęła zostać jego ofiarą.

Aż do dzisiaj Burr mógłby zaznać wielkiej ulgi, dając mi rozgrzeszenie. Położyłam kres sprawie gwałtu. Oddałam wszystko, co sobie przywłaszczyłam, wyjawiając całą prawdę przed Burrem i Rose Mae. A w połowie opowieści uzmysłowiłam sobie, że pozbywam się tego z taką łatwością, gdyż nie jest mi już potrzebne. Gdybym w taki sam sposób mogła zrzec się morderstwa, zaczęłabym wszystko od nowa. Żadnych układów z Bogiem, koniec z desperacją. Mogłabym nauczyć się kochać z Burrem. Może potrafiłabym wrócić do domu. Ale ciotka Florence wszystko zburzyła, potwierdzając cudowne zniknięcie zwłok Jima Beverly'ego. On nie uciekł. Nie chodził teraz po świecie. Zabiłam go.

– Zatem wiesz, co się stało – powiedziałam. – Nie było cię tu, ale wszystko rozpracowałeś, ponieważ jesteś doradcą podatkowym, który przeczytał tyle książek Johna Grishama, by wiedzieć, jak to jest.

– Tak. W pewnym sensie. – Burr wyprostował się i spojrzał na mnie. – Nikogo nie zabiłaś. Popatrz na fakty. Moja wersja ma o wiele więcej sensu. Twoja się nie umywa. Ktoś musiał odjechać jego samochodem. Chłopak odpowiadający jego rysopisowi był widziany przy drodze już po rzekomym zabójstwie. Gdybyś to ty go zabiła, zostałabyś schwytana.

Spojrzałam na niego w milczeniu. O ile zdradziłam mu swój sekret, o tyle nie mogłam wyjawić sekretu Florence. Miał rację, mówiąc, że nastoletnia dziewczyna nie ma szans zatuszować morderstwa. Ale Florence mogła tam przyjść po mnie i zrobić to bez większego trudu. Pomyślałam o psie Wayne'a, Buddym. O kurze pani Weedy. Florence potrafiła być bezwzględna.

Brakowało jednak kilku elementów. Na przykład nie miałam pojęcia, jak Florence wpadła na to, by akurat wtedy mnie śledzić, albo skąd wiedziała, gdzie jest ciało. Czy Clarice ją obudziła i puściła farbę, mówiąc, że poszłam na szczyt wzgórza za Jimem Beverlym? A nawet gdyby tak się stało, skąd ciotka Florence wiedziałaby, że Jim nie żyje. Jak doszłaby do tego, aby szukać zwłok w gęstwie? Patrząc w milczeniu na Burra, próbowałam zrobić to co on. Ułożyć historię, która pasowałaby do faktów. Burr miał rację, że moja wersja się nie sprawdza, ale jego wersja też nie była doskonała, gdyż nie znał całej prawdy.

Z tego typu rozumowaniem radził sobie lepiej niż ja. Nie miałam wątpliwości, że gdyby wiedział wszystko, potrafiłby rozwiązać tę zagadkę. Burr znów się odezwał, a ja słuchałam go rozkojarzona, zachodząc w głowę, skąd Florence mogła wiedzieć, że ma iść na szczyt wzgórza.

– To dosyć łatwo sprawdzić – kontynuował Burr. – Chłopak był seryjnym gwałcicielem. Mówisz, że był dobry. Mówisz, że się w nim podkochiwałaś, ale potwór wychodził z niego, kiedy był pijany. Wszystko jasne. To doprowadziło cię do rozdarcia. Ale ten dobry chłopak wiedział, że drzemie w nim potwór. A mimo to zdecydował się na picie. Zdecydował się, by go uwolnić. Podobało mu się to. I wątpię, aby przestało mu się podobać. Jestem skłonny się założyć, że figuruje w rejestrach kryminalnych. Znasz jego metody działania. Dobry prywatny detektyw mógłby go znaleźć, przeszukując kartoteki skazanych. Możemy w to zainwestować i go odszukać, jeżeli tego potrzebujesz, by odzyskać spokój. Ale będziesz musiała się z tego otrząsnąć. Nie zabiłaś Jima Beverly'ego.

Burr mówił coś jeszcze, ale go nie słuchałam, bo nagle odkryłam, jak to musiało wyglądać. W mgnieniu oka zobaczyłam wszystko jak na dłoni. Wszystko doskonale do siebie pasowało, nie kłóciło się z faktami i miało sens. Burr dostrzegł w mojej twarzy, że coś odkryłam, i położył mi dłoń na nodze, jak zawsze tuż ponad kolanem.

– Dziewczynka zmądrzała – powiedział.

Podniosłam na niego czysty i absolutnie szczery wzrok i skłamałam. Kłamstwo przeszło mi przez usta bez najmniejszego trudu, a moje spojrzenie pozostało jasne i niewzruszone.

– Masz rację. Pewnie gdzieś tam sobie żyje. Musiał uciec – skwitowałam z uśmiechem. Czułam, jak kłamstwo wylęga się w mojej piersi, rośnie i rozwija się jak kwitnący pąk róży. Cedziłam je przez zęby, rozkoszowałam się jego doskonałym pięknem: – Jim Beverly żyje.

Burr nachylił się nad moim fotelem i pocałował mnie.

– Jedźmy stąd – rzekł.

– Tak. Jedźmy do domu. Chyba musiałam poważnie wkurzyć ciotkę Florence. I jestem taka zmęczona.

Burr włączył z powrotem reflektory i wycofał. Do domu wracaliśmy w milczeniu, a jego ręka spoczywała na moim udzie. Zaparkowaliśmy na żwirowym podjeździe i weszliśmy do domu kuchennymi drzwiami.

Mama siedziała na swoim fotelu w bawialni i wyglądała na radosną i pobudzoną. Była ubrana w kwiecistą, bawełnianą koszulę nocną i miała bose stopy. Cała bawialnia była zarzucona albumami mamy. Leżały pootwierane na stoliku do kawy, na sofie i na podłodze. Mama trzymała na kolanach jeden z nich i wpatrywała się w niego rozpalonym wzrokiem.

– To mój ślub – odezwała się, widząc mnie w drzwiach.

– Mamo, wiesz, która jest godzina? – zapytałam.

– Późna? – W jej głosie pojawiła się nutka rozdrażnienia. – Bruster już śpi, a Florence nie przyszła, żeby mnie położyć.

Pod moimi stopami leżał album otwarty na zdjęciu zrobionym podczas wakacji na Florydzie. Mama stała całkiem z boku i wpatrywała się apatycznie w coś spoza kadru. Clarice i ja stałyśmy przed ciotką Florence i wujem Brusterem. Wyszczerzałyśmy zęby jak małpki. Clarice przytulała się plecami do ojca, a koścista ręka ciotki spoczywała na moim ramieniu.

Burr przyklęknął i zamknął album. Pod spodem leżał jeszcze jeden, otwarty na fotografii ładnej blondynki. Na pierwszy rzut oka pomyślałam, że to Clarice. Dziewczyna na zdjęciu opierała się o ogrodzenie pastwiska i ubrana była w szorty oraz podkoszulek z napisem „Kocham odważnych". Była ładna, miała niebieskie oczy Lukeyów i tę samą wysmukłą i strzelistą figurę co Clarice, ale różniła się od niej uśmiechem i dłuższym nosem.

– Kto to jest, mamo? – zapytałam, unosząc album.

– Twoja kuzynka, Gruba Agnes – wyjaśniła mama. – To było w zeszłym roku, na zjeździe rodzinnym w Swit Bee Park.

– Dobry Boże – powiedziałam.

– Nie używaj imienia bożego nadaremnie, skarbie – napomniała mnie mama.

– To jest Gruba Agnes? – Burr sięgnął po album, by popatrzeć z bliska.

– Zrzuciła ze sto kilo – skwitowałam.

– O tak, należała do Strażników Wagi – ziewnęła mama.

– Nigdy bym jej nie poznała – stwierdziłam. – Mamo, a gdzie jest ciocia Florence?

– Florence, jak sądzę, poszła na poddasze – odparła mama.

– Jesteś pewna? – spytałam.

Na zegarze w bawialni minęła już północ.

Jedynym wejściem, jakie prowadziło na poddasze, była klapa z rozkładanymi schodkami, znajdująca się w suficie korytarza. Przeszłam przez bawialnię i wystawiłam głowę do holu, aby upewnić się, że schody są opuszczone.

– Burr – powiedziałam – jestem winna Flo przeprosiny. Pokłóciłyśmy się, kiedy pojechałeś po benzynę. Czy mógłbyś odprowadzić mamę do łóżka? A potem możesz walnąć w kimono, jeżeli jesteś zmęczony. Dołączę do ciebie, kiedy tylko sprowadzę Florence na ziemię.

– Jasne, kochanie – zgodził się, przyglądając mi się troskliwie. – Wszystko z tobą w porządku?

– Nie wiem. A z nami wszystko w porządku?

– Oczywiście.

– No to ze mną też.

Burr położył album na szczycie sterty pozostałych, piętrzącej się na sofie.

– Pani Fleet. – Podał mamie rękę. – Chce pani położyć się spać?

Mama przytaknęła i podniosła się z fotela, a Burr poprowadził ją przez hol. Mama przecisnęła się przy ścianie, omijając spuszczone schody. Odprowadziłam ich do tego miejsca, a potem wspięłam się po wątłych listewkach na poddasze. Czułam, jak spływa na mnie ciepło sączące się z otwartej klapy.

Wystawiłam głowę przez kwadratowy otwór w suficie. Strych wyglądał dokładnie tak, jak go zapamiętałam. Podłogę stanowiła rozłożona między belkami stropowymi warstwa różowej waty szklanej, nakryta kawałkami sklejki różnej wielkości, które opierały się na belkach. Gdzieniegdzie spomiędzy płyt wystawały kępki izolacji. Właz otaczała ściana z pudeł kartonowych. Na niektórych z nich ponaklejane były kartki z imionami zmarłych członków rodziny. Zauważyłam kilka należących do ciotki Niner, inne zaś mieściły rzeczy zramolałego dziadzia i Świątobliwej Babuni. Na niektórych było napisane po prostu „ubrania" albo „kuchnia", ale kilka pudeł nie miało żadnego napisu.

Zza nich przebijało się światło, w którym zobaczyłam wąską ścieżkę ułożoną z pięciocentymetrowych łat, prowadzącą wzdłuż ściany pudeł. Podciągnęłam się, ostrożnie kładąc pupę na sklejce, i owionęło mnie dokuczliwe gorąco. Stanęłam i ruszyłam w stronę źródła światła, przytrzymując się ściany, by zachować równowagę na wąskich deskach.

Ściana pudeł była gruba na sześć czy osiem rzędów. Za nią, na belkach i warstwie izolacji, rozpościerał się spory kawałek podłogi z grubej tarcicy. Znajdowało się na niej kilka pudeł i opasłych worków foliowych na śmieci. Jedno z tych pudeł było otwarte, a za nim na rozkładanym krześle siedziała ciotka Florence.

Obok niej na pudle stała zielona lampa napełniająca światłem całą tę ciasną przestrzeń. Była podłączona do grubego, pomarańczowego przedłużacza, który leżał rozwinięty na podłodze. Ciotka była zajęta rozpakowywaniem pudełka i dokoła niej było rozrzucone mnóstwo rzeczy. Popatrzyła na mnie, kiedy pojawiłam się w kręgu światła, a potem opuściła wzrok na figurkę, którą trzymała w rękach.

– Myślałam, że pojechaliście z powrotem do Chicago i zostawiliście walizki – powiedziała, oglądając zabawkę.
– Nie miałam zamiaru tego tutaj składować. Chciałam ci wysłać.

Wstrząśnięta zauważyłam, że ciotka trzyma pana Minkusa, tatusia mojej lalkowej rodziny. Stojąca na pudełku zielona lampa była taka sama jak ta należąca do Clarice, tylko nie miała stokrotkowych nalepek. To była moja lampa. Wtedy zaczęłam rozróżniać rzeczy porozkładane na drewnianej podłodze. Moje stare książki o Narnii i moje pluszowe zwierzaki. Nawet moja poduszka w intensywnie różowym kolorze. U stóp ciotki leżała oprawiona w tandetną ramkę moja pocztówka z kotkiem uwieszonym na końcu liny. Obok leżała makatka, którą wykonała dla mnie ciotka Niner. Makatka wisiała na ścianie nad moim biurkiem i była na niej wyszyta przypowieść o Jezusie i śladach stóp na piasku.

– To wszystko są moje rzeczy – powiedziałam niedowierzającym tonem.

Ominęłam Florence i podeszłam do stojących za jej plecami trzech wielkich kartonowych pudeł. Napisane było na nich „Arlene: ubrania", „Arlene: książki/albumy" i „Arlene: gry/zabawki/inne". Pudło na samym szczycie było otwarte i dostrzegłam w środku mój stary dom dla lalek otoczony luźnymi elementami różnych gier, scrabble, operacji i pułapki na myszy. Na wierzchu spoczywały lalki, pani Minkus oraz jej dziecko. Spod powykrzywianej planszy do gry w monopol błysnęła szyjka wciśniętej w róg pudła butelki. Sięgnęłam do środka i wyjęłam ją.

Była długa i przejrzysta, z grubą, nakrapianą podstawą. Taka, jaką zapamiętałam. Nie szukałam jej nigdy, gdyż doszłam do wniosku, że Clarice ukradkiem wyniosła ją z domu. Tymczasem butelka musiała pozostać tam,

291

gdzie ją wsunęła, czyli pod moim łóżkiem. Wpychana coraz to głębiej znalazła w końcu miejsce spoczynku za pudełkami, w których przechowywałam zimowe swetry i buty.

Zanim natknęła się na nią ciotka Florence podczas wykorzeniania moich śladów z pokoju, zdążyła już całkiem wywietrzeć. Została spakowana wraz z resztą moich rzeczy. Wydawała mi się mniejsza i dużo lżejsza niż ta, którą nosiłam w pamięci. Wrzuciłam ją z powrotem do pudła.

– Myślałam, że pozbyłaś się moich rzeczy – powiedziałam.

– Czemu miałabym to robić? – odparła ciotka beznamiętnie.

Obok kartonów stał czarny worek na śmieci, wypchany do pełna i zamknięty drucianą zapinką. Otworzyłam go i zajrzałam do środka. Z początku wydawało mi się, że worek napełniony jest pogniecionym papierem, ale kiedy go dotknęłam, okazał się kruchy i sztywny jak papier mâché. Chciałam wziąć do ręki kawałek i wtedy zorientowałam się, że zawartość worka stanowi całość zlepioną w jedną ogromną grudę. W słabym świetle widziałam pokrywające papier słowa lub rysunki, ale był on tak wygnieciony, że nie mogłam ich rozszyfrować. Potem jednak zaczęłam wyławiać drobne, znajome szczegóły. Kowbojski kapelusz, lasso, noga konia.

– To jest tapeta Wayne'a? – zapytałam. – Zdarłaś jego tapetę i zachowałaś ją?

Obok stał jeszcze mniejszy worek i kiedy go dotknęłam, wyczułam taką samą zakrzepniętą masę. Byłam skłonna się założyć, że gdybym zajrzała do środka, znalazłabym tam pozostałości tapety w dinozaury, którą ciotka wykleiła łazienkę, kiedy Wayne był mały.

Ciotka Florence siedziała odwrócona do mnie plecami.

– Nie mogłam na to patrzeć. – Wzruszyła ramionami. – Ci uśmiechnięci kowboje, a mój syn martwy. Ale też nie potrafiłam tego wyrzucić.

Obeszłam krzesło z powrotem, odsunęłam pudło z moimi rzeczami na bok i usiadłam na podłodze na wprost Florence.

– Dlaczego moje rzeczy są razem z rzeczami Wayne'a i cioci Niner, i dziadka, i babuni? Ja nie umarłam, ciociu Flo.

– Z tego samego powodu – odpowiedziała. – Nie mogłam ich wyrzucić, ale też nie mogłam znieść ich widoku na co dzień.

Przestała wreszcie kręcić głową pana Minkusa i spojrzała mi w oczy.

– Unikałaś tego domu, Arlene. Może jestem taka głupia, jak myślisz, i minęło kilka lat, zanim to pojęłam, ale od tamtej pory nie mogłam patrzeć na twoje rzeczy. Bo ty gdzieś tam daleko osądzałaś mnie i unikałaś tego domu.

Uniosłam się na kolana i położyłam dłonie na jej nogach. Była twarda i sztywna, ale takie wrażenie miałam zawsze, dotykając Florence.

– Nigdy cię nie osądzałam – powiedziałam. – Niewłaściwie to odebrałaś. Myślałaś, że wiem coś, czego nie wiedziałam. Całą tę przestrzeń między nami wypełniłaś tym, co ci odpowiadało. Ale popełniłaś błąd. Nie osądzałam cię i to nie z twojego powodu nie wracałam do domu. Aż do wczoraj, kiedy powiedziałaś mi w kuchni to, co powiedziałaś, nie przypuszczałam nawet, że wiesz cokolwiek o śmierci Jima Beverly'ego. I do dzisiejszego wieczoru, kiedy Burr wskazał mi kilka rzeczy, co do których się myliłam, nie miałam pojęcia, że to ty go zabiłaś.

Zapadła cisza i trwałyśmy zawieszone w niej przez moment.

Ciotka Florence potrząsnęła głową z niedowierzaniem.

– Ale tamtego dnia przyszła do nas pani Weedy. Zapytałaś o samochód. Musiałaś wiedzieć. Doszłam do wniosku, że byłaś w tym samochodzie, kiedy go rozbił. Pomyślałam, że uderzyłaś go w głowę, bo chciał cię gdzieś wywieźć, a wtedy on stracił panowanie nad kierownicą. Pomyślałam, że tak właśnie się uwolniłaś.

– Nie – odparłam. – Nie jechałam z nim samochodem, ciociu Florence. Brałam pod uwagę taką możliwość, że uciekł. Ale przede wszystkim myślałam, że porzuciłam go martwego na wzgórzu, i to dlatego nie przyjeżdżałam do domu. Ale teraz muszę to wiedzieć. Co zrobiłaś, ciociu Florence?

– A więc było to tak – zaczęła ciotka Florence.

Kiedy mówiła, łączyłam jej słowa z tym, co już wiedziałam, i potrafiłam ułożyć wszystko w całość. Tym razem była to czysta, niezmącona prawda. Słuchając jej, czułam, że wszystko rozgrywa się powtórnie. To było jak podróż w czasie. Jakbym w końcu mogła zdjąć z siebie coś szkaradnego i zniszczonego.

Tej nocy, kiedy zginął Jim Beverly, ciotka Florence słyszy, jak Clarice wraca do domu, sama, i idzie przez hol. Jest tuż przed północą. Clarice zmieściła się w ustalonym czasie. Obok śpi twardo Bruster. Mama jest w dawnym pokoju Wayne'a, całkowicie odcięta od rzeczywistości.

– Już jesteśmy, mamo – woła Clarice.

Ciotka Florence nie jest głupia. Poznała się na tej sztuczce, odkąd tylko zaczęłyśmy ją stosować. Zawsze czuwa, dopóki nie usłyszy, że druga z nas bezpiecznie wraca. Jest zbyt mądra, by zdradzić się z tym, że nas przejrzała. Gdyby trzymała nas zbyt krótko, zaczęłybyśmy szaleć. Uważa to za nieszkodliwy wybryk. Wie, że porządne z nas dziewczyny. Nie chodzimy się upijać ani żadna z nas nie pozwoli, żeby jakiś chłopak machnął jej bachora. Zdarza się nam zasiedzieć wśród przyjaciół i trochę dłużej powygłupiać. Albo całować się z chłopakiem, upajając się własną śmiałością i poczuciem bezkarności. Druga z nas wraca zawsze pół godziny, najdłużej godzinę później. Nie pozwalamy sobie na to często. Ciotka daje nam tę swobodę, abyśmy się nie buntowały i nie napytały sobie biedy.

Ale tej nocy ciotka słyszy, jak Clarice miota się gorączkowo po pokoju. A ja wciąż nie wracam. Mija godzina i serce Florence zaczyna bić szybciej. Jest całkiem rozbudzona. Upływa kolejne pół godziny i już ma iść, by rozmówić się z Clarice, gdy słyszy, że jej córka zakrada się do kuchni. Po chwili Florence podnosi ostrożnie słuchawkę stojącego przy łóżku telefonu. Przyciska ją do ucha, przytrzymując palcem widełki, i zasłania dłonią mikrofon, na wypadek gdyby Bruster się poruszył. Potem usuwa palec, starając się oddychać niemal bezgłośnie.

– ...poszła na Wzgórze Lizania. Jim Beverly był tam z jakąś dziewczyną – mówi Clarice.

Tyle jej wystarczy, ale nie odkłada słuchawki, żeby Clarice niczego nie usłyszała. Clarice chce, aby Bud pojechał mnie szukać, ale on przypomina jej, że pożyczyła od niego samochód. Chce wiedzieć, po co śledziłam Jima Beverly'ego, ale Clarice go zbywa. Mówi mu przede wszystkim to, że nie wróciłam do domu i że ostatni raz widziała mnie idącą na wzgórze. Ustalają plan. Jeśli nie pojawię się przed świtem, Clarice zostawi rodzicom kartkę, coś o porannym pikniku albo treningu futbolowym, pojedzie po Buda i razem wyruszą na poszukiwania. Ciotka Florence czeka, aż Clarice skończy rozmowę, i dopiero wtedy odkłada słuchawkę. Słyszy, jak Clarice przemyka z powrotem do pokoju i zasiada przy otwartym oknie, wyczekując mego powrotu.

O trzeciej Clarice zasypia z głową na biurku. Mnie wciąż nie ma. Ciotka Florence wstaje z łóżka, poruszając się powoli, aby nie obudzić Brustera. Teraz jest już poważnie zmartwiona, wściekła i zdeterminowana. Nie zastanawia się. Działa. Wkłada wczorajsze ubranie, zostawiając koszulę nocną obok łóżka. Wychodząc z domu, zagląda do Clarice. Wygląda tak ślicznie w świetle lampy, delikatnie i niewinnie. Clarice żyje, porusza się lekko z każdym oddechem i widząc to, Florence odczuwa zadowolenie. Ale to nie wszystko. Clarice to nie wszystko. Świat nie jest bezpiecznym miejscem, a pokój Wayne'a jest tego wystarczającym dowodem. Ciotka Florence wychodzi z domu naprzeciw temu światu, aby mnie odnaleźć. Chce, abym żyła u boku Clarice, dopełniając zielono-różowej przestrzeni naszego pokoju, który jest sercem tego domu.

Najpierw Florence jedzie na wzgórze. Zna drogę. Takie miejsca nie zmieniły się od czasów, kiedy sama była dziewczyną. Kiedyś szła tam, trzymając się za rękę z Brusterem. U stóp wzgórza jest pusto. Jeep Jima Beverly'ego zniknął. Tak jak inne samochody. Ale Florence i tak idzie na szczyt. Wozi latarkę w bagażniku swego auta i zna drogę. Na szczycie też nikogo nie ma.

Wraca do samochodu i jedzie w kierunku autostrady. Jim Beverly, jak jej wiadomo, mieszka we Fruiton. Przy drodze widzi jego czerwonego jeepa rozbitego na słupie. Zwalnia i zatrzymuje się na poboczu. Opuszcza szybę i patrzy przez okno, ale widzi, że drzwi po stronie kierowcy są otwarte, w jeepie nikogo nie ma. Woła mnie, wykrzykuje moje imię w ciemność, ale ja nie nadchodzę.

Zdejmuje więc nogę z hamulca i zostawia jeepa za sobą, jadąc dalej, w stronę autostrady. Przypuszcza, że mogłam tam pójść w poszukiwaniu pomocy i zatrzymywać przejeżdżające samochody. Skręca do wjazdu na autostradę, ale kiedy jest już na pasie prowadzącym w stronę Fruiton, widzi autostopowicza po przeciwnej stronie drogi. Przez moment oświetlają go reflektory przejeżdżającego samochodu. Trzyma uniesioną rękę z wyprostowanym kciukiem i ma jasne włosy. Wzrost też by się zgadzał. Florence zawraca na najbliższym zjeździe i pędzi w przeciwnym kierunku. Czuje ulgę, widząc, że nikt nie zabrał autostopowicza. Zwalnia i zatrzymuje się obok niego. To Jim Beverly. Jest sam. Kiedy samochód przystaje, chłopak nie patrząc na nią, gramoli się do środka.

– Dzięki – mówi. – Rozwaliłem mojego jeepa i muszę dostać się do domu.

Florence nie odpowiada.

Chłopak sprawia wrażenie zdezorientowanego. Mówi bełkotliwie i ma brudne ubranie. Ciotka rusza, ale nim zacznie rozmowę, rozpędza samochód.

– Gdzie ona jest? – pyta. – Gdzie jest dziewczyna?

Jim Beverly nie rozpoznaje ciotki Florence.

– Jaka dziewczyna? – mówi. – Dziewczyna?

– Była z tobą na Wzgórzu Lizania. Mów, gdzie ona jest?

– Ta mała dziwka? Ta mała dziwka mnie uderzyła.

Jim prawdopodobnie ma na myśli tamtą małolatę, ale ciotka jest przekonana, że mówi o mnie.

– Dobrze – mówi złośliwym tonem. – No i co? Co z nią zrobiłeś?

Jim Beverly wzrusza ramionami, beztrosko i cynicznie.

– Zawieź mnie do domu – bełkoce. – Nie obchodzi mnie, gdzie jest twoja dziwka.

Florence skręca ostro w prawo, w najbliższy napotkany zjazd. Pogrążają się w mroku, który spowija dzikie odludzia Alabamy. Mijają stację benzynową i sklepik z fajerwerkami, jedno i drugie zamknięte na głucho. Gnają ciemną wiejską drogą, po której obu stronach piętrzy się gęstwa, czarna i monstrualna w blasku księżyca.

– Coś mi tu nie gra – odzywa się Jim Beverly. – Powiedziałem: zawieź mnie do domu.

W jego głosie pojawia się rozdrażnienie, ale mówi tak bełkotliwie, że Florence trudno jest zrozumieć jego słowa. Śmierdzi tequilą i ciągle rozciera dłonią tył głowy. Florence zwalnia i zjeżdża na pobocze, gasząc światła.

– Gdzie jesteśmy? – pyta Jim Beverly. Niczego się nie obawia. Jest co najwyżej zniecierpliwiony.

Odwraca się przodem do Florence, która w księżycowej poświacie widzi, że jedna z jego źrenic jest ogromna, a druga nie większa od czubka szpilki.

– Uderzyła cię mocno – mówi Florence. – Co jej zrobiłeś?

Jim znów wzrusza ramionami, potrząsa nimi nonszalancko i Florence jest w głębi duszy przekonana, że leżę gdzieś martwa. Nie ma żadnych złudzeń, że ten chłopak byłby do tego zdolny. Leżę gdzieś martwa, a cały świat pogrąża się w czerni i w tym momencie Florence nabiera ponurego przeświadczenia, że wszystko zostanie jej w końcu odebrane. Krew zaczyna w niej kipieć i czuje nienawiść do Boga, że pozwolił temu okrutnemu chłopcu chodzić swobodnie po ziemi. To uczucie pulsuje w niej, gorące i bezwzględne. Jej pole widzenia zawęża się jak w tunelu i dostrzega tylko tego rozlazłego chłopca, który niedbale wzrusza ramionami i uśmiecha się bezczelnie. W tym momencie jest silniejsza od niego. Jest silniejsza niż ktokolwiek żywy. Adrenalina porywa ją niczym ogromna czarna fala. Daje się jej ponieść. Jej krew płonie żywym ogniem, kipi i wzbiera i wtedy Florence wykonuje ten ruch.

Wyciąga swoje wielkie ręce. Ten ruch wydaje się jej ślamazarny i długotrwały, ale tu, na szczycie fali, czas płynie wolniej. Znajduje się w miejscu, które znam. Też tam byłam, wcześniej, tej samej nocy, kiedy stałam za plecami Jima Beverly'ego, ściskając butelkę. Ma chwilę, by dokonać wyboru, i dokonuje go. Bierze jego szyję w ogromne dłonie, a on jest tak zaskoczony, pijany czy poturbowany, że poddaje się jej w tym trwającym wieki ułamku sekundy, jakiego potrzebowała, by go schwycić.

Z początku nie broni się, kiedy Florence zaciska chwyt.

Z początku Jim nie może pojąć, co się dzieje. Potem zaczyna walczyć, ale jest słaby, albo taki się jej wydaje. Florence znajduje się w takim stanie, że mogłaby gołymi rękami przenosić góry. Jego pięść trafia ją w pierś, ale ona nic nie czuje. Potem będzie miała czarnogranatowy siniak po tym uderzeniu, ale teraz jego pięści zdają się tak niematerialne, jak schwytane w pułapkę ptaki bezradnie trzepocące skrzydłami.

Krew krąży w jej silnych ramionach jak płynny ogień. Czuje, że Jim jej ulega. Jego stopy gwałtownie tłuką o podłogę samochodu w desperackim staccato. Potem bębnienie słabnie, jest coraz wolniejsze, aż wreszcie ustaje, ale Florence nadal trzyma jego gardło w żelaznym uścisku. Chce mieć pewność. Kiedy jest już pewna, puszcza go i odwraca jego głowę, by nie patrzeć mu w oczy, chociaż wie, że uszło z niego życie i niczego nie widzi, i nigdy nie zobaczy. Potem siedzi w bezruchu. Nie ma już nic, co mogłaby zrobić.

Po krótkiej chwili wywleka martwe ciało z samochodu i dźwiga je do bagażnika. W tym momencie nie chodzi jej o to, aby je ukryć, tylko nie chce szukać mnie, jeżdżąc z trupem obok siebie. A poza tym Florence nie myśli.

Nie przejeżdża żaden samochód. Nikt jej nie widzi. Kiedy ładuje zwłoki do bagażnika i zamyka klapę, jest roztrzęsiona i słaba jak mały kotek.

Wraca do miejsca, gdzie został jeep, ale widzi, jak policja stanowa wciąga go na lawetę. Przemyka obok, nie zwalniając. Zaczyna świtać. Odcinek drogi od wraku do domu Florence przemierza, jadąc powoli. Jak gdyby wierzyła, że natknie się na mnie idącą do domu, ale w głębi serca nie ma wątpliwości, że nie żyję. Czuje taką samą pustkę jak wtedy, gdy zobaczyła Wayne'a leżącego na podwórku, oplątanego sznurkiem, o zakrytych opuchlizną oczach i tak nabrzmiałej twarzy, że nie rozpoznałby go nikt poza matką. Czuje mnie tak samo, jak ludzie czasem odczuwają ciszę. Czuje mnie jak brak tętna, które jest tak nieustanne, że przestajemy na nie zwracać uwagę, dopóki nie zniknie.

Właśnie wschodzi słońce, kiedy Florence zjeżdża ze wzgórza, zbliżając się do domu, i widzi Clarice. Zatrzymuje się, a jej serce wali jak oszalałe. Patrzy na swoje ostatnie żyjące dziecko. Clarice stoi tyłem do ciotki Florence i schyla się po coś wśród krzewów hortensji. Pomaga mi wstać. Jestem cała brudna i słaniam się oparta na jej ramieniu, ale żyję. Florence nie może złapać tchu, patrząc, jak Clarice wpycha mnie do pokoju przez okno, zakłada moskitierę, a potem zakrada się do frontowych drzwi i znika we wnętrzu.

Florence patrzy na dom, w którym obie jej dziewczęta są bezpieczne, i świat zaczyna znów się kręcić. Dociera do niej śpiew ptaków; jest jak pierwszy dźwięk, który kiedykolwiek usłyszała. Piękny. A w bagażniku spoczywa martwy chłopiec. Florence uzmysławia sobie, że nie odczuwa strachu ani żalu. Nie ma w niej miejsca na nic poza szaloną, nieokiełznaną radością i zachwytem dla śpiewu ptaków.

Bruster może wstać w każdej chwili, ale Florence jest zbyt mądra, by kłamać albo próbować się tłumaczyć. Najzwyczajniej w świecie parkuje samochód, idzie prosto do ogrodu i kucając między grządkami, zaczyna poranne plewienie. Oczywiście jest to miejsce, gdzie od razu zajrzy Bruster.

– Zapomniałaś zaparzyć kawę – mówi Bruster z wyrzutem.

Ma zmierzwione włosy, mruga spuchniętymi od snu powiekami i jest marudny. Florence wzrusza ramionami, jakby chciała go przeprosić. Kiedy Bruster wraca do domu, Florence dostrzega, że właśnie trzebi swój ogród warzywny, wyrywając młode krzaczki pomidorów i odkładając je na bok. Natychmiast orientuje się po co. W cieniu szopy stojącej w głębi ogrodu, za zasłoną bujnej kępy krzewów cytrynowych ma zamiar wykopać dół.

Kiedy idzie przygotować śniadanie, postanawia zwolnić nas od pracy w ogrodzie. Potrzebuje go tylko dla siebie. Dom zasłoni ją przed widokiem od strony drogi. Za szopą nie będzie widoczna dla pani Weedy. Po betonowej dróżce może wycofać samochód w głąb ogrodu.

Widzi, jakiego mam kaca. Jestem półprzytomna, odsyła mnie więc z powrotem do łóżka, gdzie śpię jak zabita. Wyprawia Brustera z domu, wręczając mu długą listę sprawunków, a Clarice odjeżdża samochodem Buda, aby spotkać się z nim na sobotnim treningu. Kiedy zostaje sama, zakopuje Jima Beverly'ego w kącie ogrodu, wysypując na niego dziesięciokilowy worek wapna przyniesiony z szopy, aby okoliczne psy niczego nie wyczuły. Potem przesadza tam pomidory, które na wapnie będą rosły tak kiepsko, że po raz pierwszy od trzech lat Florence nie zdobędzie za nie nagrody na dorocznej wystawie płodów rolnych.

I właśnie taka spotkała ją kara.

Kiedy Florence skończyła opowiadać, długo siedziałam przy niej w milczeniu, wciąż opierając dłonie na jej twardych nogach.

– Dlaczego myślałaś, że mnie zabił? – odezwałam się w końcu.

– Ten chłopiec był zdolny do wszystkiego. Wiem, co zrobił rok wcześniej.

– Wiesz? – zapytałam. – Clarice ci powiedziała?

Ciotka Florence potrząsnęła głową.

– Nie, Arlene. Dobrze znasz Clarice. Nie zdradziła twojego sekretu.

– Mojego sekretu?

– Ale się domyśliłam – kontynuowała Florence. – Kiedy tak bardzo się zmieniłaś, wróciłam pamięcią do tamtej nocy, kiedy ty i Clarice poszłyście z nim na randkę. Nie byłaś sobą, ubierałaś się na czarno i nie wychodziłaś z domu. Nie kąpałaś się. Clarice nieźle się gimnastykowała, żeby dochować tajemnicy, ale ja się domyśliłam, dlaczego się zmieniłaś. Z początku myślałam, że to ten Rob Shay, ale potem spotkałyśmy go przypadkiem w Wal-Marcie i byłaś dla niego słodka jak cukiereczek. Nawet powieka ci nie drgnęła. Doszłam więc do wniosku, że to musiał być ten drugi. Taki wybitny sportowiec, więc pewnie pomyślałaś, że nikt by ci nie uwierzył. Ale ja bym ci uwierzyła. Wiedziałam, co to za jeden.

– Co mam w kieszeniach – powiedziałam łagodnie, a ciotka Florence popatrzyła na mnie pytającym wzrokiem.

Pokręciłam głową. Wyjawiłam wszystkie swoje tajemnice, ale sekret Clarice mogłam zachować. Tak samo jak sekret ciotki Florence.

Obróciłam się i oparłam plecami o twarde łydki Florence, kładąc głowę na jej kolanach. Siedziałyśmy tak długo, prażąc się w suchym, mrocznym upale, jaki panował na poddaszu. Mierzwiła palcami moje włosy. Pomyślałam, że mamy sobie jeszcze wiele do powiedzenia, ale milczenie oznaczało, że obie zdecydowałyśmy nic nie mówić. Skończyłam z zawieraniem układów i wyjawianiem tajemnic. Powiedziałam prawdę Rose Mae Lolley i okłamałam Burra, i było mi z tym dobrze. Wszystko mogło pozostać tam, gdzie było, nawet Jim Beverly w najgłębszym kącie ogrodu ciotki Florence. Mogłyśmy już nie wypowiadać jego imienia między sobą ani do nikogo, nigdy.

– A gdybym tak przyjechała na święta? – odezwałam się wreszcie. – Ostatnie dziewięć spędziłam sama albo z mamą Burra, więc myślę, że teraz kolej na was.

Dłonie ciotki Florence znieruchomiały.

– To byłoby naprawdę wspaniale, Arlene. Świetnie, gdyby tak się stało.

– A więc tak właśnie zrobimy. Ale wiesz, ciociu, jeśli chcesz mnie tu z powrotem, to razem z Burrem.

Jej palce znów zaczęły delikatnie błądzić w moich włosach.

– Wiesz, że nie jestem zwolenniczką mieszanych małżeństw – powiedziała, ale jej ton był łagodny, niemal rozmarzony, jakby myślami była gdzie indziej.

Uśmiechnęłam się, wiedząc, że nie widzi mojej twarzy. Byłam do niej podobna bardziej, niż myślałam. Wiedziałam w końcu, jak bardzo mnie kocha, i byłam na tyle bezwzględna, by natychmiast wykorzystać to przeciwko niej.

– To jest transakcja łączona – rzekłam. – Kochasz mnie, kochaj i Burra. I mówię teraz całkiem poważnie. Nie możesz być taka sztywna i zachowywać się, jakbyś go zaledwie tolerowała. Nie obchodzi mnie, jak się z tym czujesz, ciociu Florence, bo wiem, że wystarczająco dobrze potrafisz kłamać. A chyba to wiem. Okłamuj nas obydwoje. Jego i mnie. Troszcz się o niego, jakby był mną, i traktuj go z serdecznością. I nakłoń wujka Brustera, aby też był dla niego dobry. W przeciwnym razie nie przyjadę.

– Mogę to zrobić, Arlene – odparła po długiej chwili milczenia.

Potem złapała garść moich włosów i potarmosiła mnie, że aż zabolało.

– Au! – krzyknęłam, usiłując wstać, ale Florence delikatnie przytrzymała mnie za głowę, oparła ją na swoich kościstych kolanach i rozmasowała obolałe miejsce. – A ty już mnie nie opuszczaj – powiedziała. – Rusz tyłek do domu, kiedy będziesz miała wakacje, nie zmuszając mnie, abym walczyła o to z tobą do upadłego.

– Dobrze, proszę pani.

Zamilkłyśmy znowu na dłuższą chwilę. Czułam się chyba zbyt wyciszona, aby wstawać, kiedy palce ciotki Flo poruszały się lekko i kojąco w moich włosach. Wiedziałam, że w piątek wszyscy pójdziemy na przyjęcie wuja Brustera i nic złego się nie stanie. Florence na to nie pozwoli. Nie było na świecie takiego Benta czy Lukeya, którego nie potrafiłaby wziąć w ryzy.

Nie miałam pojęcia, jak długo tak siedziałyśmy, napawając się błogością, w końcu jednak musiałyśmy wstać i zejść na dół. Odprowadziłam Florence do drzwi jej sypialni i pocałowałam w zasuszony policzek. Zaczekałam, aż zniknie w środku, i przemknęłam do swojego starego pokoju. Burr spał twardo z twarzą zwróconą do ściany. Położyłam się w ciasnym łóżku Clarice i przywarłam do jego pleców. Zasnęłam niemal natychmiast, blisko niego i w otoczeniu rodziny, tam gdzie moje miejsce.